尚志钧本草文献全集

本草古籍辑注丛书·第一辑

2018年度国家古籍整理出版专项经费资助项目

尚志钧／辑注
尚元胜 尚云飞
尚元藕 任 何／整理

尚志钧百年诞辰典藏

【晋】葛 洪撰
【梁】陶弘景增补 【金】杨用道再补
尚志钧辑校

补辑《肘后方》

北京科学技术出版社

图书在版编目（CIP）数据

　　本草古籍辑注丛书．第一辑．补辑《肘后方》/（晋）葛洪撰；（梁）陶弘景增补；（金）杨用道再补；尚志钧辑校．—北京：北京科学技术出版社，2019.1
　　ISBN 978 - 7 - 5304 - 9983 - 2

　　Ⅰ．①本…　Ⅱ．①葛…②陶…③杨…④尚…　Ⅲ．①本草 - 中医典籍 - 注释②方书 - 中国 - 晋代　Ⅳ．①R281.3

　　中国版本图书馆 CIP 数据核字（2018）第 268711 号

本草古籍辑注丛书·第一辑·补辑《肘后方》

辑　　校：	尚志钧
策划编辑：	侍　伟　白世敬
责任编辑：	杨朝晖　张　洁　董桂红　白世敬　朱会兰　吴　丹
责任印制：	张　良
责任校对：	贾　荣
出 版 人：	曾庆宇
出版发行：	北京科学技术出版社
社　　址：	北京西直门南大街 16 号
邮政编码：	100035
电话传真：	0086 - 10 - 66135495（总编室）
	0086 - 10 - 66113227（发行部）
	0086 - 10 - 66161952（发行部传真）
电子信箱：	bjkj@bjkjpress.com
网　　址：	www.bkydw.cn
经　　销：	新华书店
印　　刷：	北京七彩京通数码快印有限公司
开　　本：	787mm×1092mm　1/16
字　　数：	451 千字
印　　张：	25.5
版　　次：	2019 年 1 月第 1 版
印　　次：	2019 年 1 月第 1 次印刷

ISBN 978 - 7 - 5304 - 9983 - 2/R·2538

定　　价：600.00 元

《补辑〈肘后方〉》修订版序

《肘后方》是我国古代较早的一部医学方书。"肘后"是随身携带以备急时应用的意思。战国时医学家秦越人（扁鹊）游历各地行医时，就倡导"肘后方"的使用。到了3世纪初，东晋葛洪（281—341）根据秦越人遗意，从自己编集的《玉函方》中采其"单行径易、约而易验""卒皆易得之药"，而成《肘后卒救方》（后名《肘后救卒方》，又名《肘后备急方》）。

到了梁代，陶弘景（456—536）将葛氏原本的86首（篇）并为79首，增加22首，共为101首，并分为上、中、下3卷，上卷35首治内病，中卷35首治外发病，下卷31首治为物所苦病，又将书名改为《补阙肘后百一方》。陶氏原以红字和黑字将葛氏原方与自己补入方进行区别。由于此书的实用价值很大，各个朝代均有传抄或翻刻，终致葛、陶二氏所撰方混合不易分辨，而内容的遗漏、重复和讹误增加。

金皇统四年（1144）杨用道得辽乾统年间（1101—1110）的刊本，添附得自唐慎微《证类本草》的部分方子，改名《附广肘后方》，是为现存各种版本《肘后方》的祖本。

《肘后方》是一本价值很高的古方书，自唐宋以来，就被《外台秘要》《艺文类聚》《本草图经》《本草纲目》等许多著名医学文献所引用，并在北宋时传到海外邻国刊行。它着眼于临床急症的诊断和救治，所收录方药简、便、廉而卓有效验，充分反映了为劳苦人民群众服务的精神；其收录的方书多半已散佚，端赖此书而存其大概；在录方的同时，每病都谈及病候，略记病原，明其治法；对天花、沙虱和猘犬（疯狗）啮人等传染性疾病，早在1600多年前就有了清楚的认识；而对常山、青蒿治疟，麻黄止咳，大黄泻下，密陀僧防腐，赤石脂收敛，以及雄黄和艾消毒等的记载，都符合现代科学的认识。至今《肘后方》仍是临床和医药史科研工作者不可多得的参考书。

遗憾的是，现存的《肘后方》体例不一，句法难解，以及缺漏、误刻太多，给读者带来太多的疑惑和不便。

1955年商务印书馆曾根据明正统道藏本（涵芬楼影印）、明嘉靖甲寅吕颙刊本、明万历李栻刊本、清乾隆四库全书写本、清道光庚寅徐逸堂刊本、清道光戊申瓶花书屋刊本、清道光刊六醴斋医书本、清光绪丙午刊道藏辑要本这八种刊本进行整理，出版了《葛洪肘后备急方》铅印本。这个铅印本的"出版说明"中记载，这八种刊本"内容基本相同，字句间互有出入，有的本子间有大段的脱漏和残缺，或页次倒置。本书共分七十三篇，自第四十四至四十六篇，原书均缺，目录中未载有篇名；第三十七篇'治肠痈肺痈方'则有篇名而无文字；第三十八篇'治卒发丹毒火恶毒疮方'及第三十九篇'治病癣疥漆疮诸恶疮方'则又均有文字而无篇名，且中间似有缺漏。原书个别的地方，间有重复的叙述，这些缺误，各本均未有校正和注释，所以，我们还不能肯定哪种本子刻印得最精确"。

商务印书馆最终是根据涵芬楼影印明正统道藏本，并参考其他七种本子校正脱误后重排的，并指出"本书体例的不一致，句法的难解，以及许多的缺漏、误刻，说明了还需要做进一步的整理"。此铅印本在1963年由人民卫生出版社重印过，内容未有改进。至于人民卫生出版社在1956年影印以后多次加印的《肘后备急方》，所用底本乃是上述商务版《葛洪肘后备急方》"出版说明"中提到过的"明万历李栻刊本"，其残缺和脱误依旧。

我在数十年的医药学文献研究过程中，涉猎浩瀚的古医书、古本草、古方书，在辑复和整理《新修本草》《神农本草经》《名医别录》诸古籍之余，有意辑补和整理《肘后方》这部对我国古代医学和民间单验方传统经验有过深远影响的古方书。

1961—1966年我从《外台秘要》《千金方》《太平御览》《证类本草》《医心方》《本草纲目》等书找得注记为"肘后"而《肘后方》现存本中未见的1265条方子，其数量与今存本的1392条相差不多。与此同时，对商务印书馆和人民卫生出版社影印出版的现存本《肘后方》，用其他诸书进行旁校，使书中许多缺漏、误刻得以改正。例如现存本中的"若田舍贫家。此药可酿。拔葜及松节。松叶皆善"一条，据《外台秘要》改为"若田舍贫家无药，可酿拔葜及松节、松叶，皆善。"

经我补辑整理的《肘后方》，1983 年由安徽科学技术出版社出版时，取名《补辑〈肘后方〉》，强调了补辑 1265 条佚方的特点。《补辑〈肘后方〉》问世以后，国内外医史、中医药学文献工作者对此项补辑工作给予了肯定，同时也指出了某些欠妥的处理方法，由此推动我和刘大培君在第一版的基础上，加以改进。

在第一版中，我在收纳补辑所得 1265 条佚方时，为了使今存本中实有的 69 篇，扩展到陶弘景《补阙肘后百一方》的 101 篇，我趁补辑所得方内容远远超过今存本篇目之机，主观地添设了 32 个篇目，使之牵合了陶弘景的"上卷三十五首治内病，中卷三十五首治外发病，下卷三十一首治为物所苦病"的情况。事实上陶氏当初的 101 篇篇目早已失传，新立的篇目肯定有臆断之处；而且将现存本各条与辑佚所得各条打乱重排，使读者看不出哪些是现存本的、哪些是补辑的，确有不妥。所以在这次修订再版时，在现存本原有篇目下，首列现存方，次列辑佚方，并有明确标志。至于辑佚方中的泌尿系统疾病、妇科病、儿科病等 49 个专题篇名，在各加［辑佚方］标志后，附载于现存本有关或相近篇之后。

此外，第一版曾因杨用道所加"附方"乃宋代方子，非葛、陶二人固有，故全部删除。方家认为，"附方"虽非《肘后方》原方，但它们毕竟是宋以前的古方，只要明确是杨氏"附方"，保留下来仍不失参考价值，故修订版已予恢复。不过读者在引用"附方"时要注意，不能简单地注以"肘后"，因它不是《肘后方》原方，而是从宋代《证类本草》中转录来的。朝鲜金礼蒙等所纂《医方类聚》中就误以杨用道增添的宋代方子为《肘后方》的原方。又如《本草纲目》卷 15 枭耳条附方载"误吞铜钱"方，下注出"肘后方"。查《肘后方》卷 6 附方中有此方，注明出"杨氏产乳"。《证类本草》卷 8 枭耳实附方载有此方，亦注出"杨氏产乳"。由于杨用道将《证类本草》中"杨氏产乳"方录入"肘后附方"中，《本草纲目》未加分析，转录此方时，遂误注出典为"肘后方"。

历代中医古籍中，均有一些现代科学尚不能解释的问题，或许是因为受历史条件的限制夹杂了一些不科学的内容，希望读者根据辩证唯物主义观点，认真研究并弃芜取精，在弘扬传统医学成就的同时，推动中医药学的提高和发展。

对《补辑〈肘后方〉》的修订工作，尚元藕同志给予大力协助，谨致谢忱。我们虽尽绵薄，做了一点工作，但可能仍有不当和疏漏之处，敬希读者指正。

尚志钧

于皖南医学院弋矶山医院本草文献研究室

1995 年 10 月 20 日

修订版辑校说明

（一）本书在 1983 年版补辑本的基础上，添加杨用道"附方"，按 1956 年人民卫生出版社影印《肘后备急方》目次编排。在各篇题下，分为三项：第一项为《肘后方》今存方，第二项为辑佚方，第三项为附方。共计含原方 1392 个，佚方 1265 个，附方 613 个。有很多佚方在原书无篇题归类时，即在性质相近的篇题以下，在标明辑佚方同时，另设篇题列出。

（二）每篇中，将诸方首端有关主治证候的文字用黑体字排出，权充后列诸方的子目。这样既不增损原本文字，又便于读者查看。

（三）各篇末"文献及校勘"中所用书名均沿袭 1983 年版补辑本所用的简称，其全称及所据版本如下。

《金匮》，汉·张仲景《金匮要略方论》，1956 年人民卫生出版社影印本。

《注解伤寒论》，汉·张仲景原著，金·成无己注解，1955 年商务印书馆出版。

《肘后方》，晋·葛洪《肘后备急方》，1956 年人民卫生出版社影印本。又，1955 年商务印书馆铅排版，简称商务本《肘后方》。"文献及校勘"中所注《肘后方》××页，均指人民卫生出版社影印本页码。

《外台》，唐·王焘《外台秘要》，1955 年人民卫生出版社影印本。

《艺文类聚》，唐·欧阳询撰，1965 年中华书局出版。

《太平御览》，宋·李昉等《太平御览》，1960 年中华书局影印本。

《证类》，宋·唐慎微《重修政和经史证类备用本草》，1957 年人民卫生出版社影印本。

《医心方》，日本丹波康赖撰，1957 年人民卫生出版社影印本。

《幼幼新书》，宋·刘昉撰，明万历十四年丙戌（1586）陈氏颂祝堂木刻本。

《纲目》，明·李时珍《本草纲目》，1977—1981 年人民卫生出版社出版。

（四）同一方子见引于几本书时，以最早本为底本，以后出者为参考本。一般以《外台》《医心方》为底本较多，《证类》次之，《纲目》仅供参考用。

（五）在现存《肘后方》中，某些方子由于舛错、脱漏、字误及断句欠妥，造成句法难解，仍沿袭 1983 年版补辑校正。

编校说明

（一）本书为尚志钧先生辑注的本草古籍。本次整理以尚志钧先生已出版的图书《补辑〈肘后方〉》为基础书稿。

（二）尚志钧先生原书有简化字，也有繁体字，本次统一使用简化字编排。对书稿进行编辑加工时，主要依据国家语言文字工作委员会文字规范文件（《简化字总表》《异体字整理表》等）的规定以及《汉语大字典》的相关释义，在不影响原义的情况下，将书稿中的繁体字、异体字、通假字等改为现行规范字。但对以下情况做变通或特别处理。

1. 简化字可能使字义淆错或不明晰的，不予简化。如中医病名"癥瘕"之"癥"不简化为"症"，禹餘粮之"餘"只简化为"馀"而不作"余"。

2.《异体字整理表》等归并不当或关系有歧见的异体字，不做简单归并。如《异体字整理表》将"剉"并入"锉"，但中草药切制古只作"剉"，与"锉"使用的工具、加工的方式与结果都不相同，故不予归并；"鱧"与"鼉""鳝"二字有关，不易确定古书中的指向，故保留原字。

3. 古书中的特有、习惯表达，不改为现代用字。如中医濡脉，"濡"同"软"，但"濡"字习用，故不改"软"。他如"文"不改"纹"。

4. 同一物名，若古今用字不同，作者已出注说明者，不予改动。尚志钧先生摘录古籍药名时为尊重古籍文字原貌，所写药名与现代规范药名不同者，也不做改动，如"芒消""杏人""黄耆"等。

（三）对于书稿中的明显的错别字以及常识性错误，编加时直接予以改正，不予出注。

（四）本书涉及诸多古籍，为方便阅读，对部分本草古籍使用简称。如《本草纲目》简称为《纲目》，《外台秘要》简称为《外台》，《肘后备急方》简称为《肘后方》，等。

（五）书稿中部分引文前后不对应，但由于无从查证尚志钧先生当时所用版本，故尽量尊重原书，不予改动。

在本书的编辑整理过程中，得到了尚志钧先生弟子郑金生研究员以及国内多位中医文献学者、古籍出版专家的悉心指教。由于本书体量巨大，且出版时间紧促，编辑水平有限，疏漏谬误，恐所难免，欢迎广大读者批评指正，以期再版更正。

葛洪《肘后备急方》序

（亦名《肘后卒救方》，隐居又名《补阙肘后百一方》）

抱朴子丹阳葛稚川曰：余既穷览坟索，以著述余暇，兼综术数，省仲景、元化、刘戴秘要、金匮、绿秩、黄素方，近将千卷。患其混杂烦重，有求难得，故周流华夏九州之中，收拾奇异，捃拾遗逸，选而集之，便种类殊，分缓急易简，凡为百卷，名曰《玉函》。然非有力，不能尽写。又见周、甘、唐、阮诸家，各作备急，既不能穷诸病状，兼多珍贵之药，岂贫家野居所能立办。又使人用针，自非究习医方，素识明堂流注者，则身中荣卫尚不知其所在，安能用针以治之哉！是使凫雁挚击，牛羊搏噬，无以异也。虽有其方，犹不免残害之疾。余今采其要约，以为《肘后救卒》三卷，率多易得之药，其不获已须买之者，亦皆贱价草石，所在皆有；兼之以灸，灸但言其分寸，不名孔穴，凡人览之，可了其所用；或不出乎垣篱之内，顾眄可具，苟能信之，庶免横祸焉。世俗苦于贵远贱近，是古非今，恐见此方，无黄帝、仓公、和、鹊、踰跗之目，不能采用，安可强乎！

华阳隐居《补阙肘后百一方》序

太岁庚辰（即公元500年）隐居曰：余宅身幽岭，迄将十载，虽每植德施功，多止一时之设。可以传方远裔者，莫过于撰述。见葛氏《肘后救卒》，殊足申一隅之思。

夫生民之所为大患，莫急乎疾疹，疾疹而弗治，犹救火不以水也。今辇掖左右，师药易寻，郊郭之外，已自难值，况穷村迥陌，遥山绝浦，其间夭枉，焉可胜言。

方术之书，卷秩徒繁，拯济盖寡，就欲披览，回惑多端。抱朴此制，实为深益。然尚有阙漏，未尽其善，辄采集补阙，凡一百一首，以朱书甄别，为《补阙肘后百一方》。于杂病单治，略为周遍矣。

昔应璩为百一诗，以箴规心行。今余撰此，盖欲卫辅我躬。且《佛经》云："人用四大成身，一大辄有一百一病"。是故深宜自想，上自通人，下达众庶，莫不各加缮写，而究括之。

余又别撰《效验方》五卷，具论诸病证候，因药变通，而并是大治，非穷居所资，若华轩鼎室，亦宜修省耳。葛氏序云：可以施于贫家野居，然亦不止如此。今缙绅君子，若常处闲佚，乃可师药有方；或从禄外邑，将命远途，或祗直禁闱，晨宵闭隔，或羁束戎阵，城垒严阻，忽惊急仓卒，唯拱手相看，孰若便探之枕笥，则可庸竖成医。故备论节度，使晓然无滞（自"夫生民之所为大患"到"使晓然无滞"一段，系以《艺文类聚》卷75方术部疾条所引"梁陶弘景肘后百一方序"文为底本的），一披条领，无使过差也。

寻葛氏旧方，至今已二百许年，播于海内，因而济者，其效实多。余今重以赅要，庶亦传之千祀，岂止于空卫我躬乎？

旧方都有八十六首，检其四蛇两犬，不假殊题；喉舌之间，亦非异处；入冢御气，不足专名；杂治一条，犹是诸病部类。强致殊分，复成失例。今乃配合为七十九首，于本文究具都无忖（疑为"寸"）减。复添二十二首，或因葛一事，增构成篇；或补葛所遗，准文更撰，具如后录。详悉自究，先次比诸病，又不从类，遂具劳复在伤寒前，霍乱置耳目后；阴易之事，乃出杂治中；兼题与篇名不尽相符，卒急之时，难于寻检，今亦复其铨次，庶历然易晓。其解散、脚弱、虚劳、渴利、发背、呕血，多是贵胜之疾。其伤寒中风，诊候最难分别，皆应取之于脉，岂凡庸能究。

今所载诸方，皆灼然可用，但依法施治，无使违逆。其痈疽、金疮，形变甚众，自非具方，未易根尽。其妇女之病、小儿之病，并难治之，方法不少，亦载其纲要云。

凡此诸方，皆是撮其枢要，或名医垂记，或累世传良，或博闻有验，或自用得力，故复各题秘要之说，以避文繁。

又用药有旧法，亦不复假事事诠诏，今通立定格，共为成准。

凡服药不言先食者，皆在食前。应食后者，各自言之。

凡服汤云三服、再服者，要视病源准候，或疏或数，足令势力相及。

毒利药，皆须空腹。补泻其间，自可进粥。

凡散日三者，当取旦、中、暮进之。四五服，则一日之中量时而分均也。

凡下丸散，不云酒水饮者，本方如此，而别说用酒水饮，则是可通用三物服也。

凡云分等，即皆是丸散，随病轻重所须，多少无定。铢两三种五种，皆分均之分两。

凡云丸散之若干分两者，是品诸药宜多宜少之分两，非必止于若干分两。假令日服三方寸匕，须差止，是三五两药耳。

凡云末之，是捣筛如法。㕮咀者，皆细切之。

凡云汤煮取三升，分三服，皆绞去滓而后酌量也。

字：方中用鸟兽矢作矢字，尿作溺字，牡鼠亦作雄字，乾作干字。

凡云钱匕者，以大钱上全抄之；若云半钱，则是一钱抄取一边尔，并用五铢钱也。

方寸匕，即用方一寸抄之可也。

刀圭准如两大豆。

炮、熬、炙、洗、治诸药：凡用半夏，皆汤洗五六度去滑；附子、乌头，炮，去皮，有生用者，随方言之；矾石熬令汁尽；椒皆出汗；麦门冬皆去心；丸散用胶皆炙；巴豆皆去心皮，熬，有生用者，随而言之；杏人去尖皮，熬，生用者言之；葶苈皆熬；皂荚去皮子；藜芦、枳壳、甘草皆炙；大枣、栀子擘破；巴豆、桃、杏人之类，皆别研捣如膏，乃和之；诸角皆屑之；麻黄皆去节。

凡汤中用芒消、阿胶、饴糖，皆绞去滓，内汤中，更微煮令消。红雪、朴消等，皆状此而入药也。用麻黄即去节，先煮三五沸，掠去沫后，乃入余药。

凡如上诸法，皆已具载在余所撰《本草》（即《本草经集注》）上卷中。今之人有此《肘后百一》者，未必得见《本草》，是以复疏方中所用者载之。此事若非留心药术，不可尽知，则安得使之不僻缪也。

案病虽千种，大略只有三条而已。一则脏腑经络因邪生疾，二则四肢九窍内外交媾，三则假为他物横来伤害。此三条者，今各以类而分别之，贵图仓卒之时，披寻简易故也。今以内疾为上卷，外发为中卷，他犯为下卷，具列之云：上卷三十五首治内病，中卷三十五首治外发病，下卷三十一首治为物所苦病。

杨用道《附广肘后方》序

昔伊尹著汤液之论，周公设医师之属，皆所以拯救民疾，俾得以全生而尽年也。然则古之贤臣爱其君，以及其民者，盖非特生者遂之而已，人有疾病，坐视其危苦，而无以救癥之，亦其心有所不忍也。仰惟国家受天成命，统一四海。主上以仁覆天下，轻税损役，约法省刑，蠲积负，柔远服，专务以德养民，故人臣奉承于下，亦莫不以体国爱民为心，惟政府内外宗公，协同辅翼，以共固天保无疆之业，其心则又甚焉于斯时也。盖民罹兵火，获见太平，边境宁而盗贼息矣，则人无死于锋镝之虑；刑罚清而狴犴空矣，则人无死于桎梏之忧；年谷丰而蓄积富矣，则人无死于沟壑之患，其所可虞者，独民之有疾病夭伤而已。思亦有以救之，其不在于方书矣乎，然方之行于世者多矣。大编广集，奇药群品，自名医贵胄，或不能以兼通而卒具，况可以施于民庶哉。于是行省乃得乾统间所刊肘后方善本，即葛洪所谓皆单行径易，约而已验，篱陌之间，顾盻皆药，家有此方，可不用医者也。其书经陶隐居增修而益完矣，既又得唐慎微《证类本草》，其所附方，皆洽见精取，切于救治，而卷帙尤为繁重，且方随药著，检用卒难，乃复摘录其方，分以类例。而附于肘后随证之下，目之曰《附广肘后方》，下监俾更加雠次，且为之序，而刊行之，方虽简要，而赅病则众。药多易求，而论效则远，将使家自能医，人无夭横，以溥济斯民于仁寿之域，以上广国家博施爱物之德，其为利岂小补哉！皇统四年十月戊子，儒林郎汴京国子监博士杨用道谨序。

《葛洪肘后备急方》段序

　　医有方古也。古以来著方书者，无虑数十百家，其方殆未可以数计。篇帙浩瀚，苟无良医师，安所适从。况穷乡远地，有病无医，有方无药，其不罹夭折者几希。丹阳葛稚川，夷考古今医家之说，验其方简要易得，针灸分寸易晓，必可以救人于死者，为《肘后备急方》。使有病者得之，虽无韩伯休，家自有药；虽无封君达，人可为医，其以备急固宜。华阳陶弘景曰：葛之此制，利世实多，但行之既久，不无谬误。乃著《百一方》（即《补阙肘后百一方》），疏于备急之后，讹者正之，缺者补之，附以炮制服食诸法，纤悉备具。仍区别内、外、他犯为三条，可不费讨寻，开卷见病，其以备急益宜。葛、陶二君，世共知为有道之士，于学无所不贯，于术无所不通，然犹积年仅成此编。盖一方一论，已试而后录之，非徒采其简易而已。人能家置一帙，遇病得方，方必已病，如历卞和之肆，举皆美玉；入伯乐之厩，无非骏足，可以易而忽之邪。葛自序云：人能起信，可免夭横，意可见矣。自天地大变，此方湮没几绝，间一存者，必以自宝，是岂制方本意。连帅乌侯，凤多疹疾，宦学之余，留心于医药。前按察河南北道，得此方于平乡郭氏。郭之妇翁，得诸汴之掖庭。变乱之际，与身存亡，未尝轻以示人，迨今而出焉，天也。侯命上工刻之，以趣其成，惟恐病者见方之晚也。虽然方之显晦，而人之生死休戚系焉，出自有时，而隐痛恻怛，如是其急者，不忍人之心也。有不忍人之心，斯有不忍人之政矣，则侯之仁斯民也，岂直一方书而已乎。方之出，乃吾仁心之发见者也。因以序见命，特书其始末，以告夫未知者。至元丙子季秋稷亭段成己题。

鹿鸣山续古序

　　观夫古方药品分两、灸穴分寸不类者，盖古今人体大小或异，脏腑血脉亦有差焉，请以意酌量药品分两，古序已明。取所服多少配之。或一分为两，或二铢为两，以盏当升可也。如中卷末紫丸方，代赭、赤石脂各一两，巴豆四十，杏人五十枚，小儿服一麻子，百日者一小豆且多矣。若两用二铢四絫，巴豆四，杏人五枚，可疗十数小儿。此其类也。灸之分寸，取其人左右中指中节可也。其使有毒狼虎性药，乃急救性命者也。或遇发毒急，掘地作小坑，以水令满，熟搅稍澄，饮水自解。石为地浆，特加是说于品题之后尔。

目 录

补辑《肘后方》 卷之一

救卒中恶死方第一

救卒死，或先有病痛，或居常倒仆，奄忽而绝，皆是中恶之类。救之方[1]

取葱刺鼻，令入数寸，须使目中血出乃佳。一云耳中血出佳。此扁鹊法同。后云吹耳中，葛氏吹鼻，别为一法[2]。

又方：令二人以衣壅口，吹其两耳，极则易。又可以苇筒吹之。并捧其肩上，侧身远之，莫临死人上[3]。

又方：以葱刺耳，耳中、鼻中出血者勿怪，无血难治之，有血者，是活候也。其欲苏时，当捧两手莫放之。须臾死人自当举手捞人，言痛乃止。男刺左鼻，女刺右鼻孔，令入七寸余，无苦，立效。亦治自缢死，此扁鹊法[4]。

又方：以绵渍好酒中，须臾，置死人鼻中，手按令汁入鼻中，并持其手足，莫令惊[5]。

又方：视其上唇里弦，有青息肉如黍米大，以针决去之，差[6]。

又方：又小便灌其面。数过即能活，此扁鹊法也[7]。

又方：取皂荚如大豆，吹其两鼻中，嚏则气通矣[8]。

又方：灸其唇下宛宛中，名承浆，十壮，大良[9]。

又方：割雄鸡冠取血，涂其面，干后复涂，并以灰营死人一周[10]。

又方：以管吹下部，令数人互吹之。气通则活[11]。

又方：破白犬以拓心上。无白犬，白鸡亦佳[12]。

又方：取雄鸭，就死人口上断其头，以热血沥口中，并以竹筒吹其下部，极则易人，气通下即活[13]。

又方：取牛马粪尚湿者，绞取汁，以灌其口中，令入喉。若口已噤者，以物强发之，若不可强发者，扣折齿，下之。若无新者，以水若人尿和干者，绞取汁，此扁鹊法[14]。

又方：以细绳围其人肘腕中，男左女右，伸绳从背上大椎度，以下行脊上，灸绳头（一云五十壮），又从此灸横行各半绳。此凡三灸，各灸三壮即起[15]。

又方：令人痛爪其人人中，取醒；不起者，卷其手，灸下文头，随年壮[16]。

又方：灸鼻下人中三壮[17]。

又方：灸两足大拇指上甲后聚毛中，各灸二七壮，即愈。此华佗法。又法三七壮[18]。

又方：灸脐中，百壮也[19]。

扁鹊法

断豚尾，取血饮之，并缚豚以枕之，死人须臾活[20]。

又方：半夏末如大豆许，吹鼻中[21]。

又方：捣女青屑重一钱匕，开口内喉中，以水或酒送下，立活也[22]。

按此前救卒死四方，并后尸厥事，并是魏大夫传中正一真人所说，扁鹊受长桑公子法。寻此传出世，在葛后二十许年，无容知见，当是斯法久已在世，故或言楚王，或言赵王，兼立语次第亦参差故也[23]。

张仲景诸要方

捣薤汁，以灌鼻中[24]。

又方：割丹雄鸡冠取血，管吹内鼻中[25]。

又方：以鸡冠及血涂面上，灰围四边，立起[26]。

又方：大豆二七枚，以鸡子白并酒和，尽以吞之[27]。

又方：猪脂如鸡子大，苦酒一升煮沸，以灌喉中[28]。

救卒死而壮热者

矾石半斤，水一斗半，煮消，以渍脚，令没踝[29]。

救卒死而目闭者

骑牛临面，捣薤汁，灌之耳中，吹皂荚鼻中，立效[30]。

救卒死而张口反折者

灸手足两爪后十四壮了，饮以五毒诸膏散，有巴豆者良[31]。

救卒死而四肢不收、失便者

马矢一升，水三斗，煮取二斗，以洗足。又取牛洞一升，温酒和灌口中。灸心下一寸，脐上三寸，脐下四寸，各一百壮，差，儿随年[32]。

救小儿卒死而吐利不知是何病者

马矢一丸，绞取汁以灌之。无湿者，水煮干者取汁[33]。

又有备急三物丸、散及裴公膏，并在后备急药条中，救卒死尤良，亦可临时合用之。凡卒死、中恶及尸厥者，皆天地及人身自然阴阳之气，忽有乖离否隔，上下不通，偏竭所致。故虽涉死境，犹可治而生，缘气都未竭也。当尔之时，兼有鬼神于其间，故亦可以符术护济者[34]。

［辑佚方］

治卒死而口噤不开者

缚两手大拇指，灸两白肉中二十壮[35]。

治卒死而有脉形候，阴气先尽，阳气后竭故也

嚼薤哺灌之[36]。

［附方］

扁鹊云：中恶与卒死，鬼击亦相类，已死者，为治皆参用此方

捣菖蒲主根，绞汁灌之，立差。尸厥之病卒死，脉犹动，听其耳中，如微语声，股间暖是也。亦此方治之[37]。

《孙真人》治卒死方

以皂角末吹鼻中[38]。

【文献及校勘】

[1]《外台》754页，《肘后方》13页，《证类》399页。此条引《外台》文。"倒仆"，《肘后方》及《证类》作"寝卧"。"皆是中恶之类"，《肘后方》作"皆是中死"。

[2]《外台》754页，《肘后方》13页。此条引《外台》文，《肘后方》作"取葱黄心，刺其鼻，男左、女右，入七八寸，若使目中血出，佳。扁鹊法同。是后吹耳条中。葛当（另本作'尝'）言此云吹鼻，故别为一法"。

[3]《外台》754页，《肘后方》13页，《幼幼新书》8页，《医心方》298页。"苇筒"，《医心方》作"竹筒"。

[4]《外台》754页，《千金方》445页，《肘后方》13页，《医心方》298页，《幼幼新书》8页，《纲目》1583页。此条引《外台》文。"勿怪""莫放之"，《肘后方》作"莫怪""忽放之"。

[5]《外台》754页，《肘后方》13页，《幼幼新书》8页，《医心方》298页。"好酒"，《医心

方》作"好苦酒"。

[6]《外台》754页，《肘后方》13页，《幼幼新书》8页。此条引《外台》文。"有青息肉如黍米大"，《肘后方》作"有白如黍米大"。

[7]《外台》754页，《千金方》445页，《肘后方》13页，《医心方》298页，《幼幼新书》8页，《纲目》2944页。此条引《外台》文，《纲目》作"令人尿其面上即苏。此扁鹊法也"，《千金方》作"使人尿其面上，愈"。"数过即能活"，《肘后方》作"数回即能语"。

[8]《肘后方》13页，《幼幼新书》9页。

[9]《外台》754页，《肘后方》13页，《医心方》298页，《幼幼新书》10页。此条引《外台》文。"名承浆，十壮，大良"，《肘后方》作"承浆穴十壮，大效矣"。

[10]《证类》399页，《纲目》2592页，《幼幼新书》9页，《肘后方》13页。此条引《证类》文。"割雄鸡冠"，《肘后方》作"割雄鸡颈"。"干后复涂"，《纲目》作"干则再上，仍吹入鼻中"。

[11]《肘后方》13页，《幼幼新书》9页。

[12]《肘后方》13页，《幼幼新书》9页，《纲目》2716。此条，《纲目》作"卒中恶死，破白狗拓心上，即活"。

[13]《肘后方》13页，《纲目》2570页。"以热血沥口中"，《纲目》作"沥血入口"。

[14]《外台》754页，《肘后方》13页，《千金方》445页，《幼幼新书》9页。此条引《外台》文。"以水若人尿和干者"，《肘后方》作"以人溺解干者"。又，"此扁鹊法"，《肘后方》作"此扁鹊云"。

[15]《外台》754页，《肘后方》13页，《幼幼新书》10页。此条引《外台》文。"细绳""伸绳""大椎""此凡""以下行脊上，灸绳头"，《肘后方》作"绳""毕伸绳""大槌""此法""以下"。

[16]《外台》754页，《肘后方》13页，《幼幼新书》10页。此条引《外台》文，《肘后方》文与之略异但义同。"其人""不起者""随年壮"，《肘后方》作"其病人""不者""随年"。

[17]《外台》754页，《千金方》445页，《幼幼新书》10页，《肘后方》13页。此条引《外台》文，《肘后方》作"灸鼻人中，三壮也"。

[18]《外台》752页，《千金方》445页，《肘后方》13页，《幼幼新书》10页。此条引《外台》文，《肘后方》作"灸两足大指爪甲聚毛中，七壮，此华佗法，一云三七壮"，《千金方》作"灸两足大指丛毛中各二七壮"。

[19]《外台》755页，《肘后方》13页，《医心方》298页，《幼幼新书》10页。

[20]《肘后方》14页，《纲目》2694页。此条，《纲目》作"卒中恶死，断猪尾，取血饮，并缚豚枕之，即活。此乃长桑君授扁鹊法也。出魏夫人传"。

[21]《外台》755页，《证类》246页，《肘后方》14页，《纲目》1200页。此条，《纲目》作"卒死不窹，半夏末吹鼻中，即活"。此条，《证类》援引标题是"紫灵元君南岳夫人内传"，《纲目》标题是"南岳夫人紫灵魏元君方也"。

[22]《证类》274页，《肘后方》14页，《医心方》298页。此条引《证类》文。"女青""以水或酒送下"，《肘后方》作"女背""以水苦酒"。此条，《证类》援引标题作"紫灵南君南岳夫人内传"。

[23]《肘后方》14页。

[24]《金匮》58页，《外台》755页，《证类》512页，《肘后方》14页，《纲目》1592页。此条，《外台》作"捣薤若韭取汁，以灌口鼻中"，《证类》作"以薤汁鼻中灌"。

[25]《金匮》58页，《肘后方》14页，《纲目》2592页。

[26]《金匮》58 页，《肘后方》14 页。"鸡冠""四边"，《金匮》作"鸡肝""四旁"。

[27]《金匮》58 页，《肘后方》14 页。

[28]《金匮》58 页，《肘后方》14 页，《外台》755 页。

[29]《金匮》58 页，《外台》755 页，《证类》85 页，《肘后方》14 页，《幼幼新书》12 页，《纲目》674 页。"渍脚令没踝"，《证类》《纲目》作"浸脚及踝，即得苏也"。

[30]《金匮》58 页，《外台》755 页，《肘后方》14 页，《幼幼新书》12 页。此条引《外台》文。"临其面""灌""末皂荚吹"，《肘后方》作"临面""灌之""吹皂荚"。

[31]《金匮》58 页，《外台》755 页，《肘后方》14 页。此条引《金匮》文。"张口反折者"，《外台》作"张目反折者"，《肘后方》作"张目及舌"。

[32]《金匮》58 页，《外台》755 页，《肘后方》14 页，《医心方》298 页，《幼幼新书》12 页、13 页，《纲目》2764 页。此条，《纲目》作"卒死不省，四肢不收，取牛洞一升，和温酒灌之。或以湿者绞汁亦可。此扁鹊法也"。洞者，稀粪也。

[33]《金匮》58 页，《肘后方》14 页，《纲目》2777 页。此条引《外台》文。"马矢"，《金匮》作"狗矢"，《纲目》作"马粪"。"以灌之"，《肘后方》作"以吞之"。

[34]《外台》754 页，《肘后方》14 页。此条引《外台》文。"都未"，《肘后方》作"未都"。"护济"，《肘后方》作"获济"。

[35][36]《外台》755 页。此条，《肘后方》原脱，据《外台》补。

[37][38]《肘后方》14 页。

救卒中厥死方第二

尸厥之病，卒死而脉犹动，听其耳中，循循如啸声，而股间暖是也。耳中虽然啸声而脉动者，故当以尸厥救之方[1]

以管吹其左耳中极三度，复吹右耳三度，活[2]。

又方：捣干菖蒲，以一枣核大，着其舌下[3]。

又方：灸鼻下人中七壮。又灸阴囊下，去下部一寸，百壮。若妇人灸两乳中间。又云：爪刺人中良久，又针人中至齿，立起[4]。

此亦全是魏大夫传中扁鹊法，即赵太子之患[5]。

张仲景云：尸一厥，脉动而无气，气闭不通，故静然而死也[6]

以菖蒲屑内鼻两孔中，吹之。令人以桂屑着舌下。又云：扁鹊法，治楚王效[7]。

又方：剔取左角发，方二寸，烧末，以酒和，灌，令入喉，立起也[8]。

又方：以绳围其臂腕，男左女右，绳从大椎上度，下行脊上，灸绳头五十壮，活。此是扁鹊秘法[9]。

又方：熨其两胁下，取灶中墨如弹丸大，浆水和饮之，须臾三四，以管吹耳中，令三四人更互吹之[10]。又以小管吹鼻孔，梁上尘如豆大，着中吹之，令入，差[11]。

又方：白马尾二七茎，白马前脚目二枚，烧之，以苦酒丸如小豆大，开口吞二丸，须臾服一丸[12]。

又方：针百会，当鼻中入发际五寸许，针入三分，补之。针足大指甲下肉侧，去甲三分。又针足中指甲上各三分，大指之内去端韭叶许。又针手少阴锐骨之端各一分[13]。

又方：灸膻中穴二十八壮[14]。

【文献及校勘】

[1]《证类》144 页，《肘后方》14 页，《医心方》302 页，《纲目》1359 页。"循循如啸声"，《证类》作"如微语声"。

[2]《外台》761 页，《肘后方》15 页，《医心方》302 页。此条，《外台》引《崔氏方》作"急可以芦管吹其两耳，极尽以气吹之，立起。若人气极，可易人吹之"。"三度""活"，《医心方》作"三过""即起"。

[3]《肘后方》15 页，《证类》144 页，《医心方》302 页，《纲目》1359 页。此条，《证类》作"捣菖蒲生根，绞汁灌之，立差"。

[4]《外台》760 页，《千金方》445 页，《肘后方》15 页，《医心方》302 页。"灸两乳中间"，《外台》脱"间"字。

[5]《外台》760 页，《肘后方》15 页。此条，《外台》作"此扁鹊法"。

[6]《金匮》58 页，《外台》760 页，《肘后方》15 页，"尸一厥""故静然而死也"，《外台》脱"一""然"二字。

[7]《金匮》59 页，《外台》760 页，《肘后方》15 页，《证类》144 页，《医心方》302 页。"令人"，《金匮》作"今人"，《医心方》作"令入"。

[8]《金匮》59 页，《外台》760 页，《肘后方》15 页。"方二寸"，《金匮》作"方寸"。"以酒和"，《肘后方》脱"和"字，据《金匮》补。

[9]《外台》760 页，《肘后方》15 页。"灸绳头"，《外台》作"灸绳头尽处"。

[10]《外台》760 页，《肘后方》15 页。"灶"，《外台》作"炷"。

[11]《外台》760 页，《肘后方》15 页。"令入，差"，《外台》作"令入"。

[12]《外台》760 页，《肘后方》15 页，《纲目》2771 页。"二七"，《纲目》作"十四"。"脚目"，《外台》作"脚甲"，《纲目》作"脚夜目"。

[13]《外台》760 页，《肘后方》15 页。"大指之内"，《外台》作"大指之肉"。"韭叶许"，《肘后方》脱"许"字，此处据《外台》补。

[14]《外台》760 页，《肘后方》15 页，《医心方》302 页。此条，《外台》作"灸膻中季肋间二七壮也"。

救卒客忤死方第三

客忤者，中恶之类也。喜于道间门外得之，令人心腹绞痛胀满，气冲心胸，不即治，亦杀人。救之方[1]

灸鼻下人中三十壮愈，令切鼻柱下也[2]。以水渍粳米，取汁二升以饮之。口已噤者，以物强发内之[3]。

又方：捣墨，水和，服一钱匕[4]。

又方：以铜器若瓦器，贮热汤，器着腹上，转冷者，撤去衣，器亲肉，大冷者，易以热汤。取愈，则止[5]。

又方：先以衣三重藉腹上，以铜器着衣上，取茅草于器中烧之，草尽再益，勿顿多也，取愈乃止[6]。

又方：以绳横度其人口，以度其脐，去四面各一处，灸各三壮，令四火俱起，差[7]。

又方：横度口，中折之，令上头着心下，灸下头五壮也[8]。

又方：真丹方寸匕，蜜三合，和服之。口噤者，折齿灌之[9]。

扁鹊治客忤，有救卒死符，并服盐汤法，恐非庸世所能用，故不载。而此病即今人所谓中恶者，与卒死鬼击相类焉。治皆参取而用之[10]。

客忤已死者

捣生菖蒲根，绞取汁，含之，立差[11]。

卒忤停尸，不能言者

烧桔梗二枚，末，饮服之[12]。

又方：细辛、桂心各等分。右二味为末，内口中[13]。

又方：真珠末，以鸡冠血和，丸小豆大，以三四粒内口中[14]。

若卒口噤不开者

末生附子，置管中，吹内舌下，即差矣[15]。

又方：人血和真朱，如梧桐子大，二丸。折齿内（即纳，下同）喉中，令下[16]。

华佗治卒中恶，短气欲死

灸足两拇指上甲后聚毛中，各十四壮，即愈；未差，又灸十四壮。前救卒死方，三七壮，已有其法[17]。

张仲景诸要方

麻黄三两（一方四两）去节，杏人七十个去皮尖，甘草一两炙。右三味，以水八升，煮取三升，去滓，分令咽之。通治诸感忤[18]。

又方：韭根一把，乌梅二十个，吴茱萸半升炒。右三味，切，以水一斗煮之，以病人栉内中，三沸，栉浮者生，沉者死，煮取三升，去滓，分饮之[19]。

又方：桂心一两，生姜三两，栀子十四枚，豉五合。右四味捣碎，以酒二升微煮之，去滓，顿服之，取吐为度[20]。

飞尸走马汤

巴豆二枚，杏人二枚。右二物绵缠，捶令碎，着热汤二合中，指捻令汁出，便饮之，食顷当下，老小量服之。通治诸飞尸、鬼击[21]。

又有诸丸散，并在备急药中[22]。客者客气也，忤者犯也。谓客气忽犯人也。此恶鬼毒厉之气，治之多愈，亦有侵克脏腑经络，虽差后犹宜治疗，以消余势，不尔终为人患，有时辄发[23]。

［辑佚方］

治客忤心腹绞痛胀满，气冲心胸，烦躁壮热，或气闷绞刺，鬼魅之气未散方

麝香一钱，菖蒲、鬼臼、茯神、人参、天门冬（去心）等分。右六味，蜜丸如桐子，服十丸，日三[24]。

［附方］

《外台秘要》治卒客忤停尸不能言

细辛、桂心等分，内口中[25]。

又方：烧桔梗二两，末，米饮服，仍吞麝香如大豆许，佳[26]。

《广利方》治卒中客忤垂死

麝香一钱，重研，和醋二合，服之即差[27]。

【文献及校勘】

[1]《外台》756页，《肘后方》15页，《证类》328页、126页，《医心方》301页，《纲目》447页、479页。此条引《外台》文。"喜于道间"，《肘后方》作"多于道门"，《证类》作"多于道间"。

[2]《外台》756页，《千金方》445页，《肘后方》15页，《医心方》301页。"令切鼻柱下也"，《外台》无此文。

［3］《外台》756页，《肘后方》15页，《医心方》300页。此条引《外台》文。"取汁二升"，《肘后方》作"取汁一二升"。

［4］《证类》328页，《肘后方》15页，《医心方》300页，《纲目》447页。"一钱匕"，《纲目》作"二钱"。"墨"，《医心方》作"书墨"。

［5］《外台》756页，《肘后方》15页，《医心方》300页。"若瓦器""器亲肉""取愈，则止"，《外台》作"瓦器""器亲肉""取愈也"。

［6］《外台》756页，《肘后方》15页。此条引《外台》文。"取茅草于器中烧之，草尽再益"，《肘后方》作"稍稍少许茅于器中烧之，茅尽益之"。

［7］《外台》756页，《肘后方》15页，《医心方》300页。此条，《外台》作"以绳横其人口以度，度脐四面各一处，灸三壮，令火俱起也。

［8］《外台》756页，《肘后方》15页，《医心方》301页。

［9］《证类》126页，《肘后方》16页，《纲目》479页、522页。此条引《证类》文。"灌之"，《肘后方》作"下之"。此方中"真丹"，既见于《纲目》铅丹条，又见于《纲目》丹砂条。按，《证类》将"真丹"列于铅丹条下，故真丹即铅丹。

［10］《外台》756页，《证类》144页，《肘后方》16页。此条引《外台》文，《证类》作"扁鹊云：中恶与卒死鬼击亦相类，已死者为治，皆参用此方"。《肘后方》文脱字很多，如"客忤""卒死""能用"，《肘后方》作"忤""卒""能"，脱漏"客""死""用"等字。

［11］《外台》756页，《证类》144页，《肘后方》16页，《纲目》1359页。此条，《证类》作"捣菖蒲生根，绞汁灌之，立差"。"立差"，《外台》作"立愈"。

［12］［13］《外台》756页，《肘后方》16页。此两条引《外台文》，《肘后方》文略异。

［14］《证类》414页，《肘后方》16页，《纲目》2528页。此条引《证类》文，《肘后方》作"鸡冠血和真朱，丸如小豆，内口中，与三四枚差"。

［15］《外台》757页，《肘后方》16页。"即差矣"，《外台》无此三字。

［16］《肘后方》16页。"朱"，《肘后方》注云："另本作珠。"

［17］《外台》752页，《肘后方》16页，《医心方》299页。此条，《外台》作"灸两足大拇指上甲后聚毛中，各灸二十七壮，即愈，又法三七壮"。

［18］《金匮》59页，《外台》752页，《千金方》445页，《肘后方》16页。此条引《金匮》文。"去滓"，《肘后方》无此二字。

［19］《金匮》59页，《外台》752页，《肘后方》16页。此条引《金匮》文。"去滓，分饮之"，《肘后方》作"与饮之"，《外台》作"饮之大效"。方中"吴茱萸半升炒"，《肘后方》作"茱萸半斤"。

［20］《外台》752页，《肘后方》16页。此条引《外台》文。"去滓，顿服之，取吐为度"，《肘后方》作"味出去滓，顿服，取差"。

［21］《金匮》30页，《外台》220页、359页，《肘后方》16页，《医心方》300页。"食顷当下，老小量服之"，《肘后方》作"炊间顿下饮，差，小量之"，据《外台》《金匮》改。

［22］《肘后方》16页。

［23］《外台》765页，《肘后方》16页。此条引《外台》文，《肘后方》作"客者客也，忤者犯也，谓客气犯人也。此盖恶气，治之多愈，虽是气来鬼魅毒厉之气，忽逢触之其衰歇，故不能如自然

恶气治之，入身而侵克脏腑经络，差后，犹宜更为治，以消其余势，不尔。盅终为患，令有时辄发"。

[24]《外台》756页。

[25]～[27]《肘后方》16页。

［辑佚方］救卒自缢死方

葛氏治自缢死，心下尚微温，久犹可活方

徐徐抱解其绳，不得断之，悬其发，令足去地五寸许，塞两鼻孔，以芦管内其口中至咽，令人嘘之。有顷，其腹中砻砻转，或是通气也，其举手捞人，当益坚捉持，更递嘘之。若活了能语，乃可置。若不得悬发，可中分发，两手牵之[1]。

又方：皂荚末，葱叶吹其两鼻孔中，逆出，复内之[2]。

又方：以芦管吹其两耳，极则易人吹，取活乃止。若气通者，以少桂汤稍稍咽之，徐徐乃以少粥清与之[3]。

仲景云：自缢死，旦至暮，虽已冷必可治，暮至旦小难也，恐此当言阴气盛故也。然夏时夜短于昼，又热，犹应可治。又云：心下若微温者，一日以上犹可活。治之方

徐徐抱解，不得截绳，上下安被卧之，一人以脚踏其两肩，手少挽其发，常弦弦。勿纵之，一人以手按据胸上数动之。一人摩捋臂胫，屈伸之。若已僵，但渐渐强屈之，并按其腹，如此一炊顷，气从口出，呼吸眼开，而犹引按莫置，亦勿苦劳之，须令可少桂心汤及粥清含与之，令濡喉，渐渐能咽，乃稍止，兼令两人各以管吹其两耳弥好，此最善，无不活者，并皆治之[4]。

又方：以阑衣若氈綖厚毡物，覆其口鼻抑之，令两人极力吹其两耳，一炊顷，可活也[5]。

又方：急手掩其口鼻，勿令内气稍出，二时许，气至即活[6]。

救卒自缢死方

定安心神，徐缓解之，慎勿割绳断抱取。心下犹温者，刺鸡冠血滴口中即活，男雌女雄[7]。

又方：以鸡矢白如枣大，酒半盏，和灌之及鼻中佳[8]。

［辑佚方］救卒溺死方

治溺死一宿者，尚可活方

以皂荚末，绵裹内下部中，须臾出水则活[9]。

又方：倒悬解衣，挑去脐中垢，极吹两耳，即活[10]。

又方：倒悬死人，以好酒灌鼻中，立活[11]。

又方：取瓮倾之，以死者伏瓮上，令口临瓮口，燃以芦火二七把，烧瓮中当死人心下，令烟出，小入死者鼻口中，鼻口中水出尽则活。芦尽更益为之。取活而止，常以手候死人身及瓮，勿令甚热。冬天常令火气，能使死人心下得暖。若卒无瓮，可就岸穿地令如瓮，烧之令暖，乃以死人著上，亦可用车毂为之，当勿隐其腹，及令得低头，使水出，并熬灰数斛以粉身，湿即易[12]。

疗溺死若身尚暖者方

取灶中灰两石余，以埋人，从头至足，水出七孔即活[13]。

又方：便脱以暖釜覆之，取溺人伏上，腹中出水，便活也[14]。

治溺死方

屈死人两脚着人肩上，以死人背向生人，背负持走，吐出水，便活，亦治冻死[15]。

[辑佚方]救卒中热暍死方

夏月中热暍死，凡中暍死，不可使得冷，得冷便死。治之方

以屈草带绕暍人脐，使三四人尿其中，令温；亦可用泥土屈草，亦可扣瓦碗底若脱车釭，以着暍人脐上，取令尿不得流去而已。此谓道路穷急无汤，当令人尿其中。仲景云：不用泥及车，恐此物冷暍。既在夏月，得热土泥暖车釭，亦可用也[16]。

又方：灸两乳头各七壮[17]。

又方：取道中热尘土，以积暍人心下，多为佳，少冷即易，通气也[18]。

又方：捣菖蒲汁，饮之一二升[19]。

又方：浓煮蓼汁，灌三升。不差，更灌之[20]。

又方：令人口嘘心前令暖，易人为之[21]。

又方：干姜、橘皮、甘草，末，少少内热汤中，令稍稍咽，勿顿多，亦可煮之[22]。

凡此治自缢、溺、暍之法，并出自张仲景为之，其意理殊绝，殆非常情所及，亦非本草之所能开悟，实拯救人之大术矣。伤寒家别复有暍病，在上仲景论中，非此遇热之暍[23]。

［辑佚方］救卒冻死及入井冢闷死方

治冬天堕水冻、四肢直、口噤、裁有微气出方

以大器中多熬灰，使暖，囊盛，以薄其心上，冷即易，心暖气通，目则得转，口乃开，可温尿粥清，稍稍含之，即活。若不先温其心，便持火炙其身，冷气与火相搏则死[24]。

葛氏治入井及冢中闷冒方

入井冢闷者。此事他方少有其说，且人为之寡，不俟别条，今于水冻之后附此。乃是地气熏蒸，盖亦障雾之例。服诸解毒犀角、雄黄、麝香之属。豉豆、竹沥、升麻诸汤，亦应为佳[25]。凡五月六月，井中及深冢中，皆有伏气。入中令人郁闷杀人。如其必须入中者，先以鸡鸭杂鸟毛投之，直下至底，则无伏气。毛若徘徊不下，则有毒气也。亦可内生六畜等置中，若有毒，其物即死。必须入，不得已，当先以酒。若无，以苦酒数升，先洒井冢中四边畔，停少时，然后可入。若觉中有些气郁闷，奄奄欲死者，还。取其中水洒人面，令饮之。又以灌其头及身体即活。若无水，取他水用也[26]。

【文献及校勘】

[1]《外台》770 页。

[2]《外台》771 页，《医心方》305 页。"皂荚末"，《医心方》作"末皂荚"。

[3]《外台》771 页，《医心方》305 页。"易人吹"，《医心方》脱"吹"字。

[4]《外台》771 页，《金匮》59 页。"数动"，《外台》作"微动"。

[5] [6]《外台》771 页。

[7]《证类》398 页，《纲目》2592 页。此条引《证类》文，《纲目》引文略异。

[8]《证类》399 页，《纲目》2604 页。"和灌之及鼻中佳"，《纲目》作"和灌口鼻"。

[9] [10]《外台》773 页。

[11]《外台》773 页，《医心方》303 页。

[12]《外台》773 页。

[13]《外台》773 页，《金匮》59 页，《医心方》303 页。

[14]《外台》773 页，《医心方》303 页。

[15]《外台》773 页。

[16]《外台》772 页，《医心方》303 页。

[17] ～ [20]《外台》772 页。

[21]《外台》773 页。

[22]《医心方》303 页。

[23]《外台》772 页,《金匮》59 页。"自缢",《外台》误作"自经"。

[24]《外台》774 页,《医心方》304 页。"尿粥清",《医心方》作"酒粥清"。

[25]《外台》774 页,《医心方》421 页。

[26]《外台》774 页,《医心方》421 页。此条引《外台》文,《医心方》作"葛氏治入井及冢中遇毒气,气息奄奄便绝方。以水噀其面,并令含水,又使汲其所入井若冢中水数斛以灌之,从头至足,须臾活。

治卒得鬼击方第四

鬼击之病,得之无渐,卒著人,如以刀矛刺状,胸胁腹内绞急切痛,不可抑按,或即吐血,或鼻中出血,或下血,一名鬼排[1]。治之方

灸鼻下人中,一壮,立愈,不差,可加数壮[2]。

又方:升麻、独活、牡桂各等分。右三味为末,酒服寸匕,立愈[3]。

又方:灸脐下一寸,二壮[4]。

又方:灸脐上一寸,七壮。及两踵白肉际,取差[5]。

又方:以熟艾如鸭子大三枚,水五升,煮取二升,顿服之[6]。

又方:盐一升,水二升,和搅饮之,并以冷水噀之,勿令即得吐,须臾吐,即差[7]。

又方:以粉一撮,着水中搅,饮之[8]。

又方:以醇酒吹两鼻内[9]。

又方:断白犬一头,取热犬血一升,饮之[10]。

又方:割鸡冠血,以沥口中,令一咽,仍破此鸡,以拓心下,冷乃弃之于道边。得乌鸡弥佳妙[11]。

又方:牛子矢一升,酒三升,煮服之。大牛亦可用之[12]。

又方:刀鞘三寸,烧末,水饮之[13]。

又方:烧鼠矢,末,服如黍米,不能饮,以少水和内口中[14]。

又有诸丸散,并在备急药条中[15]。今巫觋实见人,忽被神鬼所击刺摆撸者,或犯其行伍,或遇相触突,或身神散弱,或愆负所招。轻者获免,重者多死,犹如周宣燕简辈事,不为虚也。必应死者,亦不可治。要自不得不救之耳[16]。

[附方]

《古今录验》疗妖魅猫鬼，病人不肯言鬼方

鹿角屑，捣散，以水服方寸匕，即言实也[17]。

【文献及校勘】

[1]《外台》759页，《肘后方》16页，《证类》217页、218页，《纲目》1560页、937页。此条引《外台》文。"卒著人，如以刀矛刺状"，《肘后方》作"卒著如人刀刺状"。

[2]《肘后方》16页，《千金方》445页，《医心方》300页。

[3]《外台》759页，《肘后方》16页。"牡桂"，《外台》作"桂心"。

[4]《外台》760页，《肘后方》16页。"二壮"，《外台》作"三壮"。

[5]《外台》759页，《肘后方》16页。"取差"，《外台》作"差"。

[6]《外台》759页，《证类》218页，《肘后方》17页，《纲目》937页。"如鸭子大""煮取"，《证类》《纲目》作"如鸡子""煎取"。

[7]《外台》759页，《肘后方》17页。"勿令即得吐"，《外台》无此文。

[8]《外台》759页，《肘后方》17页。"着"，《外台》作"于"。

[9]《外台》759页，《证类》488页，《肘后方》17页，《医心方》300页，《纲目》1560页。"醇酒"，《外台》《医心方》作"醇苦酒"。

[10]《证类》381页，《肘后方》17页，《纲目》2717页。"一头""犬血"，《证类》《纲目》作"头""血"。

[11]《肘后方》17页，《纲目》2592页。"割鸡冠血"，《纲目》作"乌鸡冠血"。"得乌鸡弥佳妙"，《纲目》无此文。

[12]《肘后方》17页，《千金方》445页，《纲目》2766页。此条，《纲目》作"黄犊子脐矢，主中恶、霍乱，及鬼击、吐血。以一升，和酒三升，煮汁服"。"牛子矢一升"，《千金方》作"犊子矢半盏"。

[13]《肘后方》17页。

[14]《外台》759页，《肘后方》17页，《纲目》2905页。此条，《外台》作"烧鼠（不是鼠矢）至末，如黍米许，水和服。不能饮，以水和少许内喉中"，《纲目》作"鼠矢烧末，水服方寸匕。不省者，灌之"。

[15]《外台》759页，《肘后方》17页。

[16]《外台》759页，《肘后方》17页。此条引《外台》文。"巫觋""击刺摆捣""所招""周宣燕""不可治"，《肘后方》作"巫""摆拂""所贻""燕""不可"。

[17]《肘后方》17页。

治卒魇寐不寤方第五

卧忽不寤，勿以火照之，火照之杀人，但痛啮其脚踵，及足拇指甲际，而多唾其面则觉也[1]。**治之方**

皂荚，末，以竹筒吹两鼻孔中，即起。三两日犹可吹之[2]。又以笔毛刺两鼻孔，男左女右，辗转进之，取起也[3]。

又方：以芦管吹两耳，并取病人发二七茎作绳，内鼻孔中，割雄鸡冠血，以管吹入咽喉中，大效[4]。

又方：末灶下黄土，管吹入鼻中。末雄黄并桂吹鼻中，并佳[5]。

又方：取井底泥涂目毕，令人垂头于井中，呼其姓名，即便起也[6]。

又方：取韭捣，以汁吹鼻孔；冬月可掘取根取汁，灌于口中[7]。

又方：以盐汤饮之，多少约在意。并啮其足大指爪际，痛啮之，即起也[8]。

又方：以其人置地，取利刀画地，从肩起，男左女右，画地令周面遍讫，以刀锋刺病人鼻下人中，令入一分，急持勿动，其人当鬼神语求哀，乃具问阿谁？以何故来？自当乞去，乃以指灭向所画地，当肩头数寸，令得去，不可不具诘问之也[9]。

又方：以瓦甑覆病人面上，使人疾打，破甑则寤[10]。

又方：以牛蹄或马蹄，临魇人上二百息，亦可治卒死，青牛尤佳[11]。

又方：捣雄黄，细筛，管吹两鼻孔中，佳；桂亦佳[12]。

又方：菖蒲末吹两鼻中；又桂末内舌下[13]。

又方：以甑带左索缚其肘后，男左女右，用余稍急绞之，又以麻缚脚，乃诘问其故，约敕解之[14]。令一人坐头边守，一人于户外呼病人姓名，坐人应曰，在。便苏活也[15]。

卒魇寐不觉

灸足下大指聚毛中二十一壮[16]。

人喜魇及恶梦者

取烧死人灰，着履中，令枕之[17]。

又方：带雄黄，男左女右[18]。

又方：灸两足大指上聚毛中二十壮[19]。

又方：枕麝香一分于头边佳，又灌香少许[20]。

又方：以虎头枕尤佳[21]。

辟魇寐方

取雄黄如枣核，系左腋下，令人终身不魇寐[22]。

又方：真赤阚方一尺，以枕之[23]。

又方：作犀角枕佳；或以青木香内枕中，并带[24]。

又方：治卒魇寐久，书符于纸，烧令黑，以少水和之，内死人口中，悬鉴死者耳前打之，唤死者名，不过半日，即活[25]。

魇卧寐不窹者，皆魂魄外游，为邪所执录，欲还未得所。忌火照，火照遂不复入。而有灯光中魇者，是本由明出，但不反身中故耳[26]。

［附方］

《千金方》治鬼魇不悟

皂荚末，刀圭，起死人[27]。

【文献及校勘】

[1]《外台》757页，《证类》144页、128页、383页，《肘后方》17页，《医心方》301页，《纲目》439页。此条引《外台》文。"脚踵""则觉也"，《肘后方》作"踵""即活"。

[2]《外台》757页，《肘后方》17页，《医心方》301页。此条引《外台》文。"三两日"，《肘后方》《医心方》作"三四日"。"竹筒"，《肘后方》作"管"。

[3]《外台》757页，《肘后方》17页，《医心方》301页。"以笔毛"，《肘后方》脱"笔"字，据《外台》《医心方》补。

[4]《外台》757页，《肘后方》17页。"大效"，《外台》作"大良"。

[5]《外台》759页，《肘后方》17页，《医心方》301页。

[6]《证类》128页，《肘后方》17页，《纲目》439页。"即便起也"，《证类》作"便起"，《纲目》作"便苏也"。

[7]《外台》757页，《证类》512页，《肘后方》17页，《医心方》301页，《纲目》1577页。此条，《外台》作"捣薤取汁，吹两鼻孔。冬日取韭，绞汁灌口"。

[8]《外台》757页，《肘后方》17页。"并啮其足大指爪际，痛啮之，即起也"，《肘后方》原脱，据《外台》补。

[9]《外台》757页，《肘后方》17页。"不可不具诘问之也"，《外台》无此文。

[10]《肘后方》17页。

[11]《肘后方》18页，《医心方》301页，《纲目》2761页。此条，《纲目》作"以青牛蹄或马蹄临人头上，即活"。"二百息"，《肘后方》脱，据《医心方》补。

[12]《外台》758页，《肘后方》18页。"桂亦佳"，《外台》无此文。

[13]《证类》144 页，《肘后方》18 页，《医心方》301 页。"又桂末"，《肘后方》脱"桂"字，据《证类》补。

[14]《外台》758 页，《肘后方》18 页。"又以麻缚脚"，《外台》作"又缚床脚"。

[15]《外台》758 页，《肘后方》18 页，《医心方》301 页。此条引《外台》文。"于户外"，《肘后方》作"于户内"。"应曰，在"，《肘后方》作"应曰，诺在"。"便苏活也"，《肘后方》作"便苏"。

[16]《肘后方》18 页。

[17]《外台》758 页，《肘后方》18 页。此条引《外台》文。"取烧死人灰"，《肘后方》作"取火死灰"。"令"，《肘后方》作"合"。

[18]《外台》758 页，《肘后方》18 页，《医心方》301 页。

[19]《外台》759 页，《千金方》445 页，《肘后方》18 页。"二十壮"，《千金方》作"二七壮"。

[20]《外台》758 页，《肘后方》18 页，《医心方》301 页。此条引《外台》文，《肘后方》作"用真麝香一子于头边"。

[21]《外台》758 页，《肘后方》18 页，《医心方》301 页。此条，《外台》作"以虎头为枕，佳"。

[22]《外台》758 页，《肘后方》18 页。"不魇寐"，《外台》作"不魇也"。

[23]《肘后方》18 页，《纲目》2807 页。此条，《纲目》作"夜梦魇寐，以赤圆一尺，枕之即安"。

[24]《外台》758 页，《证类》383 页，《肘后方》18 页，《医心方》301 页。

[25]《肘后方》18 页。其符书法：在"厂"内书写六个鬼，排列成三排。

[26]《外台》757 页，《肘后方》18 页。

[27]《肘后方》18 页。

治卒中五尸方第六

五尸者，飞尸、遁尸、风尸、沉尸、尸疰也。今所载方兼治之。

其状皆腹痛胀急，不得气息，上冲心胸，旁攻两胁，或累块涌起，或挛引腰脊。兼治之方

灸乳后三寸，十四壮，男左，女右。不止，更加壮数，差[1]。

又方：灸心下三寸，六十壮[2]。

又方：灸乳下一寸，随病左右，多其壮数，即差[3]。

又方：以四指尖其痛处，下灸指下际数壮，令人痛，上爪其鼻人中，又爪其心下一寸，多其壮数，取差[4]。

又方：破鸡子一枚，取白生吞之，困者摇头令下[5]。

又方：破鸡子白，顿吞七枚，不可，再服[6]。

又方：捣商陆根，熬，以囊盛之，更番熨之，冷腹易[7]。

虽有五尸之名，其例皆相似，而有小异者。飞尸者，游走皮肤，洞穿脏腑，每发刺痛，变作无常也。遁尸者，附骨入肉，攻凿血脉，每发不可得近见尸丧，闻哀哭便作也。风尸者，淫跃四肢，不知痛之所在，每发昏恍，得风雪便作也。沉尸者，缠结脏腑，冲心胁，每发绞切，遇寒冷便作也。尸注者，举身沉重，精神错杂，常觉惽废，每节气改变，辄致大恶，此一条别有治后熨也。

凡五尸，即身中尸鬼接引也，共为病害。经术甚有消灭之方，而非世徒能用，今复撰其经要，以救其弊[8]。方

雄黄、大蒜各一两。右二味捣和，取如弹丸，内二合热酒中服之，须臾，差。未差更作。已有疹者，常畜此药也[9]。

又方：干姜、桂分等末之；盐三指撮，熬令青，末。右三味，合水服之，即差[10]。

又方：蒺藜子，捣，蜜丸如胡豆，服二丸，日三[11]。

又方：粳米二升，以水六升，煮一沸，服之[12]。

又方：猪肪八合，苦酒八合。右二味，先以铜器煎猪肪小沸，投苦酒相和，顿服，即差[13]。

又方：掘地作小坎，以水满坎中，熟搅，取汁饮之[14]。

又方：取屋四角茅、内铜器中，以三尺布覆腹，著器布上，烧茅令热，随痛追逐，躔下痒，便差。若瓦屋削四角柱烧，用之神验[15]。

又方：桂一两，姜一两，巴豆三枚。右三味，合捣末，苦酒和如泥，以傅尸处，燥，即差[16]。

又方：乌臼根剉二升，煮令浓，去滓，煎汁，凡五升，则入水一两。服五合至一升。良[17]。

又方：忍冬茎叶剉数斛，煮令浓，取汁煎之，服如鸡子一枚，日二三服，佳也[18]。

又方：乱发（烧）、杏人（熬）等分。右二味，捣膏，和丸之，酒服桐子大三丸。日五六服[19]。

又方：龙骨三分，藜芦二分，巴豆一分。右三味，捣，和井花水，服如麻子大，如法丸[20]。

又方：漆叶曝干，捣末，酒服之[21]。

又方：鼍肝一具，熟煮，切食之，令尽。亦用蒜齑食之[22]。

又方：断鳖头烧末，水服，可分为三度。当如肉者，不尽、后发更作[23]。

又方：雄黄一分，栀子十五枚，芍药一两。右三味，以水三升，煮取一升半，分再服[24]。

又方：栀子二七枚，烧末服[25]。

又方：桂心二分，干姜一两，巴豆三十枚，去皮心生用，附子一两。右四味，捣筛，蜜和，又内臼中捣万杵，服如小豆二丸。此药无所不治[26]。

飞尸入腹刺痛死方

凡犀角、射罔、五注丸，并是好药，别在大方中。

治卒有物在皮中如虾蟆，宿昔下入腹中如柸不动摇，掣痛不可堪，过数日即杀人方

巴豆十四枚，龙胆一两，半夏一两，土瓜子一两，桂一斤半。右五味，合捣碎，以两布囊贮，蒸热，更番以熨之。亦可煮饮，少少服之。

此本在杂治中病，名曰阴尸，得者多死[27]。

【文献及校勘】

[1]～[4]《肘后方》18页。

[5]《外台》361页，《肘后方》18页。此条，《肘后方》作"破鸡子白，顿吞之，口闭者，内喉中摇顿（疑为'头'之误）令下，立差"。

[6]《肘后方》18页。

[7]《外台》360页，《肘后方》18页，《纲目》1124页。"捣商陆根"，《肘后方》作"理当陆根"。"盛之"，《肘后方》作"贮"。

[8]《外台》360页，《肘后方》18页、19页，《证类》186页，《纲目》813页、1336页、1124页。"沉尸者，缠结脏腑"，《证类》作"沉尸者，缠骨结脏"。"每节气改变"，《证类》作"每节气至"。

[9]《外台》361页，《肘后方》19页，《纲目》538页。"未差更作"，《外台》作"未差更服"。"已有瘥者"，《外台》作"有尸瘥者"。

[10]《肘后方》19页。"三指撮"，《肘后方》作"孔指撮"，据文义改。

[11]《外台》360页，《证类》177页，《肘后方》19页，《纲目》1103页。

[12]《外台》360页，《肘后方》19页，《纲目》1467页。"煮一沸"，《外台》作"煎二沸"。"服之"，《纲目》作"服，日三"。

[13]《肘后方》19页，《纲目》2690页。此条，《纲目》作"用猪脂一鸡子，苦酒一升，煮沸灌之"。

[14]《外台》360页，《肘后方》19页。"以水满坎中""饮之"，《肘后方》作"水满中""服之"，据《外台》改。

[15]《外台》361页，《肘后方》19页，《纲目》813页。"用之神验"，《肘后方》作"亦得极大神良者也"。

[16]《肘后方》19页。

[17]《肘后方》19页，《纲目》2051页。

[18]《证类》186页，《肘后方》19页，《纲目》1336页。此条，《纲目》引文略异。"佳也"，《证类》无此文。

[19]~[21]《肘后方》19页。

[22]《证类》431页，《肘后方》19页、2383页。"蒜齑食之"，《肘后方》脱"食之"二字，据《证类》补。

[23][24]《肘后方》19页。

[25]《肘后方》19页，《纲目》2087页。"二七枚"，《纲目》作"三七枚"。"末服"，《纲目》作"末，水服"。

[26]《外台》361页，《肘后方》19页。此条引《外台》文。"又内白中"，《肘后方》无此文。"服如小豆二丸"，《肘后方》作"服二丸，如小豆大"。

[27]《肘后方》19页。

治尸注鬼注方第七

尸注鬼注病者，葛云：即是五尸之中尸注，又挟诸鬼邪为害也。其病变动，乃有三十六种至九十九种，大略使人寒热，淋沥，沉沉默默，不的知其所苦，而无处不恶，累年积月，渐沉顿滞，以至于死，死后复传之旁人，乃至灭门。觉知此候者，宜急治之[1]。方

取桑树白皮，曝干；烧为灰，得二斗许，着甑中蒸，令气泄便下，以釜中汤三四斗，淋之又淋，凡三度，极浓止，澄清取二斗，以渍赤小豆二斗，一宿，曝干，干复渍，灰汁尽止，乃湿蒸令熟。以羊肉若鹿肉作羹，进此豆饭，初食一升至二升取饱满。微者三四斗，愈。极者七八斗，乃愈。病去时，体中自觉疼痒淫淫，或若根本不拔除，重为之，神验也[2]。

又方：桃人五十枚，破，研。以水煮取四升。一服尽当吐，吐，病不尽，三两日更作，若不吐，非注[3]。

又方：杜衡一两，茎一两，人参半两许，松萝六铢，瓠子二七枚，赤小豆二七枚。右六味，捣末为散，平旦温服方寸匕，晚当吐百种物。若不尽，后更服之也[4]。

又方：獭肝一具。阴干，捣末，水服一方寸匕，日三。如一具不差，更作。姚氏云，神良[5]。

又方：朱砂一两，雄黄一两，巴豆四十枚（去心皮），鬼臼半两，冈草半两，蜈蚣两枚。右六味，捣，蜜和丸，服如小豆，不得下，服二丸。亦长将行之[6]。

姚氏：烧发灰、杏人熬令紫色，分等。右二味，捣如脂，以猪膏和，酒服如梧子三丸，日三，神良[7]。

又有华佗狸骨散、龙牙散、羊脂丸诸大药等，并在大方中及成帝所受淮南丸，并治注易灭门[8]。

女子小儿多注车、注船，心闷乱、头痛、吐。有此症者，宜辟方

车前子、车下李根皮、石长生、徐长卿各数两，等分。右四味粗捣，作方囊，贮半合，系衣带及头。若注船，下暴惨，以和此共带之。又临入船刻，取此自烧作屑，以水服之[9]。

[附方]

《子母秘录》治尸注

烧乱发如鸡子大，为末，术服之，差[10]。

《食医心镜》主传尸鬼气，咳嗽，痃癖，注气，血气不通，日渐羸瘦方

桃人一两，去皮、尖，杵碎，以水一升半，煮汁，著米煮粥，空心食之[11]。

【文献及校勘】

[1]《外台》364 页，《证类》392 页、473 页，《肘后方》20 页，《医心方》308 页，《纲目》2071 页、1743 页、2894 页。此条引《外台》文，《肘后方》文略异。"沉沉默默"，《肘后方》作"恍恍默默"。

[2]《外台》364 页，《肘后方》20 页，《纲目》2071 页。此方中单位用"斗"，《外台》皆作"升"。

[3]《证类》473 页，《肘后方》20 页，《医心方》308 页，《纲目》1743 页。"三两日更作，若不吐，非注"，《证类》作"三两日不吐，再服也"，《纲目》作"三四日再吐"。

[4]《肘后方》20 页。

[5]《外台》364 页，《证类》392 页，《肘后方》20 页，《纲目》2895 页。"如一具不差"，《肘后方》作"一具未差"。

[6]《肘后方》20 页。

[7]《外台》362 页，《肘后方》20 页。此条引《外台》文。"如梧子三丸"，《肘后方》作"梧桐子大"。"日三，神良"，《肘后方》作"日三服，差"。

[8]《肘后方》20 页。

[9]《肘后方》20 页，《纲目》823 页。此条，《纲目》作"注车注船，凡人登车船烦闷，头痛欲吐者，宜用徐长卿、石长生、车前子、车下李根皮各等分，捣碎，以方囊系半合于衣带及头上，则免此患"。

[10][11]《肘后方》20 页。

治卒心痛方第八

治卒心痛方

桃白皮煮汁，宜空腹服之[1]。

又方：桂末，若干姜末，二药并可单用。温酒服方寸匕，须臾六七服，差[2]。

又方：驴矢，绞取汁五六合，及热，顿服立定[3]。

又方：东引桃枝一把，切，以酒一升，煎取半升。顿服，大效[4]。

又方：生油半合，温服，差[5]。

又方：黄连八两，㕮咀，以水七升，煮取一升五合，绞去滓，适寒温，饮五合，日三。忌猪肉、冷水[6]。

又方：当户以坐。若男子病者，令妇人以一杯水以饮之；若妇人病者，令男子以一杯水以饮之。得新汲水尤佳。又以蜜一分，水二分饮之，益良[7]。

又方：取败布裹盐如弹丸，烧令赤，末，以酒一盏和服之[8]。

又方：先煮三沸汤一升，以盐一升，合搅，饮之。若无火以作汤，仍可用水盐或半升服之[9]。

又方：闭气忍之数十过，并以手大指按心下宛宛中，取差[10]。

又方：白艾成熟者三升，以水三升，煮取一升，去滓，顿服之。若为客气所中者，当吐之虫物[11]。

又方：苦酒一杯，破鸡子一枚，著中合搅饮之。好酒亦可用[12]。

又方：取灶下热灰，筛去炭分，以布囊盛，令灼灼尔，更番以熨痛上，冷者，更熬令热[13]。

又方：蒸大豆，若煮之，以囊盛，更番熨心上，冷复易之[14]。

又方：切生姜若干姜半升，以水二升，煮取一升，去滓，顿服[15]。

又方：灸手中央长指端三壮[16]。

又方：好桂削去皮，捣筛，温酒服三方寸匕。不差者，须臾可六七服。无桂者，末干姜，佳[17]。

又方：横度病人口折之，以度心厌下，灸度头三壮[18]。

又方：画地作五行字，撮中央土，以水一升，搅饮之[19]。

又方：吴茱萸二升，生姜四两，豉一升。右三味，以酒六升，煮取三升半，分三服[20]。

又方：人参、甘草（炙）、桂心、栀子（擘）、黄芩各一两。右五味切，以水六升，煮取二升，分三服，则愈，奇效。忌海藻、菘菜、生葱[21]。

又方：桃人七枚，去皮尖，熟研，水合顿服，良。亦可治三十年患[22]。

又方：干姜一两；附子二两，炮。二味捣，蜜丸。服四丸如梧子大，日三服[23]。

又方：吴茱萸、干姜各一两半；桂心一两；橘皮一两；人参一两；白术二两；当归一两；黄芩一两；附子一两半，炮；蜀椒一两，出汗，去闭口及子；甘草一两，炙；桔梗一两。右十二味捣筛，蜜和为丸如梧子大，日三服，稍加至十五丸，酒饮下，食前后任意。忌猪肉、生葱、海藻、菘菜、桃、李、雀肉等[24]。

又方：桂心八两。以水四升，煮取一升半，分三服[25]。

又方：苦参三两，以苦酒一升半，煮取八合，分再服。亦可用水煮。无者，生用亦可[26]。

又方：龙胆四两，以酒三升，煮取一升半，顿服[27]。

又方：桂一两，吴茱萸五合。右二味，以酒二升半，煎取一升，分二服，效[28]。

又方：吴茱萸二升，生姜四两，豉一升，酒六升，煮取二升半，分为三服[29]。

又方：白鸡一头，治之如食法，水三升，煮取二升，去鸡，煎汁，取六合，内苦酒六合，入真珠一钱，复煎取六合，内末麝香如大豆二枚，顿服之[30]。

又方：桂心、当归各一两，栀子人十四枚。右三味，捣为散，酒服方寸匕，日三五服。亦主久心痛，发作有时节者，忌生葱[31]。

又方：桂心二两；乌头一两，炮。二味捣筛，蜜和为丸，如梧子大，服三丸，稍增之。忌生葱、猪肉[32]。

暴得心痛如刺

苦参二两，龙胆二两，升麻三两，栀子人三两。右四味切，苦酒五升，煮取二升，分二服，当大吐，乃差[33]。

治心疝发作有时激痛难忍方

真射罔、吴茱萸等分。右二味，捣末，蜜和丸如麻子，服二丸，日三服。勿吃热食[34]。

又方：灸心鸠尾下一寸，名巨阙，及左右一寸。并百壮。又与物度颈及度脊如之，令正相对也。凡灸六处[35]。

治久患常痛，不能饮食，头中疼重方

乌头六分，炮；椒六分，汗；干姜四分，桂心四分。右四味，捣末，蜜丸，酒服如大豆四丸，稍稍增之。忌生葱[36]。

又方：半夏、细辛各五分，干姜二分，人参三分，附子一分。右五味，捣末，苦酒和，丸如梧子大，酒服五丸。日三服[37]。

治心下牵急懊痛方

桂心、生姜各三两，枳实五枚。右三味，以水五升，煮取三升，分三服。亦可加术二两，胶饴半斤[38]。

治心肺伤动冷痛方

桂心二两，猪肾二枚。右二味，以水八升，煮取三升，分三服[39]。

又方：干姜一两；附子二两，炮。右二味捣筛，蜜和，丸如梧子，服四丸，酒饮并得，日三服。忌猪肉，冷水[40]。

治心痹心痛方

蜀椒一两，熬令黄，捣末，以狗心血丸之如梧子，服五丸，日五服[41]。

治心下坚痛，大如碗，边如旋盘，名为气分，水饮所结方

枳实七枚，炙；白术三两。右二味切，以水一斗，煮取三升，分三服。腹中软，即当散也。忌桃、李、雀肉等[42]。

治心下百结积来去痛者方

吴茱萸末一升，真射罔如弹丸一枚。右二味合捣，以鸡子白和，丸如小豆大，服二丸即差[43]。

治心痛多唾，似有虫方

取六畜心，随得生切作十四脔，刀纵横各割之，以真丹一两，粉内割中，旦悉吞之。入雄黄、麝香佳[44]。

饥而心痛者，名曰饥疝

龙胆、附子、黄连等分。右三味捣筛，服一钱匕，日三度服之[45]。

［辑佚方］

治暴得心痛如刺方

研鸡舌香，酒服，当差[46]。

治血气逆心烦满方

烧羚羊角，若水羊角，末，水服方寸匕[47]。

治心中痞诸逆悬痛方

桂心二两，胶饴半斤，生姜二两，枳实五枚，白术二两。右五味哎咀，以水六升，煮取三升，去滓，内饴，分三服[48]。

[附方]

《药性论》主心痛中恶或连腰脐者

盐如鸡子大，青布裹，烧赤，内酒中，顿服，当吐恶物[49]。

《拾遗序》

延胡索，止心痛，末之酒服[50]。

《圣惠方》治久心痛，时发不定，多吐清水，不下饮食

以雄黄二两，好醋二升，慢火煎成膏，用干蒸饼丸，如梧桐子大。每服七丸，姜汤下[51]。

又方：治九种心痛妨闷。

用桂心一分，为末，以酒一大盏，煎至半盏，去滓，稍热服，立效[52]。

又方：治寒疝心痛，四肢逆冷，全不饮食。

用桂心二两，为散，不计时候热酒调下一钱匕[53]。

《外台秘要》治卒心痛

干姜为末，水饮调下一钱[54]。

又方：治心痛。

当归为末，酒服方寸匕[55]。

又《必效》治悸心痛

熊胆如大豆，和水服，大效[56]。

又方：取鳗鲡鱼，淡炙令熟，与患人食一二枚，永差。饱食弥佳[57]。

《经验方》治四十年心痛不差

黍米淘汁，温服，随多少[58]。

《经验后方》治心痛

姜黄一两，桂穰三两，为末，醋汤下一钱匕[59]。

《简要济众》治九种心痛及腹胁积聚滞气

筒子干漆二两，捣碎，炒烟出，细研，醋煮，面糊和丸，如梧桐子大。每服五丸至七丸，热酒下，醋汤亦得，无时服[60]。

《姚和众》治卒心痛

郁李人三七枚，烂嚼，以新汲水下之，饮温汤尤妙，须臾痛止，却煎薄盐汤热呷之[61]。

《兵部手集》治心痛不可忍十年五年者，随手效

以小蒜酽醋煮，顿服之，取饱，不用著盐[62]。

【文献及校勘】

[1][2]《肘后方》21页。

[3]《外台》196页，《纲目》2785页，《肘后方》21页，"驴矢""立定"，《外台》作"驴粪""立差"。

[4]《外台》196页，《证类》473页，《肘后方》21页，《纲目》1750页。"煎取半升"，《纲目》作"煎半升"。"一把"，《外台》作"一握"。

[5]《外台》197页，《证类》484页，《纲目》1441页，《肘后方》21页。《纲目》作"生麻油一合，服之良"。

[6]《外台》197页，《肘后方》21页。"适寒温，饮五合，日三。忌猪肉冷水"，《肘后方》作"温服五合，每日三服"。

[7]《肘后方》21页，《医心方》151页，《纲目》401页。此条，《纲目》作"男子病，令女人取水一杯饮之；女人病，令男子取水一杯饮之"。

[8]《外台》202页，《肘后方》21页。"弹丸""一盏"，《外台》作"弹子""一杯"。

[9]《外台》201页，《肘后方》21页，《幼幼新书》明刊本7页。"以盐一升，合搅""仍可用水盐或半升服之"，《肘后方》作"以盐一合搅""亦可用水"。

[10]《外台》202页，《肘后方》21页。"数十过""取差"，《肘后方》作"数十度""取愈"。

[11]《外台》202页，《肘后方》21页，《证类》218页。"当吐之虫物"，《外台》作"当吐虫物出"。

[12]《外台》202页，《证类》398页，《肘后方》21页，《纲目》2606页。"苦酒一杯""好酒亦可用"，《外台》作"苦酒一升""好酒亦佳"，《证类》作"以卵一个打破头，醋二合和搅令匀，暖过，顿服"。

[13]《外台》202页，《肘后方》21页。此条引《外台》文，《肘后方》文小异。

[14]《外台》202页，《肘后方》21页。"熨心上"，《肘后方》作"熨痛处"。"以囊盛"，《肘后方》作"以囊贮"。

[15]《肘后方》21页，《医心方》151页。

[16]《肘后方》21页。

[17]《肘后方》21页，《证类》290页，《外台》196页。此条，《外台》作"桂心末，温酒服方寸匕，须臾六七服，干姜依上法服之亦佳。忌生葱"。

[18]《肘后方》21页。

[19]《肘后方》21页。"画地"，《肘后方》作"尽地"，据文义改。

〔20〕《外台》201 页，《肘后方》21 页，《医心方》151 页。"煮取三升半"，《外台》《医心方》并作"煮取二升半"。

〔21〕《外台》203 页，《肘后方》21 页。"忌海藻、菘菜、生葱"，《肘后方》无此文。

〔22〕《外台》205 页，《证类》473 页，《肘后方》21 页，《纲目》1743 页。"水合顿服"，《证类》及《纲目》作"水一合顿服"。《外台》作"汤水合顿服，酒服亦良"。

〔23〕《肘后方》21 页。

〔24〕《外台》196 页，《肘后方》22 页。此条引《外台》文，有禁忌；《肘后方》无禁忌。

〔25〕《外台》202 页，《证类》290 页，《肘后方》22 页。"分三服"，《外台》作"分二服，忌生葱"。

〔26〕《证类》198 页，《纲目》800 页，《肘后方》22 页。"苦酒一升半"，《肘后方》作"苦酒半升"。"分再服"，《证类》《纲目》作"分二服"。

〔27〕《证类》164 页，《肘后方》22 页。

〔28〕《肘后方》22 页，《医心方》151 页。

〔29〕《肘后方》22 页。

〔30〕《肘后方》22 页，《纲目》2585 页。"内末"，《纲目》作"内"。"如大豆二枚"，《纲目》作"二豆许"。

〔31〕《外台》202 页，《肘后方》22 页。"忌生葱"，《肘后方》无此文。

〔32〕《外台》202 页，《肘后方》22 页。"稍增之。忌生葱、猪肉"，《肘后方》作"渐加之"。

〔33〕《外台》202 页，《肘后方》22 页。"升麻三两""煮取二升"，《外台》作"升麻二两""煮取一升"。

〔34〕〔35〕《肘后方》18 页。

〔36〕《外台》205 页，《证类》22 页。"桂心四分"，《肘后方》无此文。"稍稍增之。忌生葱"，《肘后方》作"稍加之"。

〔37〕〔38〕《肘后方》22 页。

〔39〕《肘后方》22 页，《纲目》2699 页。"猪肾二枚"，《纲目》作"猪肾一对"。"心肺伤动冷痛"，《纲目》作"肘伤冷痛"。

〔40〕《外台》204 页，《肘后方》22 页。"忌猪肉，冷水"，《肘后方》无此文。

〔41〕《肘后方》23 页，《纲目》2717 页。

〔42〕《外台》201 页，《肘后方》23 页。"腹中软，即当散也。忌桃、李、雀肉等"，《肘后方》作"当稍软也"。

〔43〕《肘后方》23 页。此条和注〔34〕条的方相同，〔34〕条方以蜜为丸，此条以鸡子白为丸。

〔44〕《外台》204 页，《肘后方》23 页。"粉内割中"，《肘后方》作"粉肉割中"。

〔45〕《肘后方》23 页。

〔46〕《证类》308 页（《本草图经》引），《纲目》1942 页。此条，《纲目》作"暴心气痛，鸡舌香末，酒服一钱"。

〔47〕《证类》382 页。

〔48〕《千金方》240 页。

〔49〕 ～ 〔62〕《肘后方》23 页。

治卒腹痛方第九

治卒腹痛方

书舌上作风字。又画纸上作两蜈蚣相交，吞之[1]。

又葛氏方：桂末三方寸匕，酒服。人参上好，干姜亦佳，忌生葱[2]。

又方：粳米二升，以水六升，煮六七沸，饮之[3]。

又方：食盐一大把，多饮水送之，忽当吐，即差[4]。

又方：掘土作小坎，以水满坎中，熟搅，取汁饮之，差[5]。

又方：令人骑其腹，溺脐中[6]。

又方：米粉一升，水二升，和饮[7]。

又方：使病人伏卧，一人跨上，两手抄举其腹，令病人自纵重轻举抄之，令去床三尺许，便放之。如此二七度止。拈取其脊骨皮深取痛引之。从龟尾至顶乃止，未愈更为之[8]。

又方：令病人卧，高枕一尺许，拄膝，使腹皮跋气入胸。令人抓其脐上三寸，便愈。能干咽吞气数十遍者弥佳。此方亦治心痛。此即伏气[9]。

治卒得诸疝，小腹及阴中相引痛如绞，自汗出欲死方

捣沙参末，筛，酒服方寸匕，立差[10]。

此本在杂治中，谓之寒疝，亦名阴疝。此治不差，可服诸利丸下之，作走马汤亦佳[11]。

治寒疝腹痛，饮食下，唯不觉其流行方

干姜四两，椒二合。右二味，以水四升，煮取二升，去滓，内饴一斤，又煎取半升，分再服，数数服之[12]。

又方：桂八两，生姜一升，半夏一升。右三味，以水六升，煮取二升，分为三服[13]。

治寒疝来去，每发绞痛方

吴茱萸三两，生姜四两，豉二合。右三味，以酒四升，煮取二升，分为二服[14]。

小品解急蜀椒汤，主寒疝气，心痛如刺，绕脐腹中尽痛，自汗出欲绝方

蜀椒二百枚，汗；附子一枚，炮；干姜半两；半夏十二枚，洗；大枣二十枚；粳米半升。右六味切，以水七升，煮取三升，澄清。热服一升。不差，更服一升，数用治心腹痛，因急欲死，解结逐寒，上下痛良。忌猪、羊肉、饧、海藻、菘菜[15]。

又方：肉桂一斤，吴茱萸半升。右二味，以水五升，煮取一升半，分再服[16]。

又方：桂、甘草、牡蛎各二两。右三味，以水五升，煮取一升半，再服[17]。

又方：宿乌鸡一头，治如食法，生地黄七斤，合细锉之，著甑蔽中蒸，铜器承，须取汁，清旦服，至日晡令尽。其间当下诸寒癖。讫，作白粥渐食之。久疝者，下三剂[18]。

[辑佚方]

治卒腹痛方

灸两足指头各十四壮，使火俱下良[19]。

治卒得诸疝，小腹及阴中相引痛如绞，自汗出欲死方

灸心鸠尾下一寸，名巨阙，及左右各一寸，并百壮[20]。

[附方]

《博济方》治冷热气不和，不思饮食或腹痛疞刺

山栀子、川乌头等分，生捣为末，以酒糊丸，如梧桐子大，每服十五丸，炒。生姜汤下。如小肠气痛，炒茴香，葱、酒任下二十丸[21]。

《经验方》治元脏气发，久冷腹痛虚泻

应急大效玉粉丹：生硫黄五两，青盐一两，已上滚细研，以蒸饼为丸，如绿豆大。每服五丸，热酒空心服，以食压之[22]。

《子母秘录》治小腹疼，青黑或不能喘

苦参一两，醋一升半，煎八合，分二服[23]。

《圣惠方》治寒疝，小腹及阴中相引痛，自汗出

以丹参一两，杵为散。每服热酒调下二钱匕，佳[24]。

【文献及校勘】

[1]《肘后方》23页，《医心方》153页。

[2]《外台》207页，《肘后方》24页，《医心方》153页。此条引《外台》文，《肘后方》作"捣桂末服三寸匕。苦酒，人参。上好干姜亦佳"，《医心方》作"捣桂下筛，服三方寸匕。苦参亦佳，干姜亦佳"。

［3］《外台》207 页，《肘后方》24 页，《纲目》1467 页。"煮六七沸"，《肘后方》作"煮二七沸"。此条，《纲目》标题为"治卒心气痛"。

［4］《外台》207 页，《肘后方》24 页，《医心方》153 页。"忽当吐，即差"，《外台》作"取吐"，《医心方》作"当吐即差"。"一大把"，《医心方》作"一大握"。

［5］《外台》207 页，《肘后方》24 页，《医心方》153 页。

［6］《肘后方》24 页，《医心方》153 页，《纲目》2943 页。

［7］《肘后方》24 页，《医心方》153 页。

［8］《肘后方》24 页。

［9］《外台》207 页，《肘后方》24 页。"拄膝"，《外台》作"柱膝"。"吞气数十遍"，《外台》作"吞气数十过"。

［10］《外台》220 页，《证类》189 页（《本草图经》引），《肘后方》24 页，《医心方》216 页，《纲目》712 页。"立差"，《医心方》作"立愈"。

［11］《肘后方》24 页，《医心方》217 页。"走马汤"，见"救卒客忤死方第三"注［21］。

［12］《肘后方》24 页，《医心方》217 页，"一斤"，商务本《肘后方》注云"一，另本作二"。

［13］《肘后方》24 页。

［14］《肘后方》24 页，《医心方》218 页，《纲目》1864 页。此条，《纲目》作"吴茱萸一两，生姜半两，清酒一升，煎温分服"。

［15］《外台》219 页，《肘后方》24 页。此条引《外台》文，《肘后方》作"附子一枚，椒二百粒，干姜半两，半夏十枚，大枣三十枚，粳米一升，水七升，煮米熟，去滓，一服一升，令尽"。

［16］［17］《肘后方》24 页。

［18］《肘后方》24 页，《纲目》1025 页、2586 页。

［19］《外台》207 页。

［20］《医心方》217 页。

［21］～［24］《肘后方》24 页。

治卒心腹俱痛方第十

治心腹俱胀痛烦满短气欲死或已绝方

取栀子十四枚，豉七合。右二味，以水二升，先煮豉，取一升二合，去滓，内栀子，更煎取八合，绞去滓，服半升，不愈者尽服之[1]。

又方：浣小衣，饮其汁一二升，即愈[2]。

又方：桂二两切，以水一升二合，煮取八合，去滓，顿服。无桂者，著干姜亦佳[3]。

又方：乌梅二七枚，青大钱二七文。右二味，水五升，先煮乌梅一沸，内青大钱，煮取二升半，强人可顿服，赢人分再服，当下，便愈[4]。

又方：茱萸二两；生姜四两，切；豉三合。右三味，酒四升，煮取二升，分三服即差[5]。

又方：干姜一两，巴豆二两。右二味，捣，蜜丸。一服如小豆二丸，当吐下，差[6]。

治心腹相连常胀痛方

狼毒二两，炙；附子半两，炮。右二味捣筛，蜜丸如梧子大。一日服一丸，二日二丸，三日三丸止，又从一丸起至三丸止。以差为度[7]。

又方：吴茱萸一合；干姜四分；附子二分，炮；人参二分；细辛二分。右五味捣末，蜜和丸如梧子大，服五丸，酒饮并得。日三服。忌猪肉、生菜等[8]。

凡心腹痛，若非中恶、霍乱，则皆是宿结冷热所为。今此方可采以救急，差后，要作诸大治，以消其根源也[9]。

［附方］

《梅师方》治心腹胀坚，痛闷不安，虽未吐下欲死

以盐五合，水一升，煎令消，顿服自吐下，食出即定，不吐更服[10]。

《孙真人方》治心腹俱痛

以布裹椒，薄注上，火熨，令椒汗出，良[11]。

《十全方》心脾痛

以高良姜，细剉，炒，杵末，米饮调下一钱匕，立止[12]。

【文献及校勘】

[1]《外台》208 页，《肘后方》25 页。"烦满"，《肘后方》原脱，据《外台》补。

[2]《肘后方》25 页。

[3]《证类》290 页，《纲目》1931 页，《肘后方》25 页。"无桂者，著干姜亦佳"，《证类》作"无桂用干姜亦得"，《纲目》无此文。

[4]《外台》208 页，《证类》467 页，《肘后方》25 页，《纲目》1739 页。"二升半""便愈"，《外台》作"一升半""愈"。

[5]《外台》208 页，《肘后方》25 页。"茱萸二两"，《肘后方》作"茱萸一两"。

[6]《肘后方》25 页。

[7]《外台》208 页，《证类》268 页（《本草图经》引），《肘后方》25 页，《纲目》1125 页。"又从一丸起至三丸止。以差为度"，《证类》《肘后方》作"再一丸，至六日，服三丸，自一至三，以常服即差"。

[8]《外台》209 页，《肘后方》25 页。"酒饮并得。日三服。忌猪肉、生菜等"，《肘后方》作

"日三服"。

[9] ～ [12]《肘后方》25 页。

治卒心腹烦满方第十一

治卒心腹烦满，又胸胁痛欲死方

以热煮汤，令灼灼尔，以渍手足，冷复易。秘方[1]。

又方：鹿角三分，乱发灰二钱匕，青布方寸。右三味，以水二升，煮令得一升五合，去滓，尽服之[2]。

又方：剉薏苡根，浓煮以汁，服三升[3]。

又方：取比轮钱二十枚，水五升，煮取三升，日三服[4]。

又方：捣香菜（香薷的异名）汁，服一二升，水煮干姜亦佳[5]。

又方：即用前心腹俱痛栀子豉汤法，差[6]。

又方：黄芩一两；杏人二十枚，去尖皮；牡蛎一两，熬。右三味切，以水三升，煮取一升，顿服[7]。

治厥逆烦满，常欲呕方

小草、细辛、桂、干姜、椒各二两；附子二两，炮。右六味捣，蜜和丸，服如桐子大四丸[8]。

治卒吐逆方

灸乳下一寸，七壮，即愈[9]。

又方：灸两手大拇指内边爪后第一文头各一壮。又灸两手中央长指爪下一壮。愈[10]。

此本在杂治中，其病亦是痰饮霍乱之例，兼宜依霍乱条中法治之。人平居有患者亦少，皆因他病兼为之耳，或从伤寒后未复，或从霍乱吐下后虚躁。或是劳损服诸补药痞满，或触寒热邪气，或食饮协毒，或服药失度，并宜各循其本源为治，不得专用此法也[11]。

[辑佚方]

治血气逆心烦满方

烧羚羊角若水羊角末，水服方寸匕[12]。

治卒苦心腹烦满，又胸胁痛欲死方

枳实，炙；桂心。右二味等分，捣末，下筛，以米汁服一匕。忌生葱[13]。

[附方]

《千金方》治心腹胀，短气

以草豆蔻一两，去皮，为末，以木瓜生姜汤，下半钱[14]。

《斗门方》治男子、女人久患气胀，心闷，饮食不得，因食不调，冷热相击，致令心腹胀满方

厚朴火上炙令干，又蘸姜汁炙，直待焦黑为度，捣筛如面。以陈米饮调下二钱匕，日三服，良。亦治反胃，止泻，甚妙[15]。

《经验方》治食气，遍身黄肿，气喘，食不得，心胸满闷

不蛀皂角，去皮、子，涂好醋，炙令焦，为末，一钱匕；巴豆七枚，去油膜。二件以淡醋及研好墨为丸，如麻子大。每服三丸，食后，陈橘皮汤下，日三服，隔一日，增一丸，以利为度，如常服，消酒食[16]。

《梅师方》治腹满不能服药

煨生姜，绵裹，内下部中，冷即易之[17]。

《圣惠方》治肺脏壅热烦闷

新百合四两，蜜半盏，和蒸令软，时时含一枣大，咽津[18]。

【文献及校勘】

[1]《外台》212 页，《肘后方》25 页，《医心方》154 页。"冷复易。秘方"，《外台》作"冷则易，秘之"。

[2]《肘后方》26 页。

[3]《外台》212 页，《证类》161 页（《本草图经》引），《肘后方》26 页，《医心方》154 页，《纲目》1492 页。"服三升"，《证类》《纲目》作"服三升，乃定"。

[4]《肘后方》26 页，《纲目》484 页。"煮取三升"，《肘后方》作"煮取三沸"，据《纲目》改。

[5]《肘后方》26 页，《医心方》154 页，《纲目》911 页。"香菜"，《肘后方》作"香菜"，据《医心方》改。

[6]《肘后方》26 页。

[7]《外台》212 页，《肘后方》26 页。"去尖皮""熬"，《肘后方》脱，据《外台》补。

[8]《肘后方》26 页。

[9]《肘后方》26 页，《医心方》154 页。

〔10〕《外台》212 页，《肘后方》26 页。

〔11〕《外台》212 页，《肘后方》26 页。"人平居有患者亦少"，《肘后方》作"人卒在此上条患者亦少"。

〔12〕《证类》382 页。

〔13〕《外台》212 页。

〔14〕 ～ 〔18〕《肘后方》26 页。

治卒霍乱诸急方第十二

凡所以得霍乱者，多起于饮食，或饱食生冷物，杂以肥腻酒鲙，而当风履湿，薄衣露坐。或夜卧失覆之所致。初得之便务令暖，以炭火布其所卧床下，大热减之。又并蒸被絮若衣絮，自苞冷易热者[1]。亦可烧地，令热，水沃，敷薄布、席，卧其上，厚覆之[2]。亦可作灼灼尔，热汤著瓮中，渍足，令至膝，并铜器若瓦器贮汤，以著腹上，衣藉之。冷复易汤[3]。亦可以熨斗贮火著腹上[4]。

如此而不净者，便急灸之。但明案次第，莫为乱灸。须有其病，乃随病灸之。未有病，莫预灸。灸之虽未即愈，要万不复死矣。莫以不即愈而止灸。霍乱艾丸，若不大，壮数亦不多。本方言七壮可。四五壮，无不活便，火下得眠。服旧方用理中丸及厚朴大豆豉通脉半夏汤。先辈所用药皆难得，今但疏良灸之法及单行数方，用之有效，不减于贵药，已死未久者，犹可灸[5]。

余药乃可难备；而理中丸、四顺、厚朴诸汤，不可暂阙，常须预合，每至秋月，常买自随[6]。

卒得霍乱先腹痛者

灸脐上一夫十四壮，名太仓，在心厌下四寸，更度之[7]。

先洞下者

灸脐边一寸，男左女右十四壮，甚者至三十四十壮，名大肠募。洞者宣泻[8]。

先吐者

灸心下二寸十四壮。又并治下痢不止，上气，灸五十壮，名巨阙，正心厌尖头下一寸是也[9]。

先手足逆冷者

灸两足内踝上一尖骨是也。两足各七壮，不愈加数。名三阴交，在内踝尖上三寸是也[10]。

转筋者

灸脚心下名涌泉。又灸当足大拇指聚筋上，六七壮，神验。又灸足大指下约中，一壮[11]。

又方：灸大指上爪甲际，七壮[12]。

转筋入腹痛者

令四人捉手足，灸脐左二寸，十四壮。又灸股中大筋上去阴一寸[13]。

若宛者

灸手腕第一约理中，七壮，名心主，当中指[14]。

下痢不止者

灸足大指本节内侧一寸白肉际，左右各七壮，名大都[15]。

干呕者

灸间使穴，在手掌后三寸两筋间，左右各灸七壮。不差，更灸如前数[16]。

小品方起死

吐且下痢者

灸两乳，连黑外近腹白肉际，各七壮，可至二七壮[17]。

若吐利不止者

灸脐下一夫约中，七壮，又云脐下一寸，二七壮[18]。

若烦闷凑满者

灸心厌下三寸，七壮，名胃管[19]。

又方：以盐内脐中，灸上二七壮[20]。

若绕脐痛急者

灸脐下三寸，三七壮，名关元，良[21]。

治霍乱神秘起死灸法

以物横度病人口中，屈之。从心鸠尾飞度以下，灸度下头五壮；横度左右复灸五壮。此三处并当先灸中央毕，更横度左右也[22]。

又方：灸脊上，以物围令正当心厌。又夹脊左右一寸，各七壮。是腹背各灸三处[23]。

华佗治霍乱已死，上屋唤魂；又以诸治皆至而犹不差者

捧病人覆卧之，伸臂对以绳度两肘尖头，依绳下夹背脊大骨空中，去脊各一寸，灸之百壮，无不活者。所谓灸肘椎空囊归，已试数百人，皆灸毕即起坐。佗以此术传其子孙，世世皆秘之不传[24]。

右此前并是灸法。

治霍乱心腹胀痛，烦满短气，未得吐下方

盐二升，以水五升，煮取二升，顿服，得吐，愈[25]。

又方：生姜若干姜一二升。咬咀，以水六升，煮三沸，顿服。若不即愈，可更作。无新药，煮滓亦得[26]。

又方：饮好苦酒（即醋）三升，小、老、羸者，可饮一二升[27]。

又方：温酒一二升，以蜡如弹丸一枚置酒中，消乃饮。无蜡，以盐二方寸匕代，亦得[28]。

又方：桂屑半升，以暖饮二升和之，尽服之[29]。

又方：浓煮竹叶汤五六升，令灼灼尔，以淋转筋处[30]。

又方：取楠若樟木，大如掌者，削之，以水三升，煮三沸，去滓，令灼之也[31]。

又方：服干姜屑三方寸匕[32]。

又方：取蓼若叶，细切二升，水五升，煮三沸，顿服之[33]。煮干苏若生苏汁，饮，亦佳[34]。

又方：小蒜一升。咬咀，以水三升，煮取一升，顿服之[35]。

又方：以暖汤渍小蒜五升许，取汁服之，亦可[36]。

又方：以人血合丹，服如梧子大，二丸[37]。

又方：生姜一斤，切，以水七升，煮取二升，分为三服[38]。

又方：取卖解家机上垢如鸡子大，温酒服之，差[39]。

又方：饮竹沥少许，亦差[40]。

又方：干姜、甘草各二两，附子一两。右三味，以水三升，煮取一升，内猪胆一合相和。分为三服[41]。

又方：芦蓬茸一大把，浓煮，饮二升，差[42]。

若转筋方

烧铁令赤，以灼踵白肉际上近后，当纵铁灼，以随足为留停，令成疮。两足皆尔。须臾间，热入腹，不复转筋，便愈。可脱刀烧虾尾用之。即差[43]。

又方：煮苦酒三沸，浸毡裹转筋上，合少粉尤佳。又以绵缠膝下至足[44]。

又方：烧栀子二七枚，末服之，立愈[45]。

又方：桂、半夏等分，末，方寸匕，水一升和服之，差[46]。

又方：生大豆屑，酒和服方寸匕[47]。

又方：烧蜈蚣，膏敷之，即差[48]。

若转筋入腹中，如欲转者

取鸡矢白一方寸匕，水六合，煮三沸，温顿服，勿令病者知[49]。

又方：苦酒煮衣絮，絮中令温，从转筋处裹之[50]。

又方：烧编荐索三指撮，仍酒服之，即差[51]。

又方：釜底墨末，酒和服之，即差[52]。

若腹中已转筋者

当倒担病人，头在下，勿使及地，腹中平乃止[53]。

若两臂脚及胸胁转筋

取盐一升半，水一斗，煮令热灼灼尔，渍手足。在胸胁者，汤洗之。转筋入腹，倒担病人，令头在下，腹中平乃止。若剧者引阴，阴缩必死，犹在倒担之，可冀活耳[54]。

若注痢不止，而转筋入腹欲死

生姜三两，捣破，以酒一升，煮三四沸，顿服之[55]。

治霍乱吐下后，心腹烦满方

栀子十四枚，水三升，煮取二升，内豉七合，煮取一升，顿服之。呕者，加橘皮二两；若烦闷，加豉一升，甘草一两，蜜一升，增水二升，分为三服[56]。

治霍乱烦躁卧不安稳方

葱白二十茎，大枣二十枚。右二味，以水二升半，煮取一升，去滓，顿服之[57]。

治霍乱吐下后，大渴多饮则杀人方

黄粱米五升，水一斗，煮之令得三升汁，澄清，稍稍饮之，勿饮余饮[58]。

崔氏理中丸方

人参、白术、干姜各一两，甘草三两。右四味捣，下筛，蜜丸如弹丸，觉不住，更服一枚，须臾，不差，乃温汤一斗，以糜肉中服之。频频三五度，令差。亦可用酒服[59]。

四顺汤治吐下腹干呕，手足冷不止

人参、附子、干姜、甘草各二两。右四味切，以水六升，煮取三升半，分为三服。若下不止，加龙骨一两；腹痛甚，加当归二两；胡洽用附子一枚，桂一两。人患霍乱，亦不吐痢，但四肢脉沉，肉冷汗出渴者，即差[60]。

厚朴汤治烦呕腹胀

厚朴四两炙，枳实五枚炙，生姜三两，桂二两。右四味切，以水六升，煮取二升，分为三服[61]。

凡此汤四种，是霍乱诸患皆治之，不可不合也[62]。霍乱若心痛尤甚者，此为挟毒，兼用中恶方治之[63]。

［辑佚方］

治霍乱若呕不息方

生姜五两，水五升，煮取二升半，分三服[64]。

又方：取薤白一虎口，切，以水三升，煮令得一升半，服之不过三度[65]。

又方：干姜，切；茱萸各二两。熬。右二味，以水二升，煮取一升，顿服之。霍乱吐下不止。手足逆冷者，加椒百粒，附子一枚炮，水三升，煮取一升，顿服[66]。

治霍乱洞泄不止，脐上筑筑，肾气虚方

人参、干姜、甘草（炙）各三两，茯苓四两，橘皮四两，桂心三两，黄耆二两。右七味切，以水九升，煮取三升，去滓。分温三服。忌海藻、菘菜、生葱、酢物[67]。

葛氏治下不止，手足逆冷方

椒百枚，附子一枚，水三升，煮取一升服[68]。

治霍乱苦绞痛不止方

姜二累，豉二升，合捣，中分为两，分手捻令如粉，熬令灼灼尔，更番以熨脐中，取愈[69]。

治霍乱若腹痛急，似中恶者方

捣生菖蒲根，饮汁，少少令下咽，即差[70]。

葛氏治霍乱众治不差，烦躁欲死，胀气急方

烧童女月经衣血，末，以酒服少少，立差[71]。

［附方］

《孙真人》治霍乱

以胡椒三四十粒，以饮吞之[72]。

《斗门方》治霍乱

用黄杉木劈开作片，一握，以水浓煎一盏，服之[73]。

《外台秘要》治霍乱烦躁

烧乱发如鸡子大，盐汤三升和服之，不吐再服[74]。

又方：治霍乱，腹痛，吐痢，取桃叶三升，切，以水五升，煮取一升三合，分温二服[75]。

《梅师方》治霍乱，心痛利，无汗

取梨叶枝一大握，水二升，煎取一升，服[76]。

又方：治霍乱后烦躁，卧不安稳，葱白二十茎，大枣二十枚，以水三升，煎取二升，分服[77]。

《兵部手集》救人霍乱，颇有神效

浆水稍酸味者，煎干姜屑，呷之。夏月腹肚不调，煎呷之，差[78]。

《孙用和》治大泻霍乱不止

附子一枚，重七钱，炮去皮、脐，为末，每服四钱，水两盏，盐半钱，煎取一盏，温服立止。《集效方》治吐泻不止或取转多四肢发厥，虚风，不省人事，服此，四肢渐暖，神识便省[79]。

回阳散

天南星为末，每服三钱，入京枣三枚，水一盏半，同煎至八分，温服，未省再服[80]。

《圣惠方》治霍乱转筋垂死

败蒲席一握，细切，浆水一盏，煮汁，温温顿服[81]。

又方：治肝虚转筋，用赤蓼茎、叶，切，三合，水一盏，酒三合，煎至四合，去滓，温分二服[82]。

又方：治肝风虚转筋入腹，以盐半斤，水煮，少时热渍之，佳[83]。

《孙尚药》治脚转筋疼痛挛急者

松节一两，细剉，如米粒；乳香一钱。右件药，用银、石器内，慢火炒令焦，只留三分性，出火毒，研细，每服一钱至二钱，热木瓜酒调下，应时筋病皆治之[84]。

《古今录验方》治霍乱转筋

取蓼一手把，去两头，以水二升半，煮取一升半，顿服之[85]。

【文献及校勘】

[1]《肘后方》27 页，《医心方》237 页。此条引《医心方》，《肘后方》文略异。

[2]《肘后方》27 页，《医心方》237 页。"敷薄"，《医心方》作"敷蒋"。

[3]《肘后方》27 页，《医心方》237 页。"贮汤"，《医心方》作"盛汤"。

[4]《肘后方》27 页，《医心方》237 页。"贮火"，《医心方》作"盛火"。

[5]《肘后方》27 页，《医心方》237 页。"火下得眠"，《肘后方》作"火下得活"。

[6]《证类》146 页（《本草图经》引），《肘后方》27 页，《医心方》237 页。《本草图经》引陶隐居《补阙肘后百一方》云："霍乱余药，乃可难求，而治中丸、四顺、厚朴诸汤，不可暂阙，常须预合，每至秋月，常赍自随。"

[7]《外台》180 页，《肘后方》27 页，《医心方》238 页。"一夫"，《肘后方》脱，据《医心方》补。

[8]《外台》180 页，《肘后方》27 页，《医心方》240 页。"宣泻"，《肘后方》作"宜泻"，据《外台》改。"一寸"，《外台》作"二寸"。

[9]《外台》181 页，《肘后方》27 页。"灸心下二寸"，商务本《肘后方》注云："二，另本作一"。《外台》作"一"。

[10]《外台》181 页，《肘后方》27 页，《医心方》243 页。此条，《外台》作"灸三阴交穴，在足内踝直上三寸廉骨际陷中，左右七壮，不差，更灸如前数"。"一尖骨是也"，《医心方》作"一夫"。

[11]《外台》180 页，《肘后方》27 页，《医心方》242 页。此条引《外台》文，《肘后方》作"灸蹑心当拇指大聚筋上六七壮名涌泉，又灸足大指下约中一壮神验"，《医心方》作"灸蹑心下五六壮，名涌泉"。

[12]《肘后方》27 页，《医心方》242 页。

[13]《外台》180 页，《肘后方》27 页，《医心方》242 页。"脐左二寸"，《医心方》作"脐左一寸"。"十四壮"，《肘后方》脱"壮"字，据《医心方》补。

[14]《外台》180 页，《肘后方》27 页，《医心方》241 页。

[15]《外台》180 页，《肘后方》27 页。"一寸白肉际"，《肘后方》脱"一"字，据《外台》补。

[16]《外台》181 页，《肘后方》27 页，《医心方》241 页。此条引《外台》文，《肘后方》作"灸手腕后三寸，两筋间，是左右各七壮，名间使，若正厥呕绝，灸之便通"。

[17]《外台》180 页，《肘后方》27 页，《医心方》240 页。"两乳""近腹"，《外台》作"两乳边""近腋"。

[18]《肘后方》28 页，《医心方》240 页。"灸脐下"，《肘后方》脱"下"字，据《医心方》补。"约"，《肘后方》作"纳"，据《医心方》改。

[19]《外台》180 页，《肘后方》28 页，《医心方》239 页。"凑满"，《外台》作"急满"。"心

厌下”“胃管”，《医心方》作“心下”“上管”。

[20]《外台》180 页，《肘后方》28 页，《医心方》239 页。

[21]《肘后方》28 页，《医心方》238 页。“三七壮”，《医心方》作“四壮”。

[22]《外台》181 页，《肘后方》28 页，《医心方》244 页。“口中”，《肘后方》作“人中”。“飞度”，《外台》作“度”。

[23]《外台》181 页，《肘后方》28 页，《医心方》244 页。

[24]《外台》181 页，《千金方》369 页，《肘后方》28 页，《医心方》244 页。“空中”“无不活者”“世世”，《肘后方》作“穴中”“不治者”“代代”。

[25]《肘后方》28 页。

[26]《外台》175 页，《肘后方》28 页，《医心方》239 页、245 页。此条引《外台》文，《肘后方》文略小异。

[27]《肘后方》28 页。

[28]《肘后方》28 页，《纲目》2224 页。此条，《纲目》作“蜡一弹丸，热酒一升，化服即止”。

[29]《外台》176 页，《肘后方》28 页。

[30]《外台》176 页，《肘后方》28 页，《证类》317 页。“竹叶汤五六升”，《外台》作“竹叶饮五升”。

[31]《肘后方》28 页，《纲目》1947 页。“取楠若樟木”，《纲目》作“取楠木”。

[32]《外台》176 页，《肘后方》28 页。“三方寸匕”，《外台》作“三两方寸匕”。

[33]《肘后方》28 页。

[34]《肘后方》28 页，《纲目》921 页。“饮”，《肘后方》原作“即”，据《纲目》改。

[35]《证类》518 页，《肘后方》28 页，《纲目》1595 页，《外台》176 页上 8 行。

[36][37]《肘后方》28 页。

[38]《证类》195 页，《肘后方》28 页，《纲目》1623 页。“煮取二升”，《肘后方》作“煮取一升”。据《证类》改。

[39]～[43]《肘后方》28 页。

[44]《外台》179 页，《肘后方》29 页，《医心方》242 页。此条，《医心》作“苦酒和粉涂痛上”。“浸毡裹转筋上”“又以绵缠膝下至足”，《肘后方》作“以摩之”“以絮胎缚从当膝下至足”。

[45]《太平御览》7 页下，《证类》320 页，《肘后方》29 页，《纲目》2087 页。此条引《太平御览》文。“末服之，立愈”，《肘后方》作“研末服之”，《证类》作“研末，熟水调服”，《纲目》作“烧研，热酒服之”。

[46]《肘后方》29 页，《纲目》1199 页。此条，《纲目》作“半夏、桂等分为末，水服方寸匕”。

[47]《肘后方》29 页。

[48]《肘后方》29 页，《纲目》2350 页。此条，《纲目》作“蜈蚣烧，猪脂和傅”。

[49]《外台》179 页，《肘后方》29 页，《证类》398 页。此条，《证类》作“以矢白干末，热酒调下一钱匕服”。“一方寸匕”“温顿服”，《肘后方》作“一寸”“顿服之”。

[50]《肘后方》29 页。

[51]《肘后方》29 页，《医心方》242 页。"三指撮"，《肘后方》脱"指"字，据《医心方》补。

[52]《证类》125 页，《肘后方》29 页，《医心方》242 页，《纲目》447 页。"入腹中"，《肘后方》原作"入肠中"，据《证类》改。"墨"，《肘后方》作"黑"，据《证类》改。

[53]《外台》179 页，《肘后方》29 页，《医心方》242 页。"及地"，《肘后方》原作"及也"，据《外台》《医心方》改。

[54]《外台》179 页，《肘后方》29 页，《医心方》242 页。"若剧者引阴"，《肘后方》原作"若极者手引阴"，据《外台》改。"可冀活耳"，《肘后方》脱"冀"字，据《外台》补。

[55]《外台》179 页，《肘后方》29 页，《医心方》244 页。"生姜三两，捣破，以酒一升"，《肘后方》作"生姜二两累擘破，以酒升半"，《医心方》作"生姜三累拍破，以酒升半"。

[56]《肘后方》29 页。

[57]《外台》175 页，《肘后方》29 页，《医心方》245 页。"以水二升半，煮取一升"，《肘后方》作"以水三升，煮取二升"，《医心方》作"以水二升，煮取一升"。

[58]《外台》177 页，《证类》491 页，《肘后方》29 页，《医心方》241 页，《纲目》1479 页。"黄粱米"，《肘后方》作"黄米"。"勿饮余饮"，《肘后方》作"莫饮余物也"。

[59]《外台》171 页，《肘后方》29 页。此条，《外台》作"白术、人参、甘草各三两，干姜二两，捣筛，蜜和，丸如梧子大，平旦取粥清，服五丸，日再服"。

[60]《外台》171 页，《肘后方》29 页。此条，《外台》作"人参、干姜、甘草各三两，附子二两，右四味切，以水六升，煮取二升，绞去滓，温分三服，转筋肉冷，汗出呕哕者良"。

[61]《肘后方》30 页，《医心方》239 页。

[62][63]《肘后方》30 页。

[64]《医心方》240 页。

[65]《外台》178 页，《医心方》241 页。"不过三度"，《医心方》作"不过三作"。

[66]《外台》178 页，《医心方》240 页。"各二两"，《医心方》作"各一两"。

[67]《外台》174 页。

[68]《医心方》243 页。

[69]《外台》177 页。

[70]《医心方》238 页。

[71]《医心方》244 页。

[72]～[83]《肘后方》30 页。

[84][85]《肘后方》31 页。

治伤寒时气温病方第十三

治伤寒及时气、温病，及头痛、壮热、脉大，始得一日

取旨兑根、叶合捣三升许，和之真丹一两，水一升，合煮，绞取汁，顿服之，得吐，便差。若重，一升尽服，厚覆取汗，差[1]。

又方：小蒜一升，捣取汁三合，顿服之，不愈，再作，便差[2]。

又方：盐五合，乌梅二七枚。右二味，以水三升，煮取一升，去滓，顿服之[3]。

又方：取生梓木，削去黑皮，细切里白一升，以水二升五合，煎，去滓，一服八合，三服，差[4]。

又方：取术丸子二七枚，以水五升，挼之令熟，去滓，尽服汁，当吐下愈[5]。

又方：鸡子一枚，著冷水半升，搅与和。乃复煮三升水极令沸，以向所和水投汤中，急搅令相得，适寒相，顿服，取汗[6]。

又方：以真丹涂身令遍，面向火坐，冷汗出，差[7]。

又方：取生襄荷根、叶合捣，绞取汁，服三四升[8]。

又方：取干艾三斤，以水一斗，煮取一升，去滓，顿服，取汗[9]。

又方：盐一升，食之，以汤送之腹中，当绞吐，便覆取汗，便差[10]。

又方：取比轮钱一百五十七枚，以水一斗，煮取七升，服汁尽之。须臾，复以五升水，更煮令得一升，以水二升投中，合令得三升，出钱饮汁，当吐毒出也[11]。

又方：取猪膏如弹丸者，温服之；日三服，三日九服[12]。

又方：乌梅三十枚，去核；豉一升。右二味以苦酒三升，煮取一升半，去滓，顿服[13]。

又伤寒有数种，庸人不能分别，今取一药兼治者。若初觉头痛，肉热、脉洪，起一二日，便作此葱豉汤

用葱白一虎口；豉一升，绵裹。右二味，以水三升，煮取一升，顿服取汗。若汗不出更作。加葛根三两，一方更加升麻三两，水五升，煮取一升，分温再服。徐徐服亦得。必得汗即差。若不得汗更作，加麻黄三两去节服，取汗出为效[14]。

又方：葱白一握切，米三合，豉一升。右三味，以水一斗，煮米少时，下豉后，内葱白，令大熟，取三升，分温三服，则出汗[15]。

又方：豉一升，缔绵裹，以童子小便三升，煮取二升，分温再服，汗出为效[16]。

又方：葛根四两切，以水一斗，煮取三升，内豉一升更煮取一升半，分温再服，取汗为差。捣生葛根汁一二升，服亦佳[17]。

若汗出不歇，已三四日，胸中恶，欲令吐者

豉三升，绵裹；盐一两。右二味，以水七升，煮取二升半，去滓，内蜜一两，又煮三沸，顿服一升，安卧当吐，如不吐，更服一升，取吐为效[18]。

又方：生地黄三斤，细切，水一斗，煮取三升，分三服。亦可服藜芦吐散，及苦参龙胆散[19]。

若已五六日以上者

可多作青竹沥，少煎，令减，为数数饮之，厚覆取汗[20]。

又方：大黄、黄连、黄檗、栀子各半两，水八升，煮六七沸，内豉一升，葱白七茎，煮取三升，分服，宜老少[21]。

又方：生地黄半斤，苦参、黄芩各二两。右三味切，以水八升，煎取二升，服一升，或吐下毒物。忌芜荑[22]。

若已六七日，热极、心下烦闷，狂言见鬼，欲起走

用干茱萸三升，水二升，煮取一升后，去滓，寒温服之，得汗便愈。此方恐不失，必可用也，秘之[23]。

又方：大蚓一升破去泥，以人溺煮，令熟，去滓，服之。直生绞汁及水煎之，并善。又，绞粪汁，饮数合至一二升，谓之黄龙汤。陈久者，佳[24]。

又方：取白犬，从背破取血，破之多多为佳，当及热，以薄胸上，冷乃去之。此治垂死者活，无白犬，诸纯色者亦可用之[25]。

又方：取桐皮，削去上黑者，细劈之，长断，令四寸一束，以酒五合，以水一升，煮取一升，去滓，顿服之，当吐下青黄汁数升，即差[26]。

又方：鸡子三枚，芒消方寸匕，酒三合。右三味合搅，散消尽，服之[27]。

又方：黄连三两，黄檗、黄芩各二两，栀子十四枚。右四味以水六升，煮取二升，分再服，治烦呕不得眠[28]。

治天行垂死，破棺千金煮汤

苦参一两，㕮咀，以酒二升半，旧方用苦参酒，煮令得一升半，去滓，适寒温尽服之。当闻苦参，吐毒如溶胶，便愈[29]。

又方：大钱百文，水一斗，煮取八升，内麝香当门子李子大，末，稍稍与饮至尽，或汗，或吐之[30]。

治温毒发斑、大疫难救黑膏

生地黄半斤，切碎；好豉一升。右二味，以猪膏二斤合露之，煎五六沸，令三分减一，绞去滓，末雄黄、麝香如大豆者，内中搅和，尽服之，毒便从皮中出，则愈。忌芜荑[31]。

又方：用生虾蟆，正尔破腹去肠。乃捣吞食之。得五月五日干者，烧末亦

佳矣[32]。

黑奴丸

一名水解丸，胡洽、小品同；又一方加小麦黑勃一两，名为麦奴丸。支同此注：大黄二两，芒消一两，麻黄二两，黄芩一两，灶突墨二两，釜底墨一两，梁上尘二两。右七味捣筛，蜜和丸如弹丸。以新汲水五合，研末一丸顿服之。病者若渴欲饮水，但极饮冷水，不节升数，须臾当寒，寒讫汗出则愈。若日移五尺不汗，依前法服一丸。以微利止、药势尽乃食，当冷食以除药势。此治五六日胸中大热，口噤，名为坏病，不可医治，用黑奴丸[33]。

又方：大青四两，甘草、胶各二两，豉八合，以水一斗，煮二物，取三升半，去滓，内豉煮三沸，去滓，乃内胶分作四服。尽又合此。治得至七八日发汗不解及吐下大热甚佳[34]。

又方：大黄三两；芒消五合；巴豆二十枚，熬；黄芩一两；麻黄二两；甘草二两；杏人三十枚。右七味捣，蜜和丸如大豆，服三丸，当利毒。利不止，米饮止之。家人视病者亦可先服取利，则不相染易也。此丸亦可预合置[35]。

麻黄解肌一二日便服之

麻黄一两，去节；升麻一两；甘草一两，炙；芍药一两；石膏一两，碎，绵裹；杏人三十枚，去尖、双仁；贝齿三枚，末。右七味细切，以水三升，煮取一升，顿服，覆取汗，汗出则愈。便食豉粥补虚也。忌海藻、菘菜[36]。

又方：麻黄一两，桂心一两，生姜三两，黄芩一两。右四味切，以水六升，煮取二升，分三服，忌生葱[37]。

亦可服葛根解肌汤

葛根四两；麻黄一两，去节；桂心一两；甘草一两，炙；芍药二两；大枣四枚，擘；大青一两；黄芩一两；石膏一两，碎。右九味切，以水五升，煮取二升，分温三服，相次服之，覆取汗，差。忌海藻、菘菜、生葱、炙肉等[38]。

二日以上，至七八日不解者，可服小柴胡汤

柴胡八两；黄芩三两；半夏半升，洗；生姜三两；人参三两；甘草三两，炙；大枣十二枚，擘。右七味切，以水一斗二升，煮取六升，去滓，更煎取三升，分三服，微覆取汗，半日便差。如不除，更服一剂。忌海藻、菘菜、羊肉、饧[39]。

若有热实，得汗不解，腹胀痛，烦躁欲狂语者，可服大柴胡汤方

柴胡半斤；黄芩二两；半夏五两，洗；生姜五两；大黄二两；枳实四枚，炙；大枣十二枚，擘；芍药二两。右八味切，以水一斗二升。煮取六升，去滓，更煎取三升，温服一升，日三服。当微利。忌羊肉、饧[40]。

此四方最第一急须者，若幸可得药，便不可不营之，保无伤死。诸小疗为防以穷极耳[41]。

若热病失治及治不差十日以上，皆名坏病，唯应服大、小鳖甲汤，此方药分两乃少而种数多，非备急家所办，故不载[42]。

凡伤寒发汗，皆不可使流漓过多，一服得微汗，汗洁便止。未止，粉乏，勿当风[43]。

治伤寒一二日便成阳毒，或服药吐下之后，变成阳毒。身重腰背痛，烦闷不安，狂言或走，或见神鬼，或吐血下利，其脉浮大数，面赤斑斑如锦文，喉咽痛，唾脓血，五日可治，至七日不可治也[44]。宜服升麻汤

升麻、甘草、当归各二分，雄黄、蜀椒、桂各一分。右六味切，以水五升，煮取二升半，分三服，如人行五里久，再服。温覆手足，毒出则汗，汗出则解，不解重作[45]。

治伤寒初病一二日，便结成阴毒，或服汤药六七日以上至十日，变成阴毒。身重背强，腹中绞痛，喉咽不利，毒气攻心，心下坚强，短气不得息，呕逆，唇青面黑，四肢厥冷，其脉沉细紧数。仲景云：此阴毒之候，身如被打。五六日可治，至七日不可治。宜服甘草汤

甘草（炙）、升麻、当归各二分；蜀椒一分，出汗；鳖甲大如手一片，炙。右五味切，以水五升，煮取二升半，分再服，如人行五里顷，复服，温覆当出汗，汗出则愈。若不得汗，则不解，当重服令汗出。忌海藻、菘菜、苋菜[46]。

阴毒伤口鼻冷者

干姜、桂各一分，为末，温酒三合，服之，当大热，差。凡阴、阳二毒，不但初得便尔，或一二日变作者，皆以今药治之，得此病多死[47]。

治热病不解，而下痢困笃欲死者，服此大青汤方

大青四两，甘草三两，胶二两，豉八合，赤石脂三两，以水一斗，煮取三升，分三服，尽更作，日夜两剂，愈[48]。

又方：豉一升，栀子十四枚，薤白一把。右三味，以水五升，煮取三升半，分为三服[49]。

又方：龙骨半斤。捣碎，以水一斗，煮取五升使极冷，稍稍饮，得汗即愈[50]。

又方：黄连、当归各二两，干姜一两，赤石脂二两。右四味捣筛，蜜丸如梧子，服二十丸。日三，夜再[51]。

又方：黄连二两，熟艾如鸭卵大。右二味，以水三升，煮取一升，顿服，立止[52]。

天行诸痢悉主之

黄连三两，黄檗、当归、龙骨各二两。右四味，以水六升，煮取二升，去滓，入蜜七合，又火煎取一升半，分为三服，效[53]。

天行毒病，挟热腹痛、下痢

黄连、黄檗、当归、芍药各半两，升麻、甘草、桂心各半两。右七味，以水三升，煮取一升，服之，当良[54]。

天行四五日大下热痢

黄连、黄檗各三两，龙骨三两，艾如鸡子大。右四味，以水六升，煮取二升，分为二服。忌食猪肉、冷水[55]。

又方：赤石脂一斤，干姜一两，粳米一升。右三味，水七升，煮米熟，去滓，服七合，日三[56]。

又方：赤石脂一斤，干姜二两。右二味，水五升，煮取三升，分二服。若绞脐痛，加当归一两，芍药二两，加水一升也[57]。

若大便坚闭令利者

大黄四两，厚朴二两，枳实四枚。右三味，以水四升，煮取一升二合，分再服。得通者，止之[58]。

若十余日不大便者，服承气丸

大黄二两，芒消一合，枳实一两，杏人二两。右四味合捣，蜜和，丸如弹丸。和汤六七合，服之。未通，更服[59]。

若下痢不能食者

黄连一两；乌梅二十枚，炙燥。右二味捣末，蜡如博棋子一枚，蜜一升，于微火煎，令可丸如梧子，一服十五丸。日三。忌猪肉、冷水[60]。

若小腹满，不得小便方

细末雌黄，蜜和丸，取如枣核大，内溺孔中，令入半寸。亦以竹管注阴，令痛朔之通[61]。

又方：滑石三两，葶苈子一合。右二味，水二升，煮取七合服[62]。

又方：捣生葱，傅小腹上，干易之[63]。

治胸胁痞满、心塞，气急喘急方

人参、术各一两，枳实二两，干姜一两。右四味捣筛，蜜和丸，一服一枚。若嗽，加栝楼二两。吐，加牡蛎二两，日夜服五六丸。不愈更服[64]。

毒病攻喉咽肿痛方

切当陆，炙令热，以布藉喉以熨布上，冷复易[65]。

又方：取真菌茹，爪甲大，内口中，以牙小嚼汁，以渍喉，当微觉异为佳也[66]。

毒病后毒攻目方

煮蜂巢以洗之，日六七[67]。

又方：冷水渍青布，以掩目[68]。

若生翳者

烧豉二七枚，末，内管中，以吹[69]。

治伤寒呕不止

橘皮三两；甘草一两，炙；生姜三两；升麻半两。右四味切，以水三升，煮取一升，尽服之，日三四作当止。忌海藻、菘菜[70]。

又方：干姜六分，附子四分，末，以苦酒丸和梧子大，一服三丸，日三服[71]。

治伤寒哕不止

甘草三两，橘皮一升，水五升，煮取三升，分服，日三，取差[72]。

又方：半夏，洗，焙干，末之，生姜汤和服一钱匕。忌羊肉、饧等[73]。

又方：赤苏一把。右一味，水二升，煮取二升，去滓，稍稍饮之[74]。

又方：干姜六分；附子四分，炮。右二味捣筛，以苦酒丸如梧子，服三丸，日三服，酒饮下皆得。忌猪肉[75]。

比岁有病时行发斑疮，头面及身，须臾周匝，状如火疮，皆戴白浆，随决随生，不即治，剧者数日必死，治得差后，疮瘢紫黯，弥岁方灭。此恶毒之气也。世人云：元徽四年，此疮从西东流，遍于海中，煮葵菜，以蒜齑啖之，即止。初患急食之，少饭下菜亦得。以建武中于南阳击虏所得，乃呼为虏疮，诸医参详作治，用之有效。方

取好蜜通身摩疮上，亦以蜜煎升麻数数拭之亦佳[76]。

又方：以水浓煮升麻渍绵洗之。苦酒渍煮弥佳。但燥痛难忍也。其余治犹依伤寒法，但每多作毒意防之。用地黄黑膏亦好[77]。

治时行病发黄方

茵陈六两，大黄二两，栀子十二枚，以水一斗，先煮茵陈取五升，去滓，内二物；又煮取三升，分四服。亦可兼取黄疸中杂治法，差。

比岁又有虏黄病，初唯觉四体沉沉不快，须臾见眼中黄，渐至面黄及举身皆黄，急令溺白纸，纸即如檗染者。此热毒已入内，急治之。方

若初觉便作瓜蒂赤豆散吹鼻中，黄汁出数汁多差。若已深应看其舌下，两边有白脉弥弥处，芦刀割破之，紫血出数升，亦歇然此须惯解割者，不解割忽伤乱，舌下青脉血不止，便煞人。方可烧纺轮铁以灼此脉，令焦，兼瓜蒂杂巴豆捣为丸服之，大小便亦去黄汁，破灼已后，禁诸杂食。

又云：有依黄坐黄，复须分别之方。切竹煮饮之，如饮[78]。

又方：捣生瓜根绞取汁，饮一升至二三升[79]。

又方：醋酒浸鸡子一宿，吞其白数枚[80]。

又方：竹叶（切）五升，小麦七升，石膏三两，末，绵裹之，以水一斗五升，煮取七升，一服一升，尽吃即差也[81]。

又方：生葛根汁二升，好豉一升，栀子三七枚，茵陈（切）一升，水五升，煮取三升，去滓，内葛汁，分为五服[82]。

又方：金色脚鸡雌鸡血在治如食法，熟食肉饮汁令尽，不过再作，亦可下少盐，豉，佳[83]。

治毒攻手足，肿疼痛欲断方

用虎杖根，适寒温，以渍手足，入至踝上一尺[84]。

又方：以稻穰灰汁，渍足[85]。

又方：酒煮苦参，以渍足，差[86]。

又方：盐豉及羊矢一升，捣令熟，以渍之[87]。

又方：细剉黄檗五斤许，以水三斗，煮渍之，必效。亦治攻阴肿痛[88]。

又方：作坎令深三尺，大小容两足，烧坎中令热，以酒灌饮中，著履踞坎上，衣壅勿令气泄，日再作之[89]。

又方：煮羊桃叶汁渍之，加少盐、豉尤好[90]。

又方：煮马矢若羊矢汁，渍之[91]。

又方：猪膏和羊矢涂之，亦佳[92]。

又方：生牛肉裹之，肿消痛止[93]。

又方：捣常思草，绞取汁，以渍足。一名苍耳[94]。

54

又方：猪蹄一具，去毛剉碎，合葱白一握，切，以水一斗，煮熟，去滓，内少盐，以渍之[95]。

又方：烧盐以深导之，不过三[96]。

又方：生漆涂之，绵导之[97]。

又方：大丸艾灸下部，此谓穷无药[98]。

又方：取蚓三升，以水五升，煮得二升半，尽服之[99]。

又方：浓煮桃皮煎如糖，以绵合导下部中。若口中生疮，含之[100]。

又方：水中荇菜，捣，绵裹导之，日五易，差[101]。

又方：櫸皮、槲皮合煮汁，如饴糖以导之。又浓煮桃皮饮之，最良[102]。

又方：捣蛇莓汁，服三合，日三。水渍乌梅令浓，并内崖蜜，数数饮[103]。

若病人齿无色，舌上白者，或喜眠惯惯，不知痛痒处，或下痢，急治下部。不晓此者，但攻其上，不以下为意，下部生虫，虫食其肛，肛烂见五脏便死[104]。

又王叔和云，其候口唇皆生疮，唾血。上唇内有疮如粟者，则心中懊恼痛，如此则此虫在上，乃食五脏。若下唇内生疮，其人喜眠者，此虫在下，食下部。方

取鸡子一枚，抠头出白，与漆一合熟和，令调如漆，还内壳中，仰吞之，食顷，或半日，或下虫，或吐虫，剧者再服乃尽。热除病愈。凡得热病，腹内热，食少，三虫行作求食，食人五脏及下部，人不能知，可服此药，不尔蜃虫杀人[105]。

又方：烧马蹄作灰，细末，猪脂和，涂绵以导下部，日数度，差[106]。

又方：桃人十五枚，去皮、尖及两人；苦酒二升；盐一合。右三味，煮取六合，去滓，尽服之[107]。

又方：烧艾于管中熏之，令烟入下部中，少雄黄杂妙。此方是溪温，故尔兼取彼治法[108]。

又有病蜃下不止者

乌头二两、女萎、云实各一两，桂二分。右四味捣末，蜜丸如桐子。水服五丸。一日三服[109]。

治下部卒痛，如鸟啄之方

赤小豆、大豆各一升。右二味合捣，两囊贮，蒸之令熟，更互坐即愈[110]。

此本在杂治中，亦是伤寒毒气所攻故。凡治伤。寒方甚多，其有诸麻黄、葛根、桂枝、柴胡、青龙、白虎、四顺、四逆二十余方，并是至要者，而药难尽备。且诊候须明悉，别所在撰大方中，今唯载前四方，尤是急须者耳。其黄膏、赤散，在辟病条中预合，初觉患便服之[111]。

伤寒、时气、温疫三名同一种耳，而源本小异。其冬月伤于暴寒，或疾行力作，汗出得风冷，至春夏发，名为伤寒。其冬月不甚寒，多暖气，及西南风使人骨节缓堕受邪，至春发，名为时气。其年岁月中有疠气，兼挟鬼毒相注，名为温病。如此诊候并相似。又贵胜雅言总名伤寒，世俗因号为时行，道术符刻言五温亦复殊。大归终止，是共途也。然自有阳明、少阴、阴毒、阳毒为异耳。少阴病例不发热，而腹满下痢，最难治也[112]。

［辑佚方］

治伤寒汗出不歇，已三四日，胸中恶，欲令吐者方

苦参三分，甘草（炙）一分，瓜蒂、赤小豆各二七枚。右四味切，以水一升，煮取半升，一服之当吐。吐不止者，作葱豉粥解之必息。忌海藻、菘菜[113]。

治伤寒阴毒方

三建汤方：乌头、附子、天雄并炮裂，去皮脐，等分，㕮咀。每服四钱，水二盏，姜十五片，煎八分，温服。治元阳虚，寒邪外攻，手足厥冷，大小便滑数，小便白浑，六脉沉微，除痼冷，扶元气及伤寒阴毒[114]。

治往来寒热，胸胁逆满，桃人承气汤方

大黄四两，渍；甘草炙，二两；芒消二两，汤成下；桂心二两；桃人五十枚，去皮、尖，碎。右五味，以水七升，煮取二升半，去滓，内芒消，更煎一两沸，温分三服。忌海藻、菘菜[115]。

治伤寒若下脓血者，赤石脂汤方

赤石脂二两，碎；干姜二两，切；附子一两，炮破。右三味，以水五升，煮取三升，去滓，温分三服。后脐下痛者，加当归一两，芍药二两，用水六升煮。忌猪肉[116]。

治伤寒泄痢不已，口渴不得下食，虚而烦，用白通汤方

大附子一枚，生削去黑皮，破八片；干姜半两，炮；甘草半两，炙；葱白十四茎。右四味切，以水三升，煮取一升二合，去滓，温分再服。渴微呕，心下停水者，一方加犀角半两大良。忌海藻、菘菜、猪肉[117]。

治天行病，腹胀满、大小便不通，滑石汤方

滑石十四分，研；葶苈子一合，纸上熬令紫色，捣；大黄二分，切。右三味，以水一大升，煎取四合，顿服。并捣葱傅小腹，干即易之，效[118]。

治豌豆疮方

服油麻一升，须利，即不生白浆，大效[119]。

又方：蔓菁根捣汁，挑疮破，傅在上，三食顷，根出[120]。

又方：马齿草烧灰，傅疮上，根须臾逐药出，若不出，更傅，良[121]。

治赤斑如疮瘟痒，甚则杀人方

羖羊角磨水，摩之数百遍。为妙[122]。

治面目身卒得赤斑，或痒，或癃子肿起，不即治之，日甚杀人方

羖羊角烧为灰，研令极细，以鸡子清和涂之，甚妙[123]。

治伤寒热病攻手足肿，疼痛欲脱方

取羊矢煮汁以淋之，差止，亦治时疾阴囊及茎肿，亦可煮黄檗洗之[124]。

治伤寒时气温病毒热攻手足，疼痛赤肿欲脱方

盐、豉及羊肉一斤以来，以水一斗，煮肉熟，以汁看冷暖渍手足。日三度，差[125]。

又方：以榉树皮和槲皮合煮汁如饴糖，以桦皮浓煮汁绞饮之[126]。

伤寒不治之候，葛氏方云

阳毒病，面目斑斑如锦文，喉咽痛，下脓，五日不治，死[127]。

阴毒病，面目青，举体疼痛，喉咽不利，手足逆冷，五日不治，死。毒病发赤斑，一死、一生[128]。

热病未发汗，而脉微细者死[129]。

内热脉盛，躁，发汗，永不肯出者死[130]。

汗虽出至足者，犹死[131]。

已得汗而脉犹躁盛，热不退者死[132]。

汗出而诚（戏也）言烦躁不得卧，目精乱者死[133]。

汗不出而呕血者死。汗出，大下利不止者死[134]。

汗出而寒不止，鼻口冷者死。发热而痉，腰掣纵，齿齡者死。不得汗而掣纵狂走，不食，腹满胸背痛呕血者死[135]。

喘满诚言直视者死。热不退，目不明，舌本烂者死[136]。

咳而衄者死。大衄不止，腹中痛，短气者死[137]。

呕咳，下血，身热疹而大瘦削者死[138]。

手足逆冷而烦躁，脉不至者死[139]。

大下利而脉疹及寒者死。下利而腹满痛者死。下利手足逆冷而烦躁不得眠者死^[140]。

腹满肠鸣下利而四肢冷者死。利止眩冒者死^[141]。

腹胀嗜饮食而不得大小便者死^[142]。

身面黄肿，舌卷身糜臭者死^[143]。

不知痛处，身面青，聋不欲语者死^[144]。

目眶陷，不见人，口干，谬语，手循衣缝，不得眠者死^[145]。

始得使一身不收，口干舌焦者死^[146]。

疾始一日腹便满，身热，不食者死，二日口身热，舌干者死，三日耳聋阴缩，手足冷者死，四日腰下至足热，而上冷，腹满者死，五六日气息高者死，七八日脉微干而溺血，口干者死^[147]。

脉若不数，三日中当有汗，若无汗者死^[148]。

［附方］

《必效方》治天行一二日者

麻黄一大两，去节，以水四升，煮去沫，取二升，去滓，著米一匙及豉为稀粥，取强一升，先作熟汤，浴淋头百余碗，然后服粥，厚覆取汗于夜，最佳^[149]。

《梅师方》治伤寒汗出不解已三日，胸中闷吐

豉一升，盐一合，水四升，煎取一升半，分服当吐^[150]。

《圣惠方》治伤寒四日，已呕吐，更宜吐

以苦参末，酒下二钱，得吐，差^[151]。

又方：治时气热毒，心神烦躁，甩蓝淀半大匙，以新汲水一盏，服^[152]。

又方：治时气头痛不止，用朴消三两，捣罗为散，生油调涂顶上^[153]。

又方：治时气烦渴，用生藕汁一中盏，入生蜜一合，令匀，分二服^[154]。

《胜金方》治时疾，热病狂言，心躁

苦参不限多少，炒黄色，为末。每服二钱，水一盏，煎至八分，温服，连煎三服，有汗无汗皆差^[155]。

《博济方》治阴阳二毒伤寒，黑龙丹

舶上硫黄一两，以柳木槌研三两日，巴豆一两；和壳记个数，用二升铛子一口，先安硫黄铺铛底，次安巴豆，又以硫黄盖之，酽醋半升已来，浇之，盏子盖合令紧密，更以湿纸周回固济缝，勿令透气，缝纸干，更以醋湿之，文武火熬，常著人守之，候里面巴豆作声数已半为度，急将铛子离火，便入臼中，急捣令细，再以

少米醋并蒸饼少许，再捣，令冷可丸，如鸡头大。若是阴毒，用椒四十九粒，葱白二茎，水一盏，煎至六分，服一丸。阳毒，用豆豉四十九粒，葱白二茎，水一盏，同煎，吞一丸，不得嚼破[156]。

《孙用和方》治阳毒入胃，下血频，疼痛不可忍

郁金五个大者，牛黄一皂荚子，别细研，二味同为散，每服用醋浆水一盏，同煎三沸，温服[157]。

《孙兆口诀》治阴毒伤寒，手中逆冷，脉息沉细，头疼腰重，兼治阴毒咳逆等疾方

川乌头、干姜等分，为粗散，炒令转色，放冷，再捣为细散，每一钱，水一盏，盐一撮，煎取半盏，温服[158]。

又方：治阴盛格阳伤寒，其人必燥热而不欲饮水者是也，宜服霹雳散。附子一枚，烧为灰，存性，为末，蜜水调下，为一服而愈。此逼散寒气，然后热气上行而汗出乃愈[159]。

《圣惠方》治阴毒伤寒，四脚逆冷，宜熨

以吴茱萸一升，酒和匀湿，绢袋二只贮，蒸令极热，熨脚心，候气通畅匀暖即停熨，累验[160]。

唐·崔元亮疗时疾发黄，心狂烦热，闷不认人者

取大栝楼一枚，黄者，以新汲水九合，浸淘取汁，下蜜半大合，朴消八分，合搅令消尽，分再服，便差[161]。

《外台秘要》治天行病四五日，结胸满痛，壮热，身体热

苦参一两，剉，以醋二升，煮取一升二合，尽饮之，当吐即愈。天行热病，非苦参、醋药不解，及温复取汗愈[162]。

又方：救急治天行后呕逆不下食，食入即出，取羊肝如食法，作生淡食，不过三度，即止[163]。

又方：以鸡卵一枚，煮三五沸出，以水浸之，外熟内热，则吞之良[164]。

《圣惠方》治时气，呕逆不下食

用半夏半两，汤浸洗七遍，去滑，生姜一两，同剉碎，以水一大盏，煎至六分，去滓，分二服，不计时候温服[165]。

《深师方》 治伤寒病哕不止

半夏熟洗，干，末之，生姜汤服一钱匕[166]。

《简要济众》治伤寒咳噫不止及哕逆不定

丁香一两，干柿蒂一两，焙干，捣末，人参煎汤下一钱，无时服[167]。

《外台秘要》治天行热病，衄鼻是热毒，血下数升者

好墨末之，鸡子白丸如梧桐子，用生地黄汁下一二十丸，如人行五里，再服[168]。

又，疗伤寒已八九日至十余日，大烦渴，热盛而三焦有疮蟹者，多下或张口吐舌呵吁，目烂，口鼻生疮，吟语不识人，除热毒止痢方

龙骨半斤，碎，以水一斗，煮取四升，沉之井底令冷，服五合，渐渐进之，恣意饮，尤宜老少[169]。

《梅师方》治热病后，下痢脓血不止，不能食

白龙骨末，米饮调方寸匕，服[170]。

《食疗》治伤寒热毒下血

羚羊角末，服之即差，又疗疝气[171]。

《圣惠方》治伤寒狐惑，毒蚀下部，肛外如蟹，痛痒不止

雄黄半两，先用瓶子一个，口大者，内入灰，上如装香火，将雄黄烧之，候烟出，当病处熏之[172]。

又方：主伤寒下部生蟹疮，用乌梅肉三两，炒令燥，杵为末，炼蜜丸，如梧桐子大。以石榴根皮煎汤，食前下十丸[173]。

《外台秘要方》崔氏疗伤寒手足疼欲脱

取羊矢煮汁以灌之，差止。亦疗时疾，阴囊及茎热肿，亦可煮黄檗等洗之[174]。

《梅师方》治伤寒发豌豆疮，未成脓

研芒消，用猪胆和涂上，效[175]。

《经验方》治时疾，发豌豆疮及赤疮子未透，心烦狂躁，气喘妄语，或见鬼神

龙脑一钱，细研，旋滴猪心血，和丸如鸡头肉大。每服一丸，紫草汤下，少时心神便定，得睡，疮复发透，依常将息取安[176]。

《药性论》云

虎杖治大热，烦躁，止渴，利小便，压一切热毒。暑月和甘草煎，色如琥珀可爱，堪著，尝之甘美，瓶置井中令冷彻如水，白瓷器及银器中贮，似茶啜之，时人呼为冷饮子，又且尊于茗，能破女子经候不通，捣以酒浸常服。有孕人勿服，破血[177]。

【文献及校勘】

[1]《肘后方》31 页。

[2]《肘后方》31 页，《纲目》1595 页。"搗取汁""不愈"，《纲目》作"杵汁""不过"。

[3]《肘后方》31 页。

[4]《肘后方》31 页，《纲目》1995 页。"生梓木"，《肘后方》作"生籽木"，据《纲目》改。

[5][6]《肘后方》31 页。

[7]《证类》126 页，《肘后方》31 页，《纲目》523 页。《证类》以铅丹为真丹，《纲目》以丹砂为真丹。《纲目》在丹砂条引《肘后方》云："用真丹末酒调，遍身涂之，向火坐，得汗愈"。

[8]《证类》514 页，《肘后方》31 页，《纲目》1007 页。"绞取汁"，《证类》《纲目》无"取"字。"升"，《证类》作"升已"。

[9]《证类》218 页，《肘后方》31 页，《纲目》937 页。"艾三斤"，《证类》《纲目》作"艾叶三升"。

[10]《肘后方》31 页。

[11]《肘后方》31 页，《纲目》484 页。"十七枚"，《纲目》作"十七文"。

[12]《肘后方》31 页，《纲目》2689 页。"温服之"，《纲目》作"温水化服"。

[13]《证类》467 页，《肘后方》31 页。"顿服"，《证类》无"顿"字。

[14]《外台》64 页、71 页，《证类》486 页（《本草图经》引），《肘后方》31 页，《纲目》1528 页。此条引《外台》文，《肘后方》文小异。"庸人不能分别，今取一药兼治者"，《肘后方》作"人不能别，令一药尽治之者"。

[15]《外台》64 页，《肘后方》31 页，《纲目》1528 页。

[16]《外台》64 页，《肘后方》31 页，《纲目》1528 页、1529 页。"以童子小便"，《肘后方》作"小男溺"。

[17]《外台》64 页，《肘后方》32 页。此条引《外台》文，《肘后方》文相对简略一些。

[18]《外台》64 页，《肘后方》32 页。"盐一两"，《肘后方》无此文。"如不吐，更服一升，取吐为效"，《肘后方》作"不差更服取差，秘法传于子孙也"。

[19]《肘后方》32 页。

[20]《证类》317 页，《肘后方》32 页。"少煎，令减"，《证类》作"小煎，分减"。

[21]《肘后方》36 页。

[22]《外台》65 页，《肘后方》32 页。"煎取二升，服一升，或吐下毒物。忌芜荑"，《肘后方》作"煮取一升，分再服，或吐下毒，则愈"。

[23]《肘后方》32 页。

[24]《肘后方》32 页，《纲目》2355 页。"泥"，《肘后方》脱，据《纲目》补。

[25]《肘后方》32 页，《纲目》2717 页。"白犬"，《纲目》作"白狗"。"破之多多为佳"，《纲目》无此文。"当及热，以薄胸上"，《纲目》作"乘热摊胸上"。

[26]《肘后方》32 页，《纲目》1998 页。"煮取一升"，《纲目》作"煮半升"。

[27]《肘后方》32 页，《纲目》615 页。

[28]《肘后方》32 页。"煮"，商务本《肘后方》作"煎"，并注云："另本作煮"。

[29]《外台》110 页，《证类》198 页，《千金方》188 页，《肘后方》32 页。"治天行垂死，破

棺千金煮汤",《千金方》作"治热毒气垂死,破棺千金汤",《证类》作"治时气垂死者"。"当闻苦参",《肘后方》原作"当间苦寒",据《证类》改。

[30]《肘后方》32页,《纲目》484页。此条,《纲目》作"大钱百文,水一斗煮八升,入麝香末三分,稍饮至尽,或吐或下愈"。

[31]《外台》133页,《肘后方》32页。此条引《外台》文,《肘后方》文相对简略一些。

[32]《肘后方》33页。

[33]《外台》75页,《肘后方》33页。"为坏病""日移五尺",《外台》作"为败伤寒""日移五丈"。

[34]《外台》67页,《千金方》187页,《肘后方》33页,《纲目》981页。

[35]《肘后方》33页。

[36]《外台》106页,《肘后方》33页。此条引《外台》文。"杏人三十枚",《肘后方》作"杏人二十枚"。"补虚也",《肘后方》作"补虚即宜也"。

[37]《外台》107页,《肘后方》33页。"分三服",《肘后方》作"分四服"。

[38]《外台》107页,《肘后方》33页。"煮取二升,分温三服,相次服之,覆取汗,差",《肘后方》作"煮取二升半,去滓,分为三服,微取汗"。

[39]《外台》107页,《肘后方》33页。此条引《外台》文,《肘后方》文略异。

[40]《外台》107页,《肘后方》33页。此条引《外台》文,《肘后方》文略异。"狂语""黄芩二两""枳实四枚",《肘后方》作"谬语""黄芩三两""枳实十枚"。

[41]《外台》107页,《肘后方》33页。此条,《肘后方》作"便可不营之,保无死忧",依《外台》改为"便不可不营之,保无伤死"。

[42]《肘后方》33页。

[43]《肘后方》34页。

[44]《外台》74页,《金匮》15页,《肘后方》34页。此条引《外台》文,《肘后方》文略异。

[45]《外台》75页,《千金方》16页,《肘后方》34页。此条药物,《外台》多鳖甲、栀子。

[46]《外台》75页,《千金方》16页,《肘后方》34页。

[47]《肘后方》34页。《肘后方》在文尾有"治热病不解而下痢困笃欲死者服此"15字,此15字乃是下文题目,不应接此条下。

[48]《外台》99页,《肘后方》34页,《医心方》321页下10~13行。此方与注[34]中方相比,增加了赤石脂一味。

[49]《肘后方》34页,《外台》95页,《医心方》321页。

[50]《证类》368页,《肘后方》34页,《纲目》2378页。"得汗即愈",《肘后方》作"其间或得汗即愈矣"。

[51]《肘后方》34页。

[52]《肘后方》34页,《纲目》776页。"以水三升",《肘后方》作"以水二斗"。据《纲目》改。

[53]~[57]《肘后方》34页。

[58][59]《肘后方》35页。

[60]《外台》94页,《肘后方》35页,《纲目》776页。"黄连一两""一服十五丸",《肘后方》

作"黄连一升""一服二九",《纲目》作"黄连一斤""一服二十九"。

[61]《肘后方》35页,《外台》93页,《纲目》542页。"令入半寸",《肘后方》原脱"入"字,据《外台》补。

[62]《肘后方》35页。

[63]《肘后方》35页,《外台》122页。"干易之",《肘后方》作"参易之",据《外台》改。

[64]～[66]《肘后方》35页。

[67]～[69]《医心方》324页,《肘后方》35页。

[70]《外台》116页,《肘后方》35页,《医心方》321页。此条引《外台》文,《肘后方》作"甘草一两,升麻半两,生姜三两,橘皮二两,水三升,煮取二升,顿服之愈",《医心方》作"甘草三两,橘皮一升,水五斗,煮取一升,顿服之,日三四"。《医心方》中药物无升麻及生姜。

[71][72]《肘后方》35页。

[73]《外台》84页,《肘后方》35页。此条,《肘后方》作"熟洗半夏,末服之,一钱一服"。注意:半夏末刺激性很强,不可随便服。

[74]《外台》84页,《肘后方》35页,《纲目》921页。《纲目》注此方治伤寒气喘。"煮取二升",《外台》作"煮取一升"。

[75]《外台》84页,《肘后方》35页。"酒饮下皆得。忌猪肉",《肘后方》无此文。

[76]《外台》119页,《肘后方》35页,《纲目》798页、1039页、2220页。《肘后方》在"世人云"之下,有:"元徽四年,此疮从西东流,遍于海中,煮葵菜,以蒜齑啖之,即止。初患急食之,少饭下菜亦得"。《纲目》"葵条"云:"按唐王焘《外台秘要》云:'天行斑疮,须臾遍身,皆戴白浆,此恶毒气也。高宗永徽四年,此疮自西域东流于海内,但煮葵菜叶,以蒜齑啖之,则止。'"照李时珍所云,此文是唐高宗永徽四年的事,言外之意,此文不是《肘后方》的原文。笔者查《外台》119页下3行,有"文仲陶氏云",则《外台》所载是根据张文仲转引陶氏云而来的。张文仲既转引陶氏文,又为何记"永徽四年"呢?范行准《中国预防医学思想史》认为此"永徽四年"为"元徽四年"之误。"元徽"是南朝刘宋刘昱的年号。"元徽四年"即476年。

[77]《外台》119页,《肘后方》35页,《纲目》798页。"渍煮""燥痛",《肘后方》作"煮""痛"。

[78]～[83]《肘后方》36页。

[84]《外台》90页,《证类》333页,《肘后方》36页,《纲目》1099页。"以渍手足,入至踝上一尺",《肘后方》作"以渍足,令踝上有赤许水止之"。

[85]《外台》91页,《肘后方》36页,《纲目》1465页。"渍足",《外台》作"渍之,佳"。

[86]《外台》91页,《肘后方》36页。"以渍足",《外台》作"以渍之"。

[87]《肘后方》36页。

[88]《外台》121页,《证类》300页,《肘后方》36页,《纲目》1981页。"五斤许",《肘后方》脱"许"字,据《外台》补。

[89]《外台》121页,《肘后方》36页。此条引《外台》文,《肘后方》文简略。"令深三尺",《肘后方》作"令深三赤"。

[90]《外台》122页,《证类》273页,《肘后方》36页,《纲目》1328页。"盐、豉",《外台》作"盐"。"羊桃叶",《肘后方》脱"叶"字,据《外台》补。

[91]《外台》91页,《肘后方》36页。"马矢若羊矢",《外台》作"马粪若羊粪"。

［92］《外台》91 页，《肘后方》36 页。"羊矢"，《外台》作"羊粪"。

［93］《外台》90 页，《肘后方》36 页，《证类》378 页。"生牛肉"，《肘后方》脱"生"字，据《外台》补。

［94］《外台》91 页，《肘后方》36 页。"一名苍耳"，《肘后方》无此文，据《外台》补。又，《证类》195 页、《纲目》993 页有此方，但标注文献来源为《千金翼》。

［95］《外台》122 页，《证类》389 页，《肘后方》36 页，《纲目》2711 页。此条引《外台》文，《肘后方》文简略。

［96］《肘后方》36 页。

［97］《肘后方》37 页，《纲目》1993 页。《纲目》作"生漆涂之，良"。

［98］《肘后方》37 页。

［99］《肘后方》37 页，《纲目》2356 页。"得二升半，尽服之"，《纲目》作"绞汁二升半，服之"。

［100］《外台》123 页，《肘后方》37 页。此条引《外台》文，《肘后方》作"煮桃皮煎如饴，以绵合导之"。

［101］《肘后方》37 页，《外台》123 页。《外台》作"治谷道中疮，以水中荇叶细捣，绵裹纳下部，日三"。

［102］《证类》347 页（《本草图经》引），《肘后方》37 页，《纲目》1813 页。"如饴糖"，《肘后方》作"如粘糖"，据《证类》改。

［103］《证类》277 页，《肘后方》37 页，《纲目》1246 页。"服三合"，《纲目》作"服二合"。"数数饮"，《证类》作"饮之"。

［104］《外台》96 页，《证类》375 页、218 页，《肘后方》37 页，《纲目》938 页、1744 页。

［105］《外台》97 页，《肘后方》37 页。此条，《肘后方》作"取鸡子白内漆合搅，还内壳中，仰头吞之，当吐虫则愈"。

［106］《外台》96 页，《肘后方》37 页，《证类》375 页，《纲目》2774 页。"猪脂"，《外台》作"猪膏"。

［107］《外台》96 页，《肘后方》37 页，《纲目》1744 页。"桃人十五枚"，《外台》作"桃人五十枚"。

［108］《金匮》15 页，《证类》218 页，《肘后方》37 页，《纲目》938 页。《证类》《纲目》引文各异。

［109］《肘后方》37 页，《纲目》1145 页、1299 页。"桂二分"，《纲目》在云实条作"桂半两"，又在女萎条作"桂心五钱"。"如桐子"，《纲目》作"桐子大"。

［110］《肘后方》37 页，《医心方》325 页，《纲目》1511 页。

［111］《肘后方》37 页。

［112］《肘后方》37 页，《医心方》315 页。此条引《医心方》，《肘后方》文略异。

［113］《外台》64 页。

［114］《纲目》1175 页。

［115］《外台》76 页。

［116］［117］《外台》94 页。

［118］《外台》122 页。

［119］《证类》484 页。

［120］《证类》502 页，《纲目》1613 页。"挑疮破，傅在上"，《纲目》作"挑疮研涂之"。

［121］《证类》520 页，《纲目》1657 页。"马齿草烧灰"，《纲目》作"马齿苋烧研"。

［122］《纲目》2844 页。

［123］《证类》380 页，《纲目》2741 页。"研令极细"，《纲目》无此文。

［124］《外台》90 页。

［125］《外台》121 页，《证类》300 页。"欲脱"，《证类》作"欲断"。

［126］《证类》348 页，《纲目》2031 页。

［127］［128］《医心方》315 页。

［129］～［148］《医心方》316 页。

［149］《肘后方》37 页。

［150］～［161］《肘后方》38 页。

［162］～［175］《肘后方》39 页。

［176］～［177］《肘后方》40 页。

治时气病起诸劳复方第十四

凡得毒病愈后，百日之内，禁食猪、犬、羊肉，并伤血及肥鱼久腻。干鱼则必大下痢，下则不可复救。又禁食面食、胡蒜、韭薤、生菜、虾、鳝辈。食此多致复发，则难治。又令到他年数发也[1]。

治笃病新差早起劳，及食饮多，致复欲死方

烧龟甲末，服方寸匕。忌苋菜[2]。

又方：以水服胡粉少许[3]。

又方：粉三升，以暖水和服之，厚覆取汗[4]。

又方：干苏一把，水五升，煮取二升，尽服之。无干者，生亦可用，加生姜四两，豉一升[5]。

又方：鼠矢两头尖者，二十七枚；豉五合。右二味，以水三升，煮取一升尽服之，温卧令小汗。有麻子人内一升，加水一升，弥良。亦可内枳实、葱白一虎口也[6]。

又方：取伏鸡子壳碎之，熬令黄黑，细末，热汤和一合服之，温卧取汗，愈。鸡子壳悉服之[7]。

又方：栀子十四枚，豉一升，桂心二两，麻黄二两，大黄二两。右五味㕮咀，以水七升，先煮麻黄掠去沫，内余药，更煮取二升，去滓，温服一升，日再服。当小汗及下利。忌生葱[8]。

又方：浓煮甘皮服之。芦根亦佳[9]。

觉多而发复方：烧饭筛，末，服方寸匕，良[10]。

治交接劳复卵肿或缩腹中绞痛便绝死方

烧妇人月经衣，服方寸匕[11]。

又方：取豚子一枚，撞之三十六，放于户中，逐使喘极，乃刺胁下取血一升，酒一升，合和饮之。若卒无者，便服血，慎勿使冷。应用狝豚[12]。

又方：取所交接妇人衣服，以覆男子上，一食久，活[13]。

又方：取狝豚胫及血，和酒饮之，差[14]。

又方：刮青竹茹二升。以水三升，煮令五六沸，然后绞去滓，以竹茹汤温服之。此方亦通治劳复[15]。

又方：矾石一分，消三分。右二味捣末，以大麦粥清，服方寸匕，日三服，热毒随大小便出[16]。

又方：取蓼子一大把，水挼取汁，饮一升。干者浓煮取汁服之[17]。

又方：葱头捣，以苦酒和服，亦佳[18]。

又方：蚯蚓数升，绞取汁，服之，良[19]。

大病新差后，病男接女，病女接男，安者阴易，病者发复，复者亦必死[20]。

卒阴易病，男女温病差后，虽数十日，血脉未和，尚有热毒，与之交接者，即得病，曰阴易，杀人甚于时行，宜急治之。令人身体重，小腹急，热上冲胸，头重不能举，眼中生䁾，膝胫拘急欲死[21]。方

取女人中裈近隐处烧取灰。为散，服方寸匕，日三，小便即利。阴头微肿，此为愈矣，女人病可取男子裈如前法。酒水服[22]。

又方：蓝一大把，狝鼠矢十四枚。右二味，以水五升，煮取二升，尽饮之，温卧汗出便愈，亦理劳复[23]。

又方：蚯蚓二十四枚。水一斗，煮取三升。一服，仍取汗，便良[24]。

又方：干姜四两，捣末，汤和，一顿服。温覆，汗出得解止，手足伸遂愈[25]。

又方：男初觉，便灸阴三七壮，若已尽，甚至百壮即愈，眼无妨，阴道疮复常。

两男两女，并不自相易，则易之为名，阴阳交换之谓也[26]。

凡欲病人不复

取女人手足爪二十枚，又取女中下裳带一尺烧灰，以酒若米饮服之[27]。

大病差后，小劳便鼻衄方

左顾牡蛎十分，熬；石膏五分。右二味捣末，酒服方寸，日三四，亦可蜜丸如梧子大，酒服十五丸[28]。

大病差后多虚汗，及眠中流汗方

杜仲、牡蛎等分，暮卧水服五匕则停，不止更作[29]。

又方：甘草、石膏各二两。右二味捣末，以浆服方寸匕，日二服，差[30]。

又方：龙骨、牡蛎、麻黄根末杂粉，以粉身，良[31]。

大病差后，虚烦不得眠，腹中疼痛懊憹

豉七合，绵裹；乌梅十四枚，擘。右二物，以水四升，煮乌梅取二升半，内豉更煮，取一升半，去滓，温分再服。无乌梅，用栀子十四枚亦得[32]。

又方：黄连四两，黄芩一两，芍药二两，胶三小挺。右四味，水六升，煮取三升，分三服。亦可内鸡子黄二枚[33]。

又半夏茯苓汤方

半夏三两，洗；秫米一升；茯苓四两。右三味，切，以千里流水一石，扬之万遍，澄取二斗，合煮诸药，得五升，去滓，温分五服。忌羊肉、饧、醋等物[34]。

[辑佚方]

治笃病新差早起劳，及饮食多，致欲死方

烧龟甲末，服方寸匕[35]。

又方：麻子、豉各一升，牡鼠矢一十一枚。右三味，以水五升，煮取二升半，分温三服，立愈。试之有神验[36]。

治大病新差后，交接劳复诸方

昔者有人得伤寒病，已差未健。诣华旉视脉，旉曰：虽差尚虚未复，阳气不足，勿为劳事，余劳尚可，御内即死，临死当吐舌数寸。其妻闻其夫病除，从百余里来省之。止宿交接，中间三日发病，口舌出数寸而死。病新差未满百日，气力未平复，而以房室者，略无不死[37]。

［附方］

《梅师方》治伤寒差后交接发动困欲死，眼不开，不能语方

栀子十三枚，水三升，煎取一升，服[38]。

【文献及校勘】

［1］《肘后方》40页。

［2］《外台》135页，《证类》426页，《肘后方》40页，《医心方》322页，《纲目》2504页。"治笃病新差"，《医心方》作"葛氏治笃病新起"。

［3］《证类》127页，《肘后方》40页，《医心方》322页，《纲目》475页。

［4］《肘后方》40页。此方中所言粉不知是何粉，且其剂量用三升，未免太大了，大病新愈的人不能服这么多。

［5］《肘后方》40页，《纲目》921页。《纲目》引文简略。

［6］《外台》101页，《肘后方》40页，《千金方》192页。"二十七枚"，《外台》作"二十一枚"。"有麻子人内一升，加水一升，弥良。亦可内枳实，葱白一虎口也"，《外台》无此文，《千金方》有此文。

［7］《外台》99页，《肘后方》40页。"伏鸡子壳""细末"，《外台》作"鸡子空壳""捣筛"。

［8］《外台》100页，《肘后方》40页。"桂心二两""忌生葱""先煮麻黄掠去沫"，《肘后方》脱，据《外台》补。

［9］《肘后方》40页，《纲目》1002页。此条，《纲目》作"以芦根煮浓汁饮"。

［10］《医心方》322页，《肘后方》40页。

［11］［12］《肘后方》40页。

［13］《外台》98页，《肘后方》40页。《外台》引文简略。

［14］《肘后方》40页，《纲目》2693页。《纲目》作"獖猪血，乘热和酒饮之"。

［15］《外台》98页，《肘后方》40页。"刮青竹茹二升"，《外台》作"刮青竹皮一升"。

［16］《肘后方》41页，《纲目》677页。"服方寸匕，日三服"，《肘后方》原作"可方寸匕，三服"，据《纲目》改。"热毒随大小便出"，《纲目》作"热毒从二便出"。

［17］《肘后方》41页，《纲目》1092页。

［18］《肘后方》41页。

［19］《证类》445页，《肘后方》41页，《纲目》2356页。"蚯蚓数升"，《证类》作"蚯蚓数条"，《纲目》作"蚯蚓二十四枚，水一斗，煮取三升，顿服，取汗"。

［20］《肘后方》41页。

［21］《肘后方》41页，《注解伤寒论》209页，《医心方》323页。"热上冲胸"，《肘后方》原作"热上肿胸"，据《注解伤寒论》改。

［22］《外台》98页，《肘后方》41页，《注解伤寒论》209页，《医心方》323页。"取女人中裩近隐处烧取灰""此为愈矣"，《医心方》作"取妇人裤亲阴上者，割取烧末""为当愈，得童女裤益

良"。"阴头微肿"，《肘后方》脱"头"字，据《注解伤寒论》补。

[23]《外台》98页，《肘后方》52页，《证类》174页。"狼鼠粪十四枚"，《肘后方》作"鼠矢两头尖者二十枚"。

[24]《肘后方》41页，《纲目》2356页。

[25]《外台》98页，《肘后方》41页，《证类》193页，《纲目》1627页。"手足伸遂愈"，《肘后方》无此文，据《外台》补。《纲目》将此方文献来源，注为"伤寒类要方"。

[26]《肘后方》41页。

[27]《外台》99页，《肘后方》41页，《纲目》2186页。"以酒若米饮服之"，《外台》作"以酒服，亦可米汁饮服之"。

[28]《外台》86页，《肘后方》41页，《证类》412页，《纲目》1521页。"酒服十五丸"，《肘后方》作"服之"。

[29]《肘后方》41页，《纲目》1987页。"眠中流汗"，《纲目》作"目中流汗"。"眠"，《肘后方》作"眼"，据《医心方》改。

[30]《肘后方》41页。

[31]《肘后方》41页，《医心方》323页。

[32]《外台》92页，《肘后方》41页。"腹中疼痛"，《肘后方》原作"眼中痛疼"，据《外台》改。"十四枚"，《外台》作"四枚"。

[33]《肘后方》42页，《注解伤寒论》177页、178页。"鸡子黄"，《肘后方》原作"乳子黄"，据《伤寒论》黄连阿胶汤改。

[34]《外台》92页，《肘后方》42页。"秫米一升"，《肘后方》作"秫术一斗"，据《外台》改。

[35]《医心方》322页。

[36]《外台》135页。

[37]《外台》98页、135页。"华鄩"即"华佗"。

[38]《肘后方》42页。

治瘴气疫疠温毒诸方第十五

辟温疫药干散方

附子半两（炮），干姜、细辛、麻子（研）各一两，柏子人一两。右五味，捣筛为散。正旦举家以井华水各服方寸匕。疫极则三服，日一服[1]。

老君神明散

术一两，附子三两，乌头四两，桔梗二两半，细辛一两。右五味捣筛，正旦服一钱匕，一家合药，则一里无病。此带行，所遇病气皆消。若他人有得病者，便温酒服方寸匕亦得。病已四五日，以水三升煮散，服一升，覆取汗出也[2]。

赤散方

牡丹五分，皂荚（炙）五分，真珠四分，踯躅四分，附子三分，干姜三分，细辛三分，肉桂二分。右八味捣筛为散。初觉头强邑邑，便以少许内鼻中，吸之取吐。温酒服方寸匕。覆眠得汗，即差。晨夜行及视病，亦宜少许以内鼻、粉身佳。牛马疫，以一匕著舌下、溺灌，日三四度，甚妙也[3]。

疫瘴散，辟山瘴恶气，若有黑雾郁勃，及西南温风，皆为疫疠之候。方

麻黄、椒各五分，桂、防风、细辛各一分，乌头二分，干姜、术、桔梗各一分。右九味捣筛，平旦酒服一钱匕，辟毒诸恶气，冒雾行，尤宜服之[4]。

太乙流金散

雄黄三两，雌黄六两，矾石、鬼箭羽各一两半，羚羊角二两。右五味捣为散，下筛，三角绛袋盛一两，带心前，并挂门户上。若逢大疫之年，以月旦青布裹一刀圭，中庭烧之。温病人亦烧熏之[5]。

辟天行疫疠方

雄黄、丹砂、矾石、巴豆、附子、干姜等分。右六味捣，蜜丸，平旦向日吞之一丸如胡麻大。九日止。令无病[6]。

常用辟温病散方

肉桂、真珠各一分；贝母三分，熬；鸡子白熬令黄黑，三分。右四味捣筛。岁旦，服方寸匕，若岁中多病，可月月朔望服之。有病即愈。病人服者当可大效[7]。

虎头杀鬼方

雄黄、雌黄、朱砂各一两半，研；虎头骨五两，炙；皂荚（炙）、芜荑、鬼臼各一两。右七味捣筛，以蜡蜜和如弹丸大，绛囊盛，系臂，男左，女右。家中置屋四角。月朔望夜半中庭烧一丸。忌生血物。一方有菖蒲、藜芦，无虎头、鬼臼、皂荚，作散带之[8]。

赵泉黄膏方

附子、干姜、细辛、椒、桂各一两；大黄一两；巴豆八十枚，去心皮。右七味捣细，苦酒渍之，宿腊月猪膏二斤，煎三上三下，绞去滓，密器贮之，初觉勃色，便服如梧子大一丸，不差，又服之。亦可火炙以摩身体数百遍，佳。并治贼风走游皮肤并良。可预合之。便服即愈也[9]。

单行方术

南向社中柏，东向枝，取曝干，末，服方寸匕，立差。姚云：疾疫流行预备

之，名为柏枝散，服，神良。删繁方云：旦，南行见社中柏，即便收取之[10]。

又方：正月上寅日，捣女青屑，三角绛囊贮，系户上、帐前，大吉[11]。

又方：马蹄捣屑二两，绛囊带之，男左，女右[12]。

又方：正月朔旦及七月，吞麻子、赤小豆各二七枚。又各七枚投井中，又以附子二枚，小豆七枚，令女子投井中[13]。

又方：冬至日，取雄赤鸡作腊，至立春煮食尽，勿分他人。二月一日，取东行桑根，大如指，悬门户上，又人人带之[14]。

又方：冬至埋鹊于圈前[15]。

断温病令不相染方

着断发仍使长七寸，盗着病人卧席下[16]。

又方：以绳度所住户中壁，屈绳结之[17]。

又方：密以艾灸病人床四角，各一壮，不得令知之。佳也[18]。

又方：取小豆，新布囊贮之，置井中三日出，举家男服十枚，女服二十枚[19]。

又方：桃木中虫矢，末，服方寸匕[20]。

又方：鲍鱼头烧三指撮，小豆七枚，合末服之。女用豆二七枚[21]。

又方：熬豉杂土酒渍，常将服之[22]。

又方：以鲫鱼密致卧下，勿令知之[23]。

又方：附子一分，干姜三分，细辛三分，糵三分，柏子人三分。右五味，捣末，酒服方寸匕，日三服，服十日[24]。

又方：用麦服糵米、干姜。又云麻子人可作三种服之[25]。

［辑佚方］

屠苏酒辟疫气，令人不染温病及伤寒，岁旦饮之。方

乌头、防风各六铢；白术、桔梗各十铢；菝葜、蜀椒（汗），各十铢；大黄、桂心各十五铢。右八味，绛袋盛，以十二月晦日中悬沉井中，令至泥。正月朔旦平晓出药，置酒中煎数沸，于东向户中饮之。屠苏之饮，先从小起，多少自在，一人饮，一家无疫，一家饮，一里无疫。饮药酒待三朝，还滓置井中，仍能岁饮，可世无病，当家内外有井，皆悉著药，辟温气也[26]。

辟温气雄黄散方

雄黄五两，朱砂（一作赤木）、菖蒲、鬼臼各二两。右四味捣筛末，以涂五

心、额上、鼻、人中及耳门[27]。

断温疫，转相染著至灭门，延及外人，无收视者方

雄黄、鬼臼、赤小豆、鬼箭羽各三两。右四味捣末，以蜜和丸如小豆大，服一丸。可与病人同床[28]。

姚大夫辟温病粉身方

苍术、川芎、白芷、藁本、零陵香各等分。右五味捣筛为散，和米粉，粉身。若欲多时，加药增粉用之[29]。

［附方］

《外台秘要》辟瘟方

取上等朱砂一两，细研，白蜜和丸，如麻子大。常以太岁日平旦，一家大小勿食诸物，面向东立，各吞三七丸，永无疾疫[30]。

【文献及校勘】

[1]《外台》131页，《肘后方》42页。"药干散""附子半两"，《外台》作"数干散""附子一枚"。

[2]《肘后方》42页，《外台》131页，《医心方》317页。"老君神明散""术一两"，《肘后方》误为"老君神明""白散木一两"。此条，《医心方》作"葛氏方云：老君神明白散避温疫方，白术二两，桔梗二两半，乌头一两，附子一两，细辛二两，凡五物捣筛，岁旦以温酒服五方寸匕。一家有药，则一里无病。带是药散以行，所经过，病气皆消。若他人有得病者，便温酒服一方寸匕"。

[3]《肘后方》42页。

[4]《肘后方》42页，《医心方》318页。"服一钱匕"，《肘后方》原作"服一盏匕"。

[5]《外台》130页，《肘后方》42页。此条引《外台》文，《肘后方》文略异。"雌黄六两"，《肘后方》作"雌黄二两"。"若逢大疫之年"，《肘后方》无此文。

[6]《肘后方》42页。

[7]《肘后方》42页。此条，《肘后方》重出两次。"当可大效"，商务本《肘后方》注云："另本无'可'字"。

[8]《外台》130页，《肘后方》42页。此条引《外台》文，《肘后方》文略异，"忌生血物"，《肘后方》无此文。

[9]《肘后方》43页。"便服如梧子"，《肘后方》原作"便热如梧子"，据文义改。

[10]《肘后方》43页。"删繁方"，《肘后方》原作"删烦方"，据《证类》改。

[11]《证类》274页，《肘后方》43页，《纲目》922页。"女青屑""帐前"，《证类》作"女青末""帐中"。

[12]《证类》375页，《肘后方》43页，《纲目》2774页。"马蹄"，《肘后方》原作"马蹄木"，

据《证类》改。

[13]《外台》131 页,《肘后方》43 页。

[14]《肘后方》43 页,《纲目》2585 页。"立春",《纲目》作"立春日"。"食尽",《纲目》作"食至尽"。

[15]《肘后方》43 页,《纲目》2663 页。"冬至",《肘后方》无此二字,据《纲目》补。

[16]《肘后方》43 页。

[17]《肘后方》43 页,《纲目》2213 页。"结之"后,《纲目》有"不相染也"。

[18]《肘后方》43 页。

[19]《外台》131 页,《证类》487 页,《肘后方》43 页。此条,《外台》作"新布盛小豆一升,内井中一宿出,服七枚"。

[20]《肘后方》43 页。

[21]《肘后方》43 页,《纲目》2482 页。此条,《纲目》作"鲍鱼头,烧灰方寸匕,合小豆七枚,末,米饮服之,令瘟疫气不相染也"。

[22] ~ [24]《肘后方》43 页。

[25]《肘后方》43 页,《纲目》1474 页。此条,《纲目》作"以糯米为末,顿服之"。

[26]《外台》130 页,《肘后方》43 页,《纲目》1561 页。此条引《外台》文,《肘后方》及《纲目》之文各异。

[27][28]《外台》130 页。

[29]《外台》130 页,商务本《肘后方》257 页。此条引《外台》文,《肘后方》文略异。"苍术""零陵香",《肘后方》无。

[30]《肘后方》43 页。

补辑《肘后方》 卷之三

治寒热诸疟方第十六

治疟病方

鼠妇、豆豉二七枚，合捣，令相和，未发时服二丸，欲发时服一丸[1]。

又方：青蒿一握，切。以水一升渍，绞取汁，尽服之[2]。

又方：用独父蒜，于白炭上烧之，末，服方寸匕[3]。

又方：五月五日蒜一片去皮，中破之、刀割，合容巴豆一枚，去心皮，内蒜中，令合以竹挟，以火炙之，取可熟，捣为三丸。未发前服一丸，不止，复与一丸[4]。

又方：取蜘蛛一枚，芦管中密塞管中，以绾颈，过发时乃解去也[5]。

又方：日始出时，东向日再拜，毕，正长跪，向日叉手，当闭气，以书墨注其管两耳中，各七注，又丹书舌上，言子日死，毕，复再拜，还去勿顾，安卧勿食，过发时断，即差[6]。

又方：多煮豉汤，饮数升，令得大吐，便差[7]。

又方：取蜘蛛一枚。著饭中，吞即愈[8]。

又方：临发时，捣大附子，下筛，以苦酒和之，涂背上[9]。

又方：鼠妇虫子四枚，各一以饴糖裹之，丸服便断，即差[10]。

又方：常山，捣，下筛成末，三两；真丹一两。右二味，白蜜和，捣百杵，丸如梧子，先发服三丸，中服三丸，临卧服三丸，无不断者，常用，效[11]。

又方：大开口，度上下唇，以绳度心头，灸此度下头百壮。又灸脊中央五十壮。过发时，灸二十壮[12]。

又方：破一大豆去皮，书一片作日字，一片作月字，左手持日，右手持月，吞之立愈，向日服之，勿令人知也[13]。

又方：巴豆一两，去心皮；皂荚三两，去皮炙。右二味捣，丸如大豆大，一服一枚[14]。

又方：巴豆一枚，去心皮，射罔如巴豆大，大枣一枚，去皮。右三味合捣成丸如梧子大，先发各服一丸[15]。

又方：常山、甘草、知母、麻黄各等分。右四味捣，蜜和丸如大豆。服三丸，比发时令过毕[16]。

又方：常山三两，甘草半两。右二味，以水、酒各半升，合煮取半升，先发时一服，比发令三服尽[17]。

又方：常山三两，剉。以酒三升，渍二三日，平旦作三合服，欲呕之，临发又服二合，便断。旧酒亦佳，急亦可煮[18]。

又方：常山三两，秫米三百粒。右二味，以水六升，煮取三升，分服之，至发时令尽[19]。

又方：常山二两，甘草一两半。右二味，以水六升，煮取二升，分再服，当快吐，仍断勿饮食。亦主疟发作无常，心下烦热[20]。

老疟久不断者

常山三两；鳖甲一两，炙；升麻一两；附子一两；乌贼骨一两。右五味，以酒六升，渍之，小令近火，一宿成，服一合，比发可数作[21]。

又方：巴豆二十五枚，熬令黄；皂荚一两，炙；藜芦一两。右三味依法捣，蜜丸如小豆，空心服一丸，未发时一丸，临发时又一丸。勿饮食。亦主老疟久不断者[22]。

又方：牛膝茎叶一把。切，以酒三升渍一宿，分三服，令微有酒气。不即断，更作，不过三服，止[23]。

又方：末龙骨方寸匕，先发一时，以酒一升半，煮三沸，及热尽服，温复取汗，便即效。亦主老疟久不断者[24]。

又方：常山三两，甘草半两，知母一两。右三味捣，蜜丸如梧子大，至先发时，服十丸，次服减七丸、八丸，后五六丸，即差。亦主老疟久不断者[25]。

又方：先发二时，以炭火床下，令脊脚极暖，被覆，过时乃止。此治先寒后热者[26]。

又方：鳖甲三两，炙，捣末，酒服方寸匕，至发时令三服尽，兼用火炙，无不断者。忌苋菜。亦主老疟久不断者[27]。

鸡子常山丸，疗诸疟，并经服诸药、法术不断，发无复定时，不可复断者，宜服此丸。忌食物，勿劳力，即断。方

常山三两，捣筛为散，以鸡子白和，并手为丸，如梧桐子大，令圆。调丸讫，分置铜钵子中，以汤煮铜钵令热，杀得鸡子腥气即止。以竹叶青饮服三十丸，欲吐但吐，比至发时，令得三服，时早可食者断。若晚不可断食者，当作竹叶汁糜食之。忌生葱生菜[28]。

治温疟不下

常山二两，鳖甲（炙）二两，地骨皮三两，石膏四两，知母二两，竹叶（切）一升。右六味，以水七升，煮取二升五合，分温三服。忌蒜、热面、猪、鱼[29]。

治瘴疟

常山三两；黄连三两；豉（熬）三两；附子二两，炮。右四味捣筛，蜜丸如梧子大，空腹服四丸。欲发三丸，饮下之。服药后至过发时，勿吃食[30]。

治兼诸痢者

龙骨四两；牡蛎二两；犀角三两；黄连三两；香豉二两，熬。右五味捣筛，蜜丸如梧子，米饮下三十丸。日三服，差止。忌猪肉、冷水、油腻等[31]。

无时节发者

常山二两；甘草一两半，炙；豉五合，绵裹。右三味切，以水六升。煎去滓，取二升，再服当快吐。仍节饮食，忌海藻、菘菜、生葱、生菜。亦主心下烦热[32]。

无问年月，可治三十年者

常山三两，黄连三两。右二味切，酒一斗，宿渍之，晓以瓦釜煮取六升，一服八合，比发时令得三服，热当吐，冷当利，服之无不差者，半料合服得[33]。

劳疟积久，众治不差者

长生大牛膝一虎口，切。以水六升，煮取二升，分再服，第一服取未发前一食顷服，第二服临发服气[34]。

禳一切疟

是日抱大雄鸡一只著怀中，时时惊动，令鸡怀中作大声，无不差[35]。

又方：令所患人未发前，正南北眠，头向南，五心并额及舌上七处，闭气书鬼字，则差[36]。

咒法

候病者发日，日未出时，自执一石于水滨。一气咒云，智智团团，行路非难，捉取疟鬼，送与河宫，急急如律令，即投石沉于水中，勿反顾而去[37]。

治一切疟

乌梅丸治一切疟。常山三两，甘草二两，肉苁蓉二两，知母二两，乌梅肉（熬）二两，乌豆皮（熬膜取皮）三两，牡丹二两，升麻三两，桂心二两，人参二两，桃人（去皮尖，熬）三两，研。右十一味，桃人别捣如稀饧，欲丸入之。捣筛，蜜和，屠苏臼捣一万杵，丸如桐子大。发日五更酒下三十丸，平旦四十丸，欲发四十丸，不发日空腹四十丸，晚三十丸，无不差。徐服后，十余日吃肥肉发之[38]。

又方：白驴蹄二分，熬；砒霜二分；雄黄一分；大黄四分；绿豆三分，末；光明砂，半分。右六味捣，蜜丸如梧子，发日，平旦冷水服二丸。七日内忌油。主鬼疟不止[39]。

［辑佚方］

葛氏治疟病方

多煮豉，作汤，饮数升，令得大吐，便断[40]。

又方：常山三两；鳖甲二两，炙黄；蜀漆二两；椒一两，汗；附子一两；乌贼骨一两，炙；知母二两。右七味切，以酒三斗，渍一宿，平旦服一合，稍稍加至二合，日三四服。忌苋菜、生葱、生菜、猪肉。主劳疟[41]。

又方：炙鳖甲，捣末，酒服方寸匕，至发时，令三服，兼用火炙无不断[42]。

［附方］

《外台秘要》治疟不瘥

干姜、高良姜等分，为末，每服一钱，水一中盏，煎至七分，服[43]。

《圣惠方》治久患劳疟瘴等方

用鳖甲三两，涂酥炙令黄，去裙，为末，临发时温酒调下二钱匕[44]。

治疟：用桃人一百个，去皮、尖，于乳钵中细研成膏，不得犯生水，候成膏，入黄丹三钱，丸如梧子大。每服三丸，当发日，面北，用温酒吞下。如不饮酒，井花水亦得。五月五日午时合，忌鸡、犬、妇人见[45]。

又方：用小蒜不拘多少，研极烂，和黄丹少许，以聚为度，丸如鸡头大，候干。每服一丸，新汲水下，面东服，至妙[46]。

【文献及校勘】

[1]《肘后方》44 页，《纲目》2322 页。此条，《纲目》作"鼠妇、豆豉各十四枚，捣丸芡子大，未发前白汤服二丸，将发时，再服二丸便止"。

[2]《外台》150 页，《肘后方》44 页，《纲目》854 页引《肘后方》。"一握"《外台》作"一把"。

[3]《肘后方》44 页，《纲目》1600 页。此条，《纲目》引文略异。

[4]《肘后方》44 页。"取可熟"，《肘后方》原作"取可热"，据文义改。

[5]《肘后方》44 页，《纲目》2278 页。《纲目》引此条，标题作"杨氏家藏"。

[6]《肘后方》44 页。

[7]《肘后方》44 页，《纲目》1529 页。"令得大吐，便差"，《纲目》作"得大吐，即愈"。

[8]《肘后方》44 页，《纲目》2278 页。"著饭中，吞即愈"，《肘后方》作"着饭中合丸吞之"，《纲目》作"同饭捣丸吞之"。

[9]《肘后方》44 页，《纲目》1170 页。

[10]《肘后方》44 页，《纲目》2322 页。《纲目》云："《太平御览》载葛洪治疟方，用鼠妇虫十四枚，各以糟酿之，名十四枚丸，发时水吞下便愈"。

[11]《肘后方》44 页，《纲目》478 页。"先发服三丸，中服三丸，临卧服三丸，无不断者"，《纲目》作"每服五十九，温酒下，平旦及未发将发各一服，无不效"。《纲目》所用剂量是《肘后方》的十几倍。

[12]《肘后方》44 页。

[13]《肘后方》44 页，《医心方》310 页。

[14]《肘后方》44 页，《纲目》2055 页。"丸如大豆大"，《纲目》作"丸绿豆大，一服一丸，冷汤下"。

[15]《肘后方》44 页，《纲目》1182 页。

[16]《肘后方》44 页，《千金方》200 页。"蜜和丸如大豆。服三丸"，《千金方》作"蜜和丸，未食服五丸如梧子，日二，不知渐增，以差为度"。

[17]《肘后方》44 页，《纲目》1152 页。

[18]《肘后方》44 页，《纲目》1152 页。"常山三两""酒三升"，《纲目》作"常山一两""酒一升"。

[19]《肘后方》44 页，《纲目》1152 页。"常山三两""秫米三百粒"，《纲目》作"常山一两""秫米一百粒"。

[20]《肘后方》45 页。

[21]《肘后方》45 页，《外台》157 页。

[22]《肘后方》45 页，《千金方》202 页，《纲目》1157 页。

[23]《外台》150 页，《证类》153 页（《本草图经》引），《肘后方》45 页，《纲目》1030 页。"不过三服"，《证类》作"不过三剂"。

[24]《肘后方》45 页,《证类》368 页,《医心方》313 页,《纲目》2377 页。

[25]《肘后方》45 页,《纲目》1152 页。

[26]《肘后方》45 页。

[27]《外台》150 页,《证类》426 页,《肘后方》45 页,《纲目》2504 页。此条引《外台》文,《肘后方》文略异。

[28]《外台》161 页,《证类》253 页,《肘后方》45 页。此条引《外台》文,《肘后方》文相对简略一些,且其所言丸剂,亦无规格。

[29]《肘后方》45 页。

[30]《肘后方》45 页,《纲目》1154 页。"蜜丸如梧子大",《肘后方》作"蜜丸",但未言明蜜丸大小,据《纲目》改。

[31]《外台》160 页,《肘后方》45 页。"蜜丸如梧子",《肘后方》作"蜜丸",但未言明丸子大小,据《外台》改。"米饮下三十九。日三服",《肘后方》原作"服四十九,日再服,饮下",据《外台》改。

[32]《外台》161 页,《肘后方》45 页,《医心方》315 页。"仍节饮食,忌海藻、菘菜、生葱、生菜",《肘后方》无此文,据《外台》补。"常山",《医心方》作"恒山"。

[33]《肘后方》45 页,《纲目》1153 页。

[34]《外台》164 页,《肘后方》45 页。"第一服取未发前一食顷服,第二服临发服",《肘后方》原作"空腹一服,欲发一服",据《外台》改。

[35]《外台》167 页,《肘后方》46 页。此条,《肘后方》作"禳一切疟,是日抱雄鸡,一时令作大声,无不差"。

[36]《外台》167 页,《肘后方》46 页。此条引《外台》文,《肘后方》文略异。

[37]《外台》167 页,《肘后方》46 页。此条引《外台》文。"团团",《肘后方》作"圆圆"。

[38]《外台》153 页,《肘后方》46 页。"丸如桐子",《肘后方》无此文。

[39]《肘后方》46 页,《纲目》2784 页。"主鬼疟",《肘后方》作"凡见疟"。按,《肘后方》之"见",疑为"鬼"之误。

[40]《医心方》310 页。

[41]《外台》164 页。

[42]《医心方》310 页、313 页。

[43] ～ [46]《肘后方》46 页。

治卒发癫狂病方第十七

治卒癫疾方

灸阴茎上宛宛中三壮,得小便通,则愈[1]。

又方:灸阴茎上三壮,囊下缝二七壮[2]。

又方:灸两乳头三壮。又灸足大指本聚毛中七壮,灸足小指本节七壮[3]。

又方：葶苈子一升，捣三千杵，取白犬倒悬之，以杖犬令血出，承取，以和葶苈末，丸如麻子大，服一丸，三服取差[4]。

又方：莨菪子二升，酒五升浸之，出曝干，再渍尽酒止，捣，服一钱匕。日三，勿多服，益狂[5]。

小品癫狂莨菪散

莨菪子三升，末之。酒一升，渍多日，出，捣之，以向汁和绞去滓，汤上煎，令可丸，服如小豆三丸，日三。口面当觉急，头中有虫行者，额及手足应有赤色处，如此必是差候。若未见，服取尽矣[6]。

又方：末防葵，温酒服一刀圭至二三。身润又小不仁为候[7]。

又方：自缢死者绳，烧，三指撮，服之[8]。

凡癫疾，发则仆地，吐涎沫无知，强，惊（强）起如狂，及遗粪者难治[9]。

治卒发狂方

虾蟆，烧，捣末，服方寸匕，日三服之，酒服[10]。

又方：卧其人着地，以冷水淋其面，为终日淋之[11]。

治卒狂言鬼语方

针其足大拇指爪甲下入少许，即止[12]。

又方：以甑带急合缚两手，火灸左右胁，握肘头文俱起，七壮。须臾，鬼语自道姓名，乞去。徐徐诘问，乃解手耳[13]。

凡狂发则欲走，或自高贵称神圣，皆应备诸火灸，乃得永差耳[14]。

若或悲泣呻吟者，此为邪魅，非狂，自依邪方治之，近效方

已生蚕纸作灰，酒水任下，差。疗风癫也[15]。

［辑佚方］

治卒癫疾方

断鸡冠血沥口中[16]。

治卒狂言鬼语方

灸天枢，百壮。亦主狂言恍惚[17]。

治卒发狂方

煮三年陈蒲，去滓，服之[18]。

[附方]

《斗门方》治癫痫

用艾于阴囊下，谷道正门当中间，随年数灸之[19]。

《千金方》治风癫百病

麻人四升，水六升，猛火煮令牙生，去滓，煎取七合，旦空心服。或发或不发，或多言语勿怪之，但人摩手足须定，凡进三剂愈[20]。

又方：治狂邪发无时，被头大叫欲杀人，不避水火，苦参以蜜丸，如梧桐子大。每服十丸，薄荷汤下[21]。

《外台秘要》治风痫引胁牵痛，发作则吐，耳如蝉鸣

天门冬去心、皮，曝干捣筛，酒服方寸匕。若人久服，亦能长生[22]。

《广利方》治心热风痫

烂龙角浓研汁，食上服二合，日再服[23]。

《经验后方》治大人、小儿久患风痫缠喉，咳嗽，遍身风疹，急中涎潮等方

按此药不大吐逆，只出涎水，小儿服一字，瓜蒂不限多少，细碾为末；壮年一字，十五以下、老怯半字。早晨井花水下，一食顷，含砂糖一块，良久涎如水出，年深涎尽，有一块如涎布水上如鉴矣。涎尽食粥一两日，如吐多困甚，即咽麝香汤一盏即止矣。麝细研，温水调下。昔天平尚书觉昏眩，即服之，取涎有效[24]。

《明皇杂录》云：开元中有名医纪朋者，观人颜色谈笑，知病深浅，不待诊脉。帝闻之，召于掖庭中，看一宫人，每日旲则笑歌啼号若狂疾，而足不能履地。朋视之曰：此必因食饱而大促力，顿仆于地而然。乃饮以云母汤，令熟寐，觉而失所苦，问之乃言，因太华公主载诞宫中，大陈歌吹，某乃主讴惧其声，不能清，且长吃豚蹄羹饱而当筵歌大曲，曲罢觉胸中甚热，戏于砌台上，高而坠下，久而方惺病狂，足不能及地[25]。

【文献及校勘】

[1]《肘后方》46页，《医心方》99页。

[2]《肘后方》46页。

[3]《肘后方》46页，《医心方》99页。

[4]《外台》401页，《肘后方》46页，《纲目》1068页。"以杖犬令血出，承取"，《外台》作"以杖杖血出盛取"。

[5]《外台》401页，《肘后方》46页。"莨菪子二升""勿多服"，《肘后方》作"莨菪子三升"

"勿多"。

［6］《肘后方》46 页。

［7］《外台》401 页，《证类》155 页，《肘后方》47 页，《纲目》1128 页。"至二三"，《证类》及《纲目》作"至二三服"。

［8］《外台》401 页，《肘后方》47 页。

［9］《肘后方》47 页。

［10］《肘后方》47 页，《医心方》100 页。

［11］《肘后方》47 页。

［12］《肘后方》47 页，《医心方》100 页。

［13］《肘后方》47 页。

［14］《肘后方》47 页，《证类》430 页。"火灸"，《肘后方》作"火炙"，据《证类》改。

［15］《证类》430 页，《肘后方》47 页，《纲目》1519 页。

［16］《医心方》99 页。

［17］《外台》401 页。

［18］《医心方》100 页。

［19］ ～ ［25］《肘后方》47 页。

治卒得惊邪恍惚方第十八

治人心下虚悸方

麻黄，半夏，汤洗去滑，干，各等分。右二味捣，蜜丸如大豆大，服三丸，日三服，稍增之[1]。

若惊忧怖迫逐，或惊恐失财，或激愤惆怅，致志气错越，心行违僻，不得安定者

龙骨、牡蛎、茯神、远志各二两，防风二两，甘草七两，大枣七枚。右七味，以水八升，煮取二升，分再服。日日作之，取差[2]。

又方：人参三两；桂三两；茯苓四两；甘草二两；干地黄四两；麦门冬一升，去心；生姜一斤；半夏六两，洗去滑。右八味，以水一斗，又杀乌鸡取血及肝心，煮取三升，分四服，日三，夜一，其间少食无爽，作三剂，差[3]。

又方：真珠四两，切；薤白四两。右二味，以水三升，白雄鸡一头，治如食法，煮取二升，宿勿食，旦悉食，鸡等及饮汁尽[4]。

又有镇心定志诸丸在大方中[5]。

治卒中邪魅恍惚振噤之方

灸鼻下人中，及两手足大指爪甲本。令艾丸半在爪上，半在肉上，各七壮，不止，至十四壮便愈。此事本在杂治中[6]。

治女人与邪物交通，独言独笑，或悲思恍惚者

松脂三两，焊；内雄黄末一两。右二味，用虎爪搅令调，丸如弹丸，夜内笼中烧之，令女裸坐笼上，被急自蒙，唯出头耳。过三熏即断[7]。

又方：人参二两，五味子一升，雄黄一两，防风二两。右四味为散，清早以井花水，服方寸匕。日三服[8]。

师往以针五枚内头髻中，狂病者则以器贮水，三尺新布覆之，横大刀于上，悉乃矜庄呼见其人，其人必欲起走，慎勿听，因取一喷之，一呵视，三通乃熟，拭去水，指弹额上近发际，问欲愈乎，其人必不肯答，如此二七弹乃答，欲因杖针刺鼻下人中近孔内侧空停针，两耳根前宛宛动中停针，又刺鼻直上入发际一寸，横针又刺鼻直上入。乃具诘问。怜怜醒悟，则乃止矣[9]。

若男女喜梦与鬼通致恍惚者

锯截鹿角屑，酒服三指撮，日三[10]。

［辑佚方］

治风邪感结众殃，恍惚不安，气欲绝，水浆不入口方

人参一两；甘草，炙，三两；麻子五合，熬；桂心三两；橘皮三两；半夏五两，洗；生姜三两；当归二两；芍药三两。右九味切，以水九升，煮取三升，分为三服。忌海藻、菘菜、羊肉、饧、生葱等物[11]。

主镇安魂魄珠蜜方

炼真珠如大豆，以蜜一蚬壳和一服，与一豆许。日三，大宜小儿矣[12]。

又方：孔公孽（末）五两，通草三两，茗叶一斤，水一斗，煮取五升，向暮服之，即一夕不睡眠[13]。

治从早夜连时不得眠方

暮以新布火炙以熨目，并蒸大豆更番囊盛枕，枕冷后更易热，终夜常枕热豆，即立愈[14]。

［附方］

张仲景主心下悸，半夏麻黄丸

二物等分，末，蜜丸如小豆。每服三丸，日三[15]。

《简要济众方》每心脏不安，惊悸善忘，上膈风热，化痰

白石英一两，朱砂一两，同研为散。每服半钱，食后、夜卧金银汤调下[16]。

心中客热，膀胱间连胁下气，妨常且忧愁不乐，兼心忪者。

取莎草根二大斤，切，熬令香，以生绢袋贮之，于三大斗无灰清酒中浸之。春三月浸一日即堪服，冬十月后即七日，近暖处乃佳。每空腹服一盏，日夜三四服之，常令酒气相续，以知为度。若不饮酒，即取莎草根十两，加桂心五两，芜荑三两，和捣为散，以蜜和为丸，捣一千杵，丸如梧子大。每空腹以酒及姜蜜汤饮汁等下二十丸，日再服，渐加至三十九，以差为度[17]。

【文献及校勘】

[1]《肘后方》48 页，《医心方》94 页。

[2]《肘后方》48 页。

[3]《肘后方》48 页。"桂"，商务本《肘后方》注云："另本作术"。

[4]《肘后方》48 页，《纲目》2585 页。

[5]《肘后方》48 页。

[6]《外台》367 页，《肘后方》48 页。"令艾丸半在爪上，半在肉上"，《肘后方》作"令艾丸在穴上"。

[7]《外台》369 页，《肘后方》48 页，《纲目》537 页。"过三熏即断"，《肘后方》作"不过三剂，过自断也"。

[8]《外台》369 页，《肘后方》48 页，《纲目》537 页。

[9]《肘后方》48 页。

[10]《外台》369 页，《证类》377 页，《肘后方》48 页。"锯截鹿角屑"，《外台》无"锯截"二字。"三指撮"，《外台》作"三撮"。

[11]《外台》404 页。

[12]《证类》414 页，《纲目》2528 页。

[13]《医心方》287 页。

[14]《证类》486 页，《医心方》287 页。此条，《医心方》作"葛氏治卒苦连时不得眠方。暮以新布，火炙熨目，并蒸大豆，囊盛枕之，冷复易，终夜常枕立愈"。

[15] ～ [17]《肘后方》49 页。

治卒中风诸急方第十九

治卒中急风，闷乱欲死方

灸两足大指下横文中，随年壮。又别有续命汤[1]。

若毒急不得行者

内筋急者，灸内踝，外筋急者，灸外踝上二十壮。若有肿痹虚者，取白敛二分、附子一分，捣，服半刀圭，每日可三服[2]。

若眼上睛垂者方

灸目两眦后三壮[3]。

若不识人者方

灸季胁、头，各七壮，此胁不肋屈头也[4]。

不能语者方

灸第二槌，或第五槌上五十壮。又别有不得语方，在后篇中矣[5]。

又方：豉、茱萸各一升。右二味，水五升，煮取二升，稍稍服之[6]。

若眼反、口噤、腹中切痛者方

灸阴囊下第一横理十四壮。又别有服膏之方[7]。

若狂走，欲斫刺人，或欲自杀，骂詈不息，称鬼语者

灸两口吻头赤肉际，各一壮。又灸两肘屈中五壮。又灸背胛中间三壮。三日报灸三。仓公秘法，又应灸阴囊下缝三十壮。又别有狂邪方[8]。

治中风发狂者方

车毂中脂如鸡子。热温醇苦酒，以投脂甚搅，令消，服之令尽[9]。

若心烦恍惚，腹中痛满，或时绝而复苏者

釜下土五升，捣筛，以冷水八升和之，取汁尽服之。口已噤者，强开，以竹筒灌之。使得下，人便愈。甚妙[10]。

若身体角弓反张，四脚不随，烦乱欲死方

鸡矢白一升，熬，捣筛；清酒五升。右二味合和，扬之千遍，乃饮之。大人服一升，小儿服五合。更小者服三合良[11]。

若头身无不痛，颠倒烦满欲死者

取头垢如大豆大，服之。并囊贮大豆，蒸热，逐痛处熨之，作两囊，更番为佳。若无豆，亦可蒸鼠壤土，熨[12]。

若但腹中切痛者

取盐半斤，熬令水尽。著口中，饮热汤二升，得吐便愈[13]。

又方：附子六分；生姜三两，切。右二味以水二升，煮取一升，分为再服[14]。

若手足不随方

取青布烧作烟，就小口器中熏痛处，佳[15]。

又方：豉三升，水九升，煮取三升，分三服。又取豉一升，微熬，囊贮，渍三升酒中，三宿，温服，微令醉为佳[16]。

若身中有挛痛不仁、不随处者

干艾叶一斛许，丸之，内瓦甑下，塞余孔，唯留一目，从痛处著甑目上，烧艾以熏之，一时间愈矣[17]。

又方：好术，削之，以水煮令浓，热灼灼尔，以渍痛处，效[18]。

若口噤不开者

取大豆五升熬令黄黑，以酒五升渍取汁，以物强发口而灌之，毕，取汗[19]。

又方：独活四两，桂二两。右二味，以酒水二升，煮取一升半，分三服，开口与之，温卧。火炙，令取汗[20]。

若身直不得屈伸反复者

取槐皮黄白者，切。以酒共水六升，煮取二升，去滓，适寒温，稍稍服之[21]。

又方：枳树皮刮屑一升，以酒一升，渍一宿，服五合至一升，酒尽更作，差[22]。

若口喎僻者方

衔粜（卷）灸口吻口横文间，觉火热便去艾，即愈。勿尽艾，尽艾则太过。若口左僻，灸右吻，右僻，灸左吻。又灸手中指节上一丸，喎右灸左也。又有灸口喎法，在此后也[23]。

又方：取空青末一豆许，著口中，渐入咽即愈。姚同[24]。

又方：取蜘蛛子，摩其偏急颊车上，候视正，则止。亦可向火摩之[25]。

又方：牡蛎（熬）、矾石（烧）、附子（炮）、灶中黄土各等分。右四味捣末，以三岁雄鸡冠和傅急上，持水著边，视欲还正，便急洗去药，不著更涂上，便愈[26]。

又方：鳖血和乌头涂之，欲正，即揭去之[27]。

若四肢逆冷，吐清水，宛转啼呼者

取桂二两，㕮咀，以水三升，煮取二升，去滓，适寒温，尽服[28]。

若关节疼痛

蒲黄八两；附子一两，炮。右二味合末之，服一钱匕，日三，稍增至方寸匕[29]。

若骨节痛烦不得屈伸，近之则痛，短气自汗出，或欲肿者

附子二两，桂四两，术三两，甘草二两。右四味，水六升，煮取三升，分三服，汗出愈也[30]。

若中暴风，自汗出如水者

石膏、甘草各等分。右二味捣，酒服方寸匕。日移一丈，辄一服也[31]。

若中缓风，四肢不收者

豉三升，水九升，煮取三升，分为三服，日二作之。亦可酒渍煮饮之[32]。

若卒中风瘫，身体不自收，口不能语，迷昧不知人者

陈元狸骨膏至要，在备急药方中[33]。

［辑佚方］

疗中风痱，身体不自收，口不能语，冒昧不识人，不知痛处，但拘急中外皆痛，不得转侧，悉主之方

麻黄六两，去节；杏人四十枚，去皮尖、两人；甘草，炙，二两；石膏四两，碎，绵裹；桂心二两；干姜一两；当归二两；芎䓖一两；黄芩一两。右九味切，以水一斗九升，先煮麻黄再沸，吹去沫，后下诸药，煮取四升，初服一升，稍能自觉者，勿熟眠也。可卧厚覆，小小汗出已，渐渐减衣。勿复大覆，不可，复服，差。前服不汗者，更服一升，汗出即愈。汗后稍稍五合一服，饮食如常。唯忌生葱、海藻、菘菜[34]。

肘后疗中风，无问男子妇人，中风脊急，身痉如弓，紫汤方

鸡矢二升，大豆一升，防风三两，切。右三味，以水三升，先煮防风，取三合汁。大豆、鸡矢二味铛中熬之令黄赤色。用酒二升淋之。去滓，然后用防风汁和，分为再服，相去如人行六七里，衣覆取汗。忌风[35]。

治项强身中急者方

取活鼠破其腹，去五脏，就热敷之，即差[36]。

治中风发热方

大戟、苦参等分，捣筛，药半升，用醋浆一斗，煮之三沸。适寒温洗之。从上下寒乃止。小儿三指撮之，醋浆四升，煮如上法[37]。

陶隐居效验方，治人卒中风，口不开，身不着席，大豆散方

大豆二升，熬令焦；干姜、椒（汗）各三两。右三味为散，酒服一钱匕，日一。汗出即差。大良[38]。

治风眩翻倒无定方

独活六两，枳实（炙）三两，石膏（碎，绵裹）、蒴藋各四两。右四味，切，清酒八升，煮取四升，顿服之，以药滓熨，覆取汗，觉冷又内铛中温令热，热又熨之，即差[39]。

葛氏治患风头，每天阴辄发眩冒者方

取盐一升，以水半升，和涂头，絮巾裹一宿，当黄汁出，愈。附子，屑，一合，内盐中，尤良[40]。

又方：以桂屑和苦酒涂顶上[41]。

[附方] 头风、头痛附

《经验方》治急中风，目瞑牙噤，无门下药者

用此末子，以中指点末，揩齿三二十，揩大牙左右，其口自开，始得下药。名开关散：天南星捣为末，白龙脑，二件各等分，研，自五月五日午时合，患者只一字至半钱[42]。

《简要济众》治中风口噤不开涎潮吐方

用皂角一挺，去皮，涂猪脂，炙令黄色，为末。每服一钱匕，非时温酒服。如气实脉大，调二钱匕；如牙关不开，用白梅揩齿，口开即灌药，以吐出风涎，差[43]。

治中风不省人事，牙关紧急者

藜芦一两，去芦头，浓煎，防风汤浴过，焙干，碎切，炒微褐色捣为末。每服半钱，温水调下，以吐出风涎为效。如人行二里未吐，再服[44]。

又，治胆风毒气，虚实不调，昏沉睡多。酸枣人一两，生用，金挺蜡茶二两，以生姜汁涂，炙令微焦，捣罗为散。每服二钱，水七分，煎六分，无时温服[45]。

《孙尚药》 治卒中风昏昏若醉，形体昏愦闷，四肢不收，或倒或不倒，或口角似斜，微有涎出，斯须不治便为大病，故伤人也。此证风涎潮于上膈，痹气不通，宜用急救稀涎散

猪牙皂角四挺，须是肥实不蛀，削去黑皮，晋矾一两，光明通莹者，二味同捣，罗为细末，再研为散。如有患者，可服半钱，重者三字匕，温水调灌下，不大呕吐，只是微微涎稀令出，或一升二升，当时惺惺，次缓而调治，不可便大段治恐过伤人命，累经效，不能尽述[46]。

《梅师方》疗瘫缓风，手足嚲曳，口眼㖞斜，语言謇涩，履步不正

神验乌龙丹：川乌头，去皮、脐了，五灵脂，各五两，右为末，入龙脑、麝香，研令细匀，滴水丸，如弹子大。每服一丸，先以生姜汁研化，次暖酒调服之，一日两服，空心、晚食前服治。一人只三十丸，服得五七丸，便觉抬得手，移得

步，十丸可以自梳头[47]。

《圣惠方》治一切风疾，若能久服；轻身，明目；黑髭注颜

用南烛树，春夏取枝叶，秋冬取根皮，拣择细剉五升，水五斗，慢火煎取二斗，去滓，别于净锅中，慢火煎如稀饧，以瓷瓶贮，温酒下一匙，日三服[48]。

又方：治风立有奇效，用木天蓼一斤，去皮，细剉，以生绢袋贮，好酒二斗浸之，春夏一七日，秋冬二七日，后开，每空令、日午、初夜合温饮一盏，老幼临时加减，若长服，日只每朝一盏[49]。

又方：治中风口㖞，巴豆七枚，去皮，烂研，㖞左涂右手心，㖞右涂左手心，仍以暖水一盏，安向手心，须臾，即便正，洗去药，并频抽掣中指[50]。

又方：治风头旋，用蝉壳二两，微炒，为末，非时温酒下一钱匕[51]。

《千金方》治中风，面目相引偏僻，牙车急舌不可转

桂心以酒煮，取汁，故布蘸搨病上，正即止，左㖞搨右，右㖞搨左，常用大效[52]。

又方：治三年中风不效者，松叶一斤，细切之，以酒一斗，煮取三升，顿服，取汗出，立差[53]。

又方：主卒中风，头面肿，杵杏人，如膏傅之[54]。

又方：治头面风，眼睊鼻塞，眼暗冷泪，杏人三升，为末，水煮四五沸，洗头，冷汗尽，三度差[55]。

《外台秘要》治卒中风口㖞

皂角五两，去皮，为末，三年大醋和，右㖞涂左，左㖞涂右，干乃傅之，差[56]。

又，治偏风及一切风，栗树枝，剉，一大升，用今年新嫩枝，以水一大斗，煎取二大升，夏用井中沉，恐醋坏。每日服一盏，空心服尽。又煎服，终身不患偏风，若预防风，能服一大升，佳[57]。

又，主风，身体如虫行，盐一大斗，水一石，煎减半，澄清，温洗三五度，治一切风[58]。

《葛氏方》治中风寒癥，直口噤不知人

鸡矢白一升，熬令黄，极热，以酒三升，和搅，去滓服[59]。

《千金翼方》治热风汗出，心闷

水和云母服之，不过再服，立差[60]。

《箧中方》治风头及脑掣痛，不可禁者，摩膏主之

取牛蒡茎、叶，捣取浓汁二升，合无灰酒一升，盐花一匙头，煻火煎，令稠成膏，以摩痛处，风毒散自止。亦主时行头痛，摩时须极力令作热，乃速效。冬月无叶，用根代之亦可[61]。

《经验后方》治中风及壅滞

以旋复花洗尘令净，捣末，炼蜜丸，如梧子大。夜卧，以茶汤下五丸至七丸、十丸[62]。

又方：解风热，疏积热风壅，消食化气，导血，大解壅滞：大黄四两，牵牛子四两，半生半熟为末，炼蜜为丸，如梧子大。每服茶下一十丸，如要微动，吃十五丸，冬月宜服，并不搜搅人[63]。

《集验方》治风热，心燥口干，狂言，浑身壮热，及中诸毒

龙脑甘露丸：寒水石半斤，烧半日，净地坑内盆合，四面湿土壅起，侯经宿取出，入甘草末、天竺黄各二两，龙脑二分，糯米膏丸弹子大，蜜水磨下[64]。

《食医心镜》主中风，心肺风热，手足不随，及风痹不任，筋脉五缓，恍惚烦躁

熊肉一斤，切，如常法调和，作腌腊，空腹食之[65]。

又，主风挛拘急偏枯，血气不通利。雁肪四两，炼滤过，每日空心暖酒一杯，肪一匙头，饮之[66]。

同经曰：治历节诸风，骨节疼痛，昼夜不能忍者

没药半两，研，虎脑骨三两，涂酥，炙黄色，先捣，罗为散，与没药同研令细，温酒调二钱，日三服，大佳[67]。

《圣惠方》治历节风，百节疼痛，不可忍：用虎头骨一具，涂酥，炙黄，槌碎，绢袋贮，用清酒二斗，浸五宿，随性多少，暖饮之，妙[68]。

《外台秘要》疗历节诸风，百节酸痛不可忍

松脂三十斤，炼五十遍，不能五十遍亦可二十遍用，以炼酥三升，和松脂三升，熟搅令极稠，旦空腹以酒服方寸匕，日三数，食面粥为佳。慎血腥、生、冷、酢物、果子一百日，差[69]。

又方：松节酒，主历节风，四肢疼痛如解落。松节二十斤，酒五斗，渍二七日，服一合，日五六服[70]。

《斗门方》治白虎风所患，不以积年，久治无效，痛不可忍者

用脑麝、枫柳皮，不限多少，细锉，焙干，浸酒常服，以醉为度，即差。今之寄生枫树上者方堪用，其叶亦可制砒霜粉，尤妙矣[71]。

《经验后方》治白虎风，走注疼痛，两膝热肿

虎胫骨，涂酥，炙黑，附子炮裂，去皮、脐各一两，为末。每服温酒调下二钱匕，日再服[72]。

《外台秘要》治疬疡风及三年

醋磨乌贼鱼骨，先布磨肉赤，即傅之[73]。

又，治疬疡风，醋磨硫黄傅之，止[74]。

《圣惠方》治疬疡风

用羊蹄菜根于生铁上，以好醋磨，旋旋刮取，涂于患上，未差，更入硫黄少许，同磨涂之[75]。

《集验方》治颈项及面上白驳，浸淫渐长，有似癣，但无疮，可治

鳗鲡鱼脂傅之。先拭剥上刮，使燥痛后，以鱼脂傅之，一度便愈，甚者不过三度[76]。

《圣惠方》治白驳

用蛇蜕烧末，醋调傅上，佳[77]。

又方：治中风烦热，皮肤瘙痒。

用醍醐四两，每服酒调下半匙[78]。

《集验方》治风气客于皮肤，瘙痒不已

蜂房炙过，蝉蜕等分，为末，酒调一钱匕，日三二服[79]。

又方：蝉蜕、薄荷等分，为末，酒调一钱匕，日三服[80]。

《北梦琐言》云：有一朝士见梁奉御，诊之曰：风疾已深，请速归去。朝士复见郫州马医赵鄂者，复诊之，言疾危，与梁所说同矣。曰：只有一法，请官人试吃消梨，不限多少，咬咀龁不及绞汁而饮，到家旬日，唯吃消梨，顿爽矣[81]。

《千金方》治头风头痛

大豆三升，炒令无声，先以贮一斗二升瓶一只，贮九升清酒，乘豆热即投于酒中，密泥封之七日，温服[82]。

《孙真人方》治头风痛

以豉汤洗头，避风即差[83]。

《千金翼》治头风

捣葶苈子，以汤淋取汁，洗头上[84]。

又，主头风。沐头，吴茱萸二升，水五升，煮取三升，以绵染拭发根[85]。

《圣惠方》治头风痛，每欲天阴雨，风先发者

用桂心一两，为末，以酒调如膏用，傅顶上并额角[86]。

陈藏器《拾遗序》治头疼欲死

鼻内吹消石末，愈[87]。

《日华子》治头痛

水调决明子，贴太阳穴[88]。

又方：决明子作枕，胜黑豆，治头风，明目也[89]。

《外台秘要》治头疼欲裂

当归二两，酒一升，煮取六合，饮至再服[90]。

《孙兆口诀》治头痛

附子（炮）石膏（煅），等分，为末，入脑麝少许，茶、酒下半钱[91]。

《斗门方》治卒头痛

白姜蚕，碾为末，去丝，以熟水二钱匕，立差[92]。

又方：治偏头疼，用京芎细剉，酒浸，服之佳[93]。

《博济方》治偏头疼，至灵散

雄黄、细辛等分，研令细，每用一字已下，左边疼，吹入右鼻，右边疼，吹入左鼻，立效[94]。

《经验后方》治偏头疼绝妙

荜拨为末，令患者口中含温水，左边疼，令左鼻吸一字，右边疼，令右鼻吸一字，效[95]。

《集验方》治偏、正头疼

谷精草一两，为末，用白面调摊纸花子上，贴疼处，干又换[96]。

偏头疼方

用生萝卜汁一蚬壳，仰卧注鼻，左痛注左，右痛注右，左右俱注亦得，神效[97]。

《外台秘要》头风白屑如麸糠方

竖截楮木作枕，六十日一易，新者[98]。

【文献及校勘】

[1] ～ [4]《肘后方》49页。

[5]《肘后方》49页，《医心方》92页。

[6]《证类》319 页，《千金方》169 页，《肘后方》49 页，《医心方》92 页。此条，《千金方》作"豉伍升，吴茱萸一升，右二味，以水七升，煮取三升，渐渐饮之"。

[7] ~ [9]《肘后方》49 页。

[10]《肘后方》49 页，《千金方》167 页。

[11]《外台》385 页，《证类》488 页、399 页，《肘后方》50 页，《幼幼新书》明刊本 23 页，《纲目》2601 页。此条引《外台》文，《肘后方》文略异。此条，《幼幼新书》作"葛氏治中风口噤方。鸡矢白如大豆三枚，末，以水饮之，当差"。

[12]《肘后方》50 页，《纲目》2933 页。此条，《纲目》引文略异。"蒸热"，《肘后方》原作"蒸熟"，据文义改。

[13]《证类》106 页，《肘后方》50 页，《纲目》632 页。"熬令水尽"，《肘后方》原脱"水"字，据《证类》补。

[14]《肘后方》50 页。

[15]《肘后方》50 页，《医心方》95 页。"就小口器"，《医心方》作"于小口器"。"熏痛处，佳"，《肘后方》脱"佳"字，据《医心方》补。

[16]《证类》493 页，《肘后方》50 页，《医心方》88 页、95 页，《纲目》1530 页。

[17]《肘后方》50 页，《医心方》95 页，《纲目》937 页。此条，《纲目》引文略异。"一斛许"，《肘后方》作"一纠许"，据《医心方》改。"塞余孔"，《医心方》作"塞余目"。

[18]《肘后方》50 页，《医心方》95 页。"好术"，《肘后方》原作"朽木"，据《医心方》改。

[19]《外台》386 页，《肘后方》50 页，《医心方》90 页。"以物"，《医心方》作"桼"。

[20]《肘后方》50 页，《医心方》90 页。"分三服"，《医心方》作"分二服"。

[21]《证类》293 页，《肘后方》50 页，《医心方》87 页，《纲目》2009 页。

[22]《证类》323 页、324 页，《肘后方》50 页，《千金方》170 页。"以酒一升"，《证类》323 页枳壳条引此方作"以酒三升"。

[23]《肘后方》50 页，《医心方》92 页。

[24]《证类》90 页，《肘后方》50 页。"一豆许"，《肘后方》无此文，据《证类》补。

[25]《肘后方》50 页。

[26]《外台》387 页，《肘后方》50 页。"持水著边"，《外台》作"持鉴及水著边照"。

[27]《肘后方》50 页，《医心方》92 页，《纲目》2507 页。此条，《纲目》作"鳖血调乌头末涂之，待正，则即揭去"。"鳖血和"，《肘后方》作"鳖甲"，据《医心方》改。

[28]《肘后方》50 页，《证类》290 页，《纲目》1930 页。"吐清水"，《肘后方》原作"吐清汗"，据《证类》改。

[29]《肘后方》51 页，《纲目》1364 页。"服一钱匕，日三，稍增至方寸匕"，《纲目》作"每服一钱，凉水下，日一"。

[30]《肘后方》51 页，《医心方》95 页。"自汗"，《肘后方》原作"得源"，据《医心方》改。

[31] ~ [33]《肘后方》51 页。

[34]《外台》392 页。

[35]《外台》384 页。

[36]《证类》441 页。

［37］《外台》380 页。

［38］《外台》386 页。

［39］《外台》418 页。

［40］［41］《医心方》89 页。

［42］～［46］《肘后方》51 页。

［47］～［58］《肘后方》52 页。

［59］～［71］《肘后方》53 页。

［72］～［90］《肘后方》54 页。

［91］～［98］《肘后方》55 页。

治卒风喑不得语方第二十

治卒不得语方

芥子，以苦酒煮，薄颈一周，以衣包之，一日一夕乃解，即差[1]。

又方：大豆，煮，煎其汁，令如饴，含之。亦但浓煮饮之[2]。

又方：豉，煮汁，稍服之一日，可美酒半升中搅，分为三服[3]。

又方：新好桂削去皮，捣筛，三指撮，著舌下，咽之[4]。

又方：谷枝叶，剉，酒煮熟，皮中沫出，随多少饮之[5]。

治卒失声，声噎不出方

橘皮五两，水三升，煮取一升，去滓，顿服倾合服之[6]。

又方：苦竹叶，浓煮，服之，差[7]。

又方：襄荷根，捣，酒和，绞饮其汁，此本在杂治中[8]。

又方：干姜、附子各一两，通草、茯神各一两，白术半两，麻黄一两半，杏人三十枚，石膏、桂、防风各二两。右十味捣筛为末，蜜丸如大豆大，一服七丸，渐增加之。凡此皆治中风。又有竹沥诸汤甚多。此用药虽少，而是将治所患。一剂不差，更应服之[9]。

又方：针大槌旁一寸五分。又刺其下停针之[10]。

又方：矾石，桂。右二味捣末，绵裹如枣，内舌下，有唾吐出之[11]。

又方：烧马勒衔铁令赤，内一升苦酒中，破一鸡子，合和，饮之[12]。

若卒中冷声嘶哑者方

甘草一两；桂二两；五味子二两；杏人三十枚；生姜八两，切。右五味，以水七升，煮取二升，分为二服，服之[13]。

[辑佚方]

治卒风喑不得语方

人乳汁半合，以著美酒半升中合搅，分为再服[14]。

[附方]

《经验后方》治中风不语

独活一两，剉，酒二升，煎一升，大豆五合，炒有声，将药酒热投，盖良久，温服三合，未差再服[15]。

又方：治中风不语，喉中有拽锯声，口中涎沫。

取藜芦一分，天南星一个，去浮皮，却脐子上陷一个坑子，内入陈醋一橡斗子，四面用火逼令黄色，同一处捣，再研极细，用生蜜为丸，如赤豆大。每服三丸，温酒下[16]。

《圣惠方》治中风以大声咽喉不利

以蘘荷二两，研绞取汁，酒一大盏，相和令匀，不计时候，温服半盏[17]。

【文献及校勘】

[1]《外台》388页，《证类》505页，《肘后方》55页。"芥子"，《肘后方》原作"瓜子"，据《外台》改。"以衣包之"，《证类》作"以帛包之"。

[2]《外台》388页，《证类》486页，《肘后方》55页，《纲目》1503页。此条，《纲目》作"大豆煮汁，煎稠如饴，含之，并饮汁"。

[3]《肘后方》55页，《纲目》1530页。此条，《纲目》作"煮豉汁，加入美酒，服之"。

[4]《肘后方》55页。

[5]《证类》300页，《肘后方》55页，《纲目》2076页。"酒煮熟，皮中沫出"，《肘后方》作"酒煮热灰中，沫出"。

[6]《肘后方》55页，《证类》462页，《医心方》93页，《纲目》1789页。此条，《纲目》作"橘皮半两，水煎徐呷"。"五两"，《医心方》作"五具"。

[7]《证类》317页，《肘后方》55页，《医心方》93页。

[8]《肘后方》55页，《医心方》93页，《纲目》1007页。此条，《纲目》作"蘘荷根二两，捣绞汁，入酒一大盏，和匀，细细服，取差"。

[9]《肘后方》55页。"更应服之"，商务本《肘后方》注云："更，另本作专"。

[10]《肘后方》55页，《医心方》93页。"又刺其下停针之"，《医心方》无此文。

[11]《肘后方》55页，《医心方》93页。"吐出之"，《肘后方》脱"吐"字，据《医心方》补。

[12]《肘后方》55页。

[13]《肘后方》55页，《医心方》93页。"甘草一两"，《肘后方》原作"甘草二两"，据《医心方》改。又，"桂""分为二服"，《医心方》作"桂心""分为三服"。

[14]《外台》389页。

[15] ~ [17]《肘后方》56页。

治风毒脚弱痹满上气方第二十一

脚气之病，先起岭南，稍来江东，得之无渐，或微觉疼痹，或两胫小满，或行起忽屈弱，或少腹不仁，或时冷时热，皆其候也。不即治，转上入腹，便发气上，则杀人。治之多用汤、酒、摩膏。药种数既多，不但五三剂。今止取单行效用方兼灸法[1]

急先取好豆豉一斗，三蒸三曝干，以好酒三斗渍三宿，便可饮，随人多少，欲尽预作。若不及待渍，便以酒煮豉饮之，以淬薄脚，其势得小退。乃更营诸酒及膏汤灸之[2]。

次服独活酒方

独活五两，切；附子五两，生用，去皮破。右二味，以酒一斗，渍三宿，服从一合始，以微痹为度。忌猪肉、冷水[3]。

又方：白礜石二斤，亦可用钟乳末；附子三两；豉三升。右三味，酒三斗，渍四五日，稍饮之。若此有气，如苏子二升也[4]。

又方：好硫黄二两，末之；牛乳五升。右二味，以水五升，先煮乳水至五升，乃内硫黄，煎取三升，一服三合。亦可直以乳煎硫黄，不用水也。卒无牛乳，羊乳亦善[5]。

又方：先煎牛乳三升，令减半，以五合服硫黄末一两，服毕，厚覆取汗，勿令得风，中间更一服，至暮又一服。若已得汗，不更服。但好消息，将护之。若未差愈，后数日中亦可更作。若长将，亦可煎为丸。北人服此，治脚多效，但须极好硫黄取预备之[6]。

若胫已满，捏之没指者

但勤饮乌犊牛溺二三升，使小便利，则渐渐消，当以铜器取尿新者为佳。无乌牛，纯黄者亦可用之[7]。

又方：牵牛子，捣，蜜丸如小豆大。每服五丸，生姜汤下，取令小便利。亦可正尔吞之。其子黑色，正似球子核形，市人亦卖之[8]。

又方：三白根，捣碎，酒饮之[9]。

又方：大豆三升，水一斗，煮取九升，内清酒九升，又煎取九升，稍稍饮之，小便利，则肿歇也[10]。

又方：大豆。酒若水煮大豆饮其汁。又恒食小豆亦佳。又生研胡麻，酒和服之，差[11]。

其有风引、白鸡、竹沥、独活诸汤，及八风、石斛、狗脊诸散，并别在大方中。

金牙酒，最为治脚气屈弱之要，今载之方

蜀椒、茵芋、金牙、细辛、罔草、干地黄、附子（去皮）、防风、地肤、升麻、莽蘡各四两，人参三两，羌活一斤，牛膝五两。

右十四味切之，以酒四斗，渍之六七日，服二三合，稍加之。亦治口不能语、脚屈至良。又侧子酒亦效[12]。

若田舍贫家无药者，可酿菝葜及松节酒皆善

菝葜一斛，净洗之，判之。以水三斛，煮取九斗，以渍曲，又以水二斛煮滓，取一斛以渍饭，酿之如酒法，熟，呷取，饮随多少。若用松节及叶，亦准此法，其汁不厌浓也。患脚气屈弱，积年不能行。腰脊挛痹，及腹内紧结者，服之不过三五剂，皆平复如常，神验[13]。

其灸法孔穴亦甚多，恐人不能悉皆知处，今止疏要者，必先从上始，若直灸脚，气上不泄则危矣。

先灸大椎，在项上大节高起者，灸其上面一穴耳。

若气，可先灸百会五十壮，穴在头顶凹中也。

次灸肩井各一百壮。穴在两肩小近头凹处，指捏之，安令正得中穴耳。

次灸膻中五十壮。穴在胸前两边对乳胸厌骨解间。指按觉气翁翁尔是也。一云正胸中一穴也。

次灸巨阙，在心厌尖尖四下一寸，以尺度之。

凡灸以上部五穴，亦足泄其气，若能灸百会、风府、胃管及五脏腧（疑为"俞"），则益佳。视病之宽急耳。诸穴出《灸经》，不可具载之。次乃灸风市百壮。在两髀外，可平倚垂手直掩髀上，当中指头大筋上捻之。自觉好也。

次灸三里二百壮。以病人手横掩，下并四指，名曰一夫。指至膝头骨下，指中节是其穴。附胫骨外边，捻之，凹凹然也。次灸上廉一百壮。在三里下一夫。

次灸下廉一百壮。在上廉下一夫。

次灸绝骨二百壮。在外踝上三寸余。指端取踝骨上际，屈指头四寸便是。与下廉颇相对，分间二穴也。此下一十八穴，并是要穴。余伏兔、犊鼻穴。凡灸此壮数，不必顿毕，三日中报灸合尽[14]。

又方：孔公孽二斤，石斛五两。右二味，酒二斗，浸，服之[15]。

[辑佚方]

治脚气之病方

以酒煮豉服之[16]。

葛氏治步行足痛，不能复动方

蒸大豆，两囊盛，更燔以熨之[17]。

陶效验方云：金牙酒治脚弱风冷痹曳，又令人肥健，胜旧百倍，起三十年瘫曳不能行、口不能语者。昔赵寅阳瘫曳二十六年，肉冷如铁，惟余骨尔，服此三十日便起。郡太山家代传秘之云

一方用茵芋四两，初服无数，任性令足，使有酒色便止。不得食肥肉、生菜。其方无牛膝、石斛二物。余同[18]。

治诸风脚膝疼痛，不可践地方

鹿蹄四只，燖洗如法，熟煮了，取肉于豉汁中，著五味煮熟。空腹食之[19]。

[附方]

《斗门方》治卒风毒，肿气急痛

以柳白皮一斤，剉，以酒煮令热，帛裹熨肿上，冷再煮易之，甚妙也[20]。

《圣惠方》治走注风毒疼痛

用小芥子末，如鸡子白调傅之[21]。

《经验后方》治风毒，骨髓疼痛

芍药二分，虎骨一两，炙为末，夹绢袋贮，酒三升，渍五日，每服二合，日三服[22]。

《食医心镜》除一切风湿痹，四肢拘挛

苍耳子三两，捣末以水一升半，煎取七合，去滓，呷之[23]。

又，治筋脉拘挛，久风湿痹，下气，除骨中邪气，利肠胃，消水肿。久服轻身，益气力

薏苡人一升，捣为散，每服以水二升，煮两匙末，作粥空腹食[24]。

又，主补虚，去风湿痹

醍醐二大两，暖酒一杯，和醍醐一匙饮之[25]。

《经验方》治诸处皮里面痛

何首乌末，姜汁调成膏，痛处以帛子裹之，用火炙鞋底熨之，妙[26]。

《孙真人方》主脚气及上气

取鲫鱼一尺长者，作鲙，食一两顿，差[27]。

《千金翼》治脚气冲心

白矾二两，以水一斗五升，煎三五沸，浸洗脚良[28]。

《广利方》治脚气冲，烦闷乱，不识人

大豆一升，水三升，浓煮取汁，顿服半升，如未定，可更服半升，即定[29]。

苏恭云：凡患脚气，每旦任意饱食，午后少食，日晚不食，如饥可食豉粥，若瞑不消欲致霍乱者，即以高良姜一两，打碎，以水三升，煮取一升，顿服，尽即消，待极饥，乃食一碗薄粥，其药唯极饮之，良。若卒无高良姜，母姜一两代之，以清酒一升，煮令极热，和滓食之，虽不及高良姜，亦大效矣[30]。

唐本（即《唐本草》）注云：脚气，煮莏草浓汁，渍之多差[31]。

《简要济众》治脚气连腿肿满久不差方

黑附子一两，去皮、脐，生用，捣为散，生姜汁调如膏，涂傅肿上，药干再调涂之，肿消为度[32]。

【文献及校勘】

[1]《外台》522页，《肘后方》56页，《医心方》182页。此条引《外台》文，《医心方》作"葛氏方云：脚弱满而痹，至少腹，而小便不利，气上者死"。"忽屈弱""少腹""便发气上""不但五三剂"，《肘后方》作"忽弱""小腹""便发气""不但一剂"。

[2]《外台》522页，《肘后方》56页，《医心方》186页。此条引《外台》文，《肘后方》作"取好豉一升，三蒸三暴干，以好酒三斗，渍之三宿可饮，随人多少，欲预防不必待时，便与酒煮豉服之，脚弱其得小愈，及更营诸方服之，并及灸之"。此条中单位用"斗"，《医心方》作"升"。

[3]《外台》522页，《肘后方》56页。"忌猪肉、冷水"，《肘后方》无此文。

[4]《肘后方》56页，《纲目》604页。此条，《纲目》引文略异。

[5]《外台》523页，《肘后方》56页，《纲目》664页、2753页。"好硫黄二两"，《肘后方》作"好硫黄三两"。"以水五升"，《肘后方》无此文。

[6]《外台》523页，《肘后方》56页，《纲目》664页。"厚覆""消息""至暮""取预备之"，《肘后方》作"厚盖""将息""暮""可预备之"。

[7]《证类》378页，《肘后方》56页，《纲目》2763页。此条《纲目》引文略异。"勤"，《肘

后方》作"勒"，据《证类》改。

[8]《证类》265 页，《肘后方》58 页，《纲目》1259 页。"每服五丸，生姜汤下，取令小便利"，《肘后方》原作"五丸，取合，小便利"，据《证类》改。

[9] [10]《肘后方》57 页。

[11]《肘后方》57 页，《医心》185 页。

[12]《外台》522 页，《千金方》159 页，《肘后方》57 页，《证类》133 页，《纲目》615 页。此条引《肘后方》文。在此条药物中，《外台》无蜀椒、茵芋、羌活，有干姜、石斛、独活；《千金方》无茵芋、萹蓄，有干姜、石斛。

[13]《外台》521 页，《肘后方》57 页，《纲目》1294 页。此条引《外台》文，《肘后方》文略异。"若田舍贫家无药者，可酿菝葜"，《肘后方》作"若田舍贫家，此药可酿，菝葜"。"熟，押取，饮随多少"，《肘后方》作"熟即取饮，多少任意，可顿作三五斛"。"皆平复如常，神验"，《肘后方》作"皆平复，如无酿，水边商陆亦佳"。

[14]《肘后方》58 页，《医心》190 页。"亦足泄其气"，《肘后方》原作"亦足治其气"，据《医心》改。"三日中报灸合尽"，《医心》作"三日中服之令竟"。

[15]《肘后方》58 页，《纲目》567 页。

[16]《医心》186 页。

[17]《医心》185 页。

[18]《外台》522 页。

[19]《证类》377 页。

[20] ~ [30]《肘后方》58 页。

[31] [32]《肘后方》59 页。

治服散卒发动困笃方第二十二

凡服五石、护命、更生及钟乳，寒食之散，失将和节度，皆致发动其病，无所不为。若发起仓卒，不以渐而至者，皆是散势也。宜及时救解之。

若四肢身外有诸一切痛违常者

皆即冷水洗数百遍。热有所冲，水渍布巾，随以揄之。又水渍冷石以熨之。行饮暖酒，逍遥起行[1]。

若心腹内有诸一切疾痛违常，烦闷昏恍者，急解之

每间断取温酒饮一二升，渐渐稍进，觉小宽，更进冷食。其心痛者最急。若发肉冷，口已噤，但折齿下热酒，差[2]。

若发腹内有结坚热癖使众疾者，急下之

栀子十四枚，豉五合。右二味，水二升，煮取一升，顿服之。热甚已发疮者，加黄芩二两[3]。

103

癖食犹不消，恶食畏冷者，更下

好大黄末，半升，芒消半升，甘草二两，半夏、黄芩、芫花各一分。右六味捣为散，藏密器中。欲服，以水八升，先煮大枣二十枚，使烂，取四升，去枣，乃内药五方寸匕。搅和著火上，三上，三下毕，分三服，旦一服，便利者，亦可停，若不快，更一服。下后即作酒粥，食二升，次作水飧进之。不可不即食，胃中空虚，得热入，便杀人矣。得下后，应长将备急[4]。

大黄、葶苈、豉各一合，杏人、巴豆三十枚。右五味捣，蜜丸如胡豆大，旦服二枚，利者减之，痞者加之[5]。

解散方、汤、丸、散、酒甚多。大要在于将冷，及数自下，惟取通利，四体欲常劳动，又不可失食致饥，及不可食馊饭臭鱼肉，兼不可食热饮食，厚衣向火，冒暑远行。亦不宜过风冷。大都每使于体粗堪任为好。

服散若已病发，不得不强自浇耳，所将药，每以解毒而冷者为宜。服散觉病去，停住。后二十日、三十日便自服常。若留结不消，犹致烦热，皆是失度，则宜依法防治。此法乃多为懒惰人用。而勤劳者服之，更少发动，当以得寒劳故也，恐脱在危急，故略载此数条，以备忽卒，余具大方中[6]。

［附方］

《圣惠方》治乳石发动，壅热，心闷，吐血

以生刺蓟捣取汁，每服三合，入蜜少许，搅匀服之[7]。

《食疗》云：若丹石热发，菰根和鲫鱼煮作羹，食之三两顿，即便差耳[8]。

【文献及校勘】

[1] ～ [4]《肘后方》59页，《医心方》436页。

[5][6]《肘后方》59页。

[7][8]《肘后方》60页。

治卒上气咳嗽方第二十三

治卒上气鸣息便欲绝方

捣韭绞汁，饮一升许，立愈。亦主卒短气[1]。

又方：桑根白皮（切）三升，生姜（切）半升，吴茱萸半升。右三味切，以酒五升煮三沸，去滓，尽令服之。入口则愈，千金不传方[2]。

又方：茱萸二升，生姜三两。右二味，以水七升，煮取二升，分为三服[3]。

又方：麻黄四两；甘草二两；桂二两；杏人五十枚，熬之。右四味，捣为散，温汤服方寸匕。日三[4]。

又方：末人参，服方寸匕，日五六服[5]。

气嗽不问多少时者，服之便差方

陈橘皮、桂心、杏人（去皮尖，熬）。右三物等分捣，蜜丸如梧子。每服二十丸。须茶汤下，饭后服。忌生葱。史侍郎传[6]。

治卒厥逆上气，气支两胁，心下痛满，淹淹欲绝方

温汤令灼灼尔以渍两足及两手，数易之也。

此谓奔豚，病从卒惊怖忧迫得之，气从下上，上冲心胸，脐间筑筑，发动有时，不即治，则杀人。诸方用药皆多，又必须杀豚。唯有一汤，但可办耳

人参、甘草（炙）各二两，桂心三两，吴茱萸、生姜、半夏各一升。右六味切，以水一斗，煮取三升。分三服。此药须预蓄，得病便急合服之[7]。

又方：麻黄二两，杏人一两，熬令黄。右二味捣散，酒服方寸匕，数服之，差[8]。

治卒乏气，气不复，报肩息方

干姜三两，哎咀，以酒一升，渍之。每服三合，日三服[9]。

又方：度手拇指折，度心下，灸三壮，差[10]。

又方：麻黄（先煎去沫）、甘草（炙）各二两。右二味切，以水三升，煮取一升半。分三服。差后，欲令不发者，取此二物，并熬杏人五十枚，蜜丸，服如桐子大四五丸，日三服，差[11]。

又方：麻黄三两，去节；桂心、甘草（炙）各一两；杏人四十枚。右四味切，以水六升，煮取二升，分三服，此三方并名小投杯唾汤。有气疾者，亦可为散。将服之，冷多加干姜三两，淡者加半夏三两。忌海藻、菘菜、生葱[12]。

治大走马奔走喘乏，便饮冷水冷饮，因得上气发热方

竹叶三斤；橘皮三两，切。右二味，以水一斗，煮取三升，去滓，分为三服，三日服一剂良[13]。

治大热行极，及食热饼，竟饮冷水过多，冲咽不即消，仍以发气，呼吸喘息方

大黄、巴豆、干姜。右三味等分为末，服半钱匕，若得吐、下，即愈[14]。

若犹觉停滞在心胸膈中不利者

杜衡三分，瓜蒂二分，人参一分。右三味捣筛，以汤服一钱匕，取吐为度，日二三服，效[15]。

治肺痿咳嗽，吐延沫，心中温温，咽燥而不渴者

甘草二两，生姜五两，枣十二枚，人参二两。右四味，水三升，煮取一升半，分为再服[16]。

又方：甘草二两，以水三升，煮取一升半，分再服[17]。

又方：生天门冬捣取汁一升；紫菀，末，四合；饴糖一斤；酒一升。右四味，合铜器中于汤上煎可丸。服如杏人一丸。日三。忌鲤鱼[18]。

又方：甘草二两，干姜三两，枣十二枚。右三味，水三升，煮取一升半，分再服[19]。

卒得寒冷上气方

干苏叶三两，陈橘皮四两。右二味、酒四升，煮取一升半，分为再服[20]。

治卒得咳嗽方

用釜月下土一分；豉七分，熬。右二味熬捣，蜜丸如梧子大，米饮服十四丸。曾用有验[21]。

又方：乌鸡一头，治如食法，以好酒渍之半日，出鸡服酒。一云苦酒一斗，煮白鸡，取三升，分三服，食鸡肉，莫与盐食，则良[22]。

又方：从大椎下第五节下、六节上空间，灸一处，随年壮。并治上气[23]。

又方：灸两乳下黑白肉际各百壮，即愈。亦治上气。

灸胸前对乳一处，须随年壮也[24]。

又方：桃人三升，去皮捣，著器中密封头，蒸之一炊倾，出，曝干，绢袋贮，以内二斗酒中，六七日，可饮四五合，稍增至一升，吃之[25]。

又方：干姜六两，末之；豉二两；饴糖六两。右三味，先以水一升，煮豉三沸，去滓，内饴糖，消后，内干姜。分为三服[26]。

又方：生姜，屑；饴糖。右二味蒸三斗，米饮下，食如弹子丸。日夜十度服[27]。

又方：干姜三两，末；猪肾二枚，细切。右二味，水七升，煮二升，稍稍服，覆取汗[28]。

又方：炙乌心食之佳[29]。

又方：生姜汁，百部汁。二味和同合煎，服二合[30]。

又方：百部根四两。以酒一斗渍之，再宿，火暖，温服一升，日再服之，效[31]。

又方：杏人二百枚，熬之；椒二百粒，捣末之；枣百枚，去核。右三味合捣，令极熟，稍稍合如枣许大，则服之[32]。

又方：生姜二两，捣取汁；干姜，屑，三两；杏人一升，去皮，熬。右三味合捣为丸，服三丸，日五六服[33]。

又方：芫花一升。水三升，煮取一升，去滓。以枣十四枚，煎令汁尽，一日一食之，三日讫[34]。

又方：葶苈子一两，熬捣；干枣三枚。右二味，以水三升，先煮枣，取一升，内葶苈子，煎取五合。大人分一二服，小儿分三四服[35]。

又华佗五嗽丸方：干姜、皂荚（炙）、桂各等分。右三味捣，蜜丸如桐子，服二丸，日三[36]。

又方：炉中取铅屑一分；皂荚二两，去皮子，炙；桂心二两。右三味捣筛，蜜和丸如桐子，大人米饮下服十五丸。小儿五丸。日二服。忌生葱[37]。

又方：屋上白蚬壳，捣末，酒服方寸匕[38]。

又方：浮散石，末服，亦蜜丸[39]。

又方：作猪胰一具，薄切，以苦酒煮食，令尽，不过二服[40]。

又方：芫花二两，熬。水二升，煮四沸，去滓，内白糖一斤，服如枣大。勿食咸酸物。亦治久咳[41]。

治久咳嗽上气，十年、二十年诸药治不差方

猪胰三具，干枣一百颗。右二味，以酒三升渍数日，服二三合，至四五合。愈。服尽此则差[42]。

又方：生龟一只，著坎中，就溺之，令没，龟死渍之三日，出，烧末，以醇酒一升，和屑如干饭，顿服之，须臾，大吐，嗽囊出，则差，小儿可服半升[43]。

又方：生龟三枚，治如食法，去肠，以水五升，煮取三升以渍曲，酿秫米四升如常法，熟，饮二升，令尽，此则永断[44]。

又方：蝙蝠除头，烧令焦，末，饮服之[45]。

[辑佚方]

治久咳嗽上气，十年、二十年诸药治不差方

熟羊肺薄切，曝干为末；莨菪子熬令色变。右二味各别捣，等分，以七月七日神醋，拌令相著，夜不食，空肚服二方寸匕。须臾拾针两食间，以冷浆白粥二口止之。隔日一服，永差。三十日内得煮饭汁，作芜菁羹食之，以外一切禁断[46]。

治卒乏气，气不复，报肩息方

麻黄三两，先以水五升，煮一沸去沫，乃内甘草二两，杏人六十枚，煮取二升半，分三服[47]。

又葛氏方云：上气喘嗽，肩息不得卧，手足逆冷及面浮肿者死[48]。

治贲豚（奔豚）气方

薤白捣汁饮之[49]。

[附方]

《孙真人方》治咳嗽

皂荚，烧，研碎，二钱匕豉汤下之[50]。

《千金博救方》治咳嗽

天南星一个，大者，炮令裂，为末。每服一大钱，水一盏，生姜三片，煎至五分，温服，空心、日午、临卧时各一服[51]。

《箧中方》治咳嗽含膏丸

曹州葶苈子一两，纸衬熬令黑，知母、贝母各一两，三物同捣，筛，以枣肉半两，别销砂糖一两半，同入药中和为丸，大如弹丸。每服以新绵裹一丸含之，徐徐咽津，甚者不过三丸，今医亦多用[52]。

崔知悌疗久嗽熏法

每旦取款冬花如鸡子许，少蜜拌花使润，内一升铁铛中，又用一瓦碗钻一孔，孔内安一小竹筒，笔管亦得，其筒稍长，作碗铛相合，及撞筒处皆面泥之，勿令漏气，铛下著炭，少时款冬烟自从筒出，则口含筒吸取烟咽之。如胸中少闷，须举头，即将指头捻筒头，勿使漏烟气，吸烟使尽止。凡如是五日一为之，待至六日则饱食羊肉馎饦一顿，永差[53]。

《胜金方》治久嗽、暴嗽、劳嗽金粟丸

叶子雌黄一两，研细，用纸筋泥固济小合子一个，令干，勿令泥厚，将药入合子内，水调赤石脂封合子，口更以泥封之，候干，坐合子于地上，上面以末，入窑瓦坯子，弹子大，拥合子令作一尖子上，用炭十斤簇定，顶上著火一熨斗笼起，令火从上渐炽，候火消三分去一，看瓦坯通赤，则去火，候冷开合子取药，当如镜面光明红色，入乳钵内细研，汤浸，蒸饼心为丸，如粟米大。每服三丸五丸，甘草水服，服后睡良久，妙[54]。

《崔元亮海上方》疗咳嗽单验方

取好梨去核，捣取汁一茶碗，著椒四十粒，煎一沸，去滓，即内黑饧一大两，消讫，细细含咽，立定[55]。

孟诜云：卒咳嗽，以梨一颗，刺作五十孔，每孔内以椒一粒，以面裹于热火灰中，煨令熟，出停冷，去椒食之[56]。

又方：梨一颗，去核，内酥蜜，面裹烧令熟，食之[57]。

又方：取梨肉，内酥中煎，停冷，食之[58]。

又方：捣梨汁一升，酥一两，蜜一两，地黄汁一升，缓火煎，细细含咽。凡治嗽皆须待冷，喘息定后方食，热食之反伤矣。冷嗽更极，不可救，如此者，可和羊肉汤饼，饱食之，便卧少时[59]。

《千金方》治小儿、大人咳逆上气

杏人三升，去皮、尖，炒令黄，杵如膏，蜜一升，分为三分，内杏人，杵令得所，更内一分，杵如膏，又内一分，杵熟止，先食，含之咽汁[60]。

《杨氏产乳》疗上气急满，坐卧不得方

鳖甲一大两，炙令黄，细捣，为散，取灯心一握，水二升，煎取五合，食前服一钱匕，食后蜜水服一钱匕[61]。

刘禹锡《传信方》李亚治一切嗽及上气者

用干姜，须是台州至好者；皂荚，炮去皮、子，取肥大无孔者；桂心，紫色辛辣者，削去皮。三物并别捣，下筛了，各称等分，多少任意，和合后，更捣筛一遍，炼白蜜和溲，又捣一二十杵，每饮服三丸，丸稍加大，如梧子，不限食之先后，嗽发即服，日三五服，禁食葱、油、咸、腥、热面，其效如神。刘在淮南，与李同幕府，李每与人药而不出方，或讥其吝。李乃情话曰：凡人患嗽，多进冷药，若见此方用药热燥，即不肯服，故但出药多效，试之信之[62]。

《简要济众》治肺气喘嗽

马兜铃二两，只用里面子，去却壳，酥半两，入碗内拌和匀，慢火炒干，甘草一两，炙，二味为末。每服一钱，水一盏，煎六分，温呷，或以药末含咽津亦得[63]。

治痰嗽喘急不定

桔梗一两半，捣罗为散，用童子小便半升，煎取四合，去渣，温服[64]。

杨文蔚治痰嗽利胸膈方

栝楼肥实大者，割开子，净洗，捶破，刮皮，细切、焙干，半夏四十九个，汤

洗十遍，捶破，焙，捣罗为末，用洗栝楼熟水并瓤，同熬成膏，研细为丸，如梧子大，生姜汤下二十丸。

《深师方》疗久咳逆上气，体肿短气，胀满，昼夜倚壁不得卧，常作水鸡声者，白前汤主之

白前二两，紫菀、半夏，洗，各三两；大戟七合，切。四物以水一斗，渍一宿，明日煮取三升，分三服。禁食羊肉、饧，大佳[65]。

《梅师方》治久患暇呷咳嗽，喉中作声不得眠

取白前，捣为末，温酒调二钱匕服[66]。

又方：治上气咳嗽，呷呀息气，喉中作声，唾粘，以蓝实叶，水浸良久，捣，绞取汁一升，空腹顿服，须臾，以杏人研取汁，煮粥食之，一两日将息，依前法更服，吐痰尽方差[67]。

《兵部手集》治小儿、大人咳逆短气，胸中吸吸，咳出涕唾，嗽出臭脓涕粘

淡竹沥一合，日三五服，大人一升[68]。

《圣惠方》治伤中，筋脉急，上气咳嗽

用枣二十枚，去核，以酥四两，微火煎，入枣肉中，滴尽酥，常含一枚，微微咽之[69]。

《经验后方》定喘化涎

猪蹄甲四十九个，净洗控干，每个指甲内半夏、白矾各一字，入罐子内，封闭，勿令烟出，火煅通赤，去火，细研，入麝香一钱匕。人有上喘咳，用糯米饮下，小儿半钱，至妙[70]。

《灵苑方》治咳嗽上气，喘急，嗽血，吐血

人参好者，捣为末，每服三钱匕，鸡子清调之，五更初服，便睡，去枕仰卧，只一服愈，年深者再服。忌腥、咸、醋、酱、面等，并勿过醉饱，将息，佳[71]。

席延赏治虚中有热，咳嗽脓血，口舌咽干，又不可服凉药

好黄耆四两，甘草一两，为末，每服三钱，如茶点、羹粥中亦可服[72]。

《杜壬方》治上焦有热，口舌咽中生疮，嗽有脓血

桔梗一两，甘草二两，右为末，每服二钱，水一盏，煎六分，去滓，温服，食后细呷之，亦治肺壅[73]。

《经验方》治咳嗽甚者，或有吐血新鲜

桑根白皮一斤，米泔浸三宿，净刮上黄皮，剉细，入糯米四两，焙干，一处捣为末，每服米饮调下一两钱[74]。

《斗门方》治肺破出血，忽嗽血不止者

用海犀膏一大片，于火上炙，令焦黄色后，以酥涂之。又炙再涂，令通透，可碾为末，用汤化三大钱匕，放冷，服之即血止。水胶是也，大验[75]。

《食医心镜》主上气咳嗽，胸膈痞满，气喘

桃人三两，去皮、尖，以水一升，研取汁，和粳米二合，煮粥食之[76]。

又，治一切肺病，咳嗽脓血不止：好酥五斤，熔三遍，停取凝当出醍醐，服一合，差[77]。

又，主积年上气咳嗽，多痰喘促，唾脓血：以萝卜子一合，研煎汤，食上服之[78]。

【文献及校勘】

[1]《外台》294 页，《千金方》314 页，《证类》512 页，《肘后方》60 页。《外台》引文略异。

[2]《外台》289 页，《肘后方》60 页。"尽令服之。入口则愈"，《肘后方》作"尽服之一升。入口则气下"。

[3]《肘后方》60 页。

[4]《外台》289 页，《肘后方》60 页。

[5]《外台》295 页，《证类》146 页，《肘后方》60 页，《纲目》706 页。

[6]《肘后方》60 页。

[7]《外台》343 页，《肘后方》60 页。此条引《外台》文，《肘后方》文略异。

[8]《肘后方》60 页。

[9]《外台》289 页，《肘后方》60 页，《医心方》202 页。"一升""三合"，《外台》作"一斗""一升"。

[10]《肘后方》60 页，《医心方》200 页、202 页。

[11]《外台》289 页，《肘后方》60 页。"先煎去沫"，《外台》作"去节"。

[12]《外台》290 页，《肘后方》60 页。"并名""气疾"，《肘后方》作"并各""气疹"，据《外台》改。

[13]《外台》294 页，《肘后方》60 页，《纲目》2165 页。"奔走"，《肘后方》作"奔趁"，《纲目》作"奔趁"。"一斗"，《外台》作"一斗半"。

[14]《肘后方》61 页。

[15]《外台》271 页，《肘后方》61 页，《纲目》820 页。此条，《外台》作"服方寸匕，当吐痰水恶汁一二升，吐已，复煮白粥食。淡水未尽，停三日更进一服。忌生冷油腻猪鱼"。"取吐为度"，《肘后方》原脱，据《纲目》补。

[16][17]《肘后方》61 页。

[18]《外台》279 页，《肘后方》61 页，《纲目》1285 页。"服如杏人一丸。日三。忌鲤鱼"，《肘后方》作"服如杏子大一丸，日可三服"。此方中单位用"升"，《肘后方》用"斗"。

[19]《肘后方》61 页，《千金方》315 页。"甘草二两，干姜三两"，《千金方》作"甘草四两，干姜二两"。

[20]《肘后方》61 页,《千金方》313 页,《纲目》921 页。"干苏叶三两",《千金方》作"紫苏茎叶切一升"。

[21]《外台》256 页,《肘后方》61 页,《纲目》441 页。"米饮服十四丸。曾用有验",《肘后方》作"服十四丸"。

[22]《证类》399 页,《肘后方》61 页,《纲目》2585 页。"莫与盐食,则良",《纲目》作"并淡食鸡"。

[23]《外台》288 页,《肘后方》61 页。"随年壮",《肘后方》脱"壮"字,据《外台》补。"并治上气",《外台》作"秘方"二字。

[24]《肘后方》61 页。

[25]《证类》473 页,《肘后方》61 页。"蒸之一炊倾,出,曝干",《证类》作"蒸一次,日干"。

[26]《外台》256 页,《肘后方》61 页。《外台》方各药用量皆小,干姜、饴糖各用六分,豉用一两。

[27]《肘后方》61 页,《外台》257 页。

[28]《肘后方》61 页,《纲目》2699 页。"稍稍服,覆取汗",《纲目》作"稍服取汗"。

[29]《肘后方》61 页,《纲目》2662 页。此条,《纲目》作"乌鸦心炙熟食之"。

[30]《外台》256 页,《肘后方》62 页,《医心方》199 页,《证类》225 页(《本草图经》引),《纲目》1287 页。"百部汁",《外台》作"百部根汁"。

[31]《外台》256 页,《肘后方》62 页。"渍之",《外台》作"煮之"。

[32]《肘后方》62 页。

[33]《肘后方》62 页。此方未讲明丸剂大小,恐有脱漏。

[34]《肘后方》62 页,《纲目》1215 页。"一日一食之,三日讫",《纲目》作"日食五枚必愈"。

[35]《外台》294 页,《肘后方》62 页。"干枣三枚",《外台》作"干枣四十颗"。"大人分一二服",《肘后方》作"大人分三服"。

[36]《肘后方》62 页,《医心方》199 页。

[37]《外台》257 页,《肘后方》62 页,《纲目》472 页。此条,《纲目》注出处为"《备急方》"。"炉中取铅屑",《肘后方》作"错取松屑",据《外台》改。

[38]《肘后方》62 页,《纲目》2551 页。"屋上白蚬壳",《纲目》作"屋上白螺或白蚬壳"。

[39]《肘后方》62 页,《纲目》576 页。此条,《纲目》作"浮石末,汤服,或蜜丸服"。

[40]《外台》282 页、299 页,《千金方》306 页,《肘后方》62 页,《纲目》2701 页、2739 页。"猪胰三具",《纲目》作"羊胰三具"。

[41]《外台》256 页,《肘后方》62 页。"二两,熬",《肘后方》脱"熬"字,据《外台》补。

[42][43]《肘后方》62 页。

[44]《证类》413 页,《肘后方》62 页。"酿秫米",《证类》作"酿米"。

[45]《证类》402 页,《肘后方》62 页,《纲目》2637 页。"除头",《证类》及《纲目》作"除翅足"。

[46]《外台》290 页。

[47]《医心方》202 页。

[48]《医心方》198 页。

[49]《纲目》1592 页。

[50] ～ [52]《肘后方》62 页。

[53] ～ [61]《肘后方》63 页。

[62] ～ [70]《肘后方》64 页。

[71] ～ [78]《肘后方》65 页。

治卒身面肿满方第二十四

治卒肿满身面皆洪大方

大鲤鱼一头，以醇苦酒三升煮之，令苦酒尽讫，乃食鱼，勿用醋及盐豉他物杂也，不过再作愈[1]。

又方：灸足内踝下白肉际三壮差[2]。

又方：大豆一升，熟煮，漉饮汁及食豆，不过数度，必愈。小豆尤佳[3]。

又方：取鸡子黄白相和，涂肿处，干复涂之[4]。

又方：杏叶，剉，煮令浓，及热渍之。亦可服之[5]。

又方：车下李核中人十枚，研令熟；粳米三合，研令破。右二味，以水四升煮作粥，令得一二升服之，日三作，未消更增核[6]。

又方：大豆一升，以水五升，煮取二升，去豆，内酒八升，更煮取九升，分三四服。肿差后渴，慎不可多饮[7]。

又方：黄牛溺三升。顿服之，即觉，减。未消，更服之[8]。

又方：商陆根一斤，刮去皮，薄切之。煮令烂，去滓，内羊肉一斤，下葱、盐、豉，亦如常作臛法，随意食之。肿差后亦可宜作此。可常捣商陆与米中拌蒸作饼子食之。忌犬肉[9]。

又方：甘遂一分，末筛为散；猪肾一枚，分为七脔。以甘遂末粉猪肾，微火炙令熟，食之至三四脔，乃可止，当觉腹中鸣，转攻两胁下，小便利，去水即愈。若三四脔不觉，可食七脔令尽[10]。

又方：商陆一升，切。以酒三升，渍三宿，服五合至一升，日三服之，凡此肿满，或是虚气，或是风冷气，或是水饮气，此方皆治之[11]。

治肿入腹苦满急害饮食方，凡此满或是虚气，或是风冷气，或是水饮气，此方皆治之

大戟、乌翅、白术各二两。右三味捣筛，蜜和丸如梧子，旦服二丸，当下渐退，更服取令消乃止[12]。

113

又方：葶苈七两，椒目三两，茯苓三两，吴茱萸二两。右四味捣筛，蜜和丸如梧子，饮服十丸。日三，忌酢物[13]。

又方：鲤鱼一头，重五斤者，以水二斗，煮取斗半，去鱼；桑根白皮切三升；茯苓三两；泽泻五两；泽漆五两。右五味，取四物内鱼汁中，煮取四升，去滓，分四服，小便当利渐消也。忌酢物[14]。

又方：皂荚剥，炙令黄，剉，三升。酒一斗渍，合器煮令沸，服一升，日三服，频作[15]。

若肿偏有所起处者

以水和灰以涂之，燥复更涂[16]。

又方：赤豆、麻子，右二味合捣，以傅肿上[17]。

又方：巴豆，水煮，以布沾以拭之。姚云：巴豆三十枚，合皮咬咀，水五升，煮取三升，日五拭肿上，随手即减。勿近目及阴。疗身体暴肿如吹者[18]。

若但足肿者

葱叶，剉，煮令烂，以渍之，日三四度良也[19]。

又方：菟丝子一升，酒五升，渍二三宿，服一升，日三服，差[20]。

若肿从脚起，稍上进者，入腹则杀人。治之方

小豆一斛，煮令极烂，得四五斗汁，温以渍膝以下，日日为之，数日消尽。若已入腹者不复渍。但煮小豆食之。莫杂吃饭及鲑鱼、盐。又专饮小豆汁，无小豆，大豆亦可用。如此之病，十死一生，急救之[21]。

又方：削楠及桐木，煮取汁以渍之，并饮少许，如小豆法[22]。

又方：生猪肝一具，煮如食法，细切，顿食令尽，不得用盐，可用苦酒。猪重五六十斤以上者，一顿啖尽。百斤以上猪者，分两服[23]。

又方：煮豉汁饮，以滓傅脚[24]。

又方：防葵研末，温酒服一刀圭，至二三服，身睭有小不仁为候[25]。

[辑佚方]

治卒肿满身面皆洪大方

鲤鱼长一尺五寸，以尿渍令没一宿，平旦以水从口中灌至尾，微火炙令微熟，去皮，宿勿食盐，顿服之，不能者，再服，令尽。神方[26]。

又方：商陆、赤小豆等分。用鲫鱼三尾，去肠留鳞，以商陆、赤小豆等分填满扎定，水三升，煮糜去鱼，食豆饮汁，二日一作，不过三次，小便利，愈[27]。

又方：香薷，剉，煮令浓，及热以渍。亦可服之[28]。

葛氏方云：凡肿有五不治，面肿仓黑，肝败不治；掌肿无理满满，心败不治；脐满肿反者，脾败不治；腹满无文理，肺败不治；阴肿不起，肾败不治[29]。

［附方］

《备急方》疗身体暴肿满

榆皮捣屑随多少，杂米作粥食，小便利[30]。

《杨氏产乳》疗通体遍身肿小便不利

猪苓五两，捣，筛，煎水三事，调服方寸匕，加至二匕[31]。

《食医心镜》主气喘促，浮肿，小便涩

杏人一两，去尖、皮，熬，研，和米煮粥极熟，空心吃二合[32]。

【文献及校勘】

[1]《外台》547 页，《肘后方》65 页，《医心方》230 页。"醇苦酒""不过再作愈"，《肘后方》作"醇酒""不过三两服差"，《医心方》作"醇苦酒""不过再作便愈"。

[2]《外台》547 页，《肘后方》65 页，《医心方》230 页。"白肉际"，《肘后方》脱"际"字，据《医心方》《外台》补。

[3]《肘后方》65 页，《医心方》230 页。

[4]《肘后方》65 页，《纲目》2606 页。

[5]《肘后方》65 页，《纲目》1735 页。此条，《纲目》引文略异。

[6]《外台》547 页，《肘后方》65 页。"研令熟""日三作，未消更增核"，《肘后方》作"斫令熟""三作加核也"，据《外台》改。

[7]《肘后方》66 页，《千金方》388 页，《医心方》230 页。"煮取二升"，《肘后方》脱"取"字，据《医心方》补。

[8]《肘后方》66 页。

[9]《外台》547 页，《肘后方》66 页，《千金方》383 页，《纲目》2727 页。"亦如常作臛法，随意食之"，《肘后方》作"如食法，随意令之"，据《外台》改。"商陆根一斤"，《千金方》作"当陆一升"。

[10]《外台》541 页，《证类》254 页，《肘后方》66 页，《纲目》1137 页、2698 页。此条引《外台》文，其他三本书所引此方，文字各异，但大意皆相同。

[11]《肘后方》66 页。

[12]《外台》547 页，《肘后方》66 页，《医心方》230 页。"白术二两"，《肘后方》无此文，据《医心方》补。"乌翅"，《医心方》作"乌扇"。

[13]《外台》547 页，《肘后方》66 页，《医心方》230 页。此条引《外台》文，《肘后方》文略异。"忌酢物"，《肘后方》无此文。

［14］《外台》548 页，《肘后方》66 页。"煮取斗半，去鱼"，《外台》作"煮取汁，去鱼"。"桑根白皮"，《外台》作"桑白皮"。

［15］《证类》341 页，《肘后方》66 页，《纲目》2018 页。"合器煮""频作"，《肘后方》作"石器煮""尽更作"。

［16］～［18］《肘后方》66 页。

［19］《外台》553 页，《肘后方》66 页。"若但足肿者"，《肘后方》作"若但是肿者"。按，《肘后方》中"是"疑为"足"之误。

［20］《证类》152 页，《肘后方》66 页，《纲目》1237 页。

［21］《外台》553 页，《肘后方》66 页。此条引《外台》文，《肘后方》文略异。"日日为之"，《肘后方》作"日二为之"。

［22］《外台》553 页，《肘后方》66 页，《纲目》1947 页、1998 页。"削楠及桐木""如小豆法"，《肘后方》作"削楠或桐木""加小豆妙"。

［23］《外台》553 页，《证类》389 页，《肘后方》66 页，《医心方》230 页。此条引《外台》文，《肘后方》作"生猪肝一具，细切，顿食之，勿与盐，乃可用苦酒妙"。

［24］《肘后方》67 页，《医心方》230 页、231 页，《纲目》1531 页。

［25］商务本《肘后方》62 页，《证类》155 页，《纲目》1128 页。

［26］《外台》559 页。

［27］《纲目》2440 页。

［28］《外台》547 页。

［29］《医心方》7 页。

［30］～［32］《肘后方》67 页。

补辑《肘后方》 卷之四

治卒大腹水病方第二十五

水病之初，先两目上肿起，如老蚕色，侠颈脉动，股里冷，胫中满，按之没指，腹内转侧有声，此其候也，不即治，须臾身体稍肿，腹尽胀，按之随手起，则病已成，犹可治。此皆从虚损大病，或下痢后，妇人产后，饮水不即消，三焦决漏，小便不利，乃相结渐渐生聚，遂流诸经络故也[1]。

治之方

葶苈一升（熬）捣之于臼上，割生雄鸭鸡合血共头，共捣万杵，服如梧子五丸，稍加至十丸。勿食盐。常食小豆饭，饮小豆汁，鳢鱼佳也[2]。

又方：葶苈子（熬）、防己、甘草（炙）各二两。右三味捣筛，苦酒和丸，饮服如梧子三丸。日三，常将服之，取消平乃止。忌海藻、菘菜[3]。

又方：芫花（熬）、甘遂、人参各二分，雄黄六分，麝香三分。右五味捣，蜜和丸，服如豆大二丸。加至四丸，即差[4]。

又方：葶苈子二升，以春酒五升渍，隔宿，稍服一合，小便当利[5]。

又方：葶苈一两，杏人二十枚。右二味并熬黄色，捣，分十服，小便去，立差[6]。

又方：胡洽水银丸，大治水肿，利小便，姚同。葶苈一升，熬；椒目一升；芒消六两；水银十两。右四味，以水煮炼水银三日三夜，数益水，要当令黄白，以合，捣药六万杵，自令相和丸如梧子，先食服一丸，日三，日增一丸，至十丸，不知，更从一丸始。病当从小便利。当饮好牛羊肉羹，昼夜五饮，当令补养。禁猪肉、生鱼、菜。勿忘饮浆水，渴饮羹汁[7]。

又方：柯枝皮，剉（此树一名木奴，南人用作船）。浓煮，煎令可丸，服如梧子大三丸，须臾，又一服，当下水后，将服三丸，日三服[8]。

又方：水银、白粉、苏合香，右三味等分，蜜丸，服如大豆二丸，日三。当下水，节饮，好自养，无苏合，可阙之[9]。

又方：草麻纯熟者二十枚，去皮，研之。水解得三合，旦服，至日中许，当吐下诸水汁。结囊若不尽，三日后，更作二十枚服，犹未尽，更复作。差后，节饮及咸物等[10]。

又方：小豆一升，白鸡一头。右二味，治如食法，以水三斗，煮熟，食滓、饮汁，稍稍饮，令尽[11]。

又方：青雄鸭，以水五升，煮取一升，饮汁，稍稍饮，令尽，厚覆之，取汗，佳[12]。

又方：取胡燕卵中黄，顿吞十枚[13]。

又方：取蛤蝼炙令熟，日食十个[14]。

又方：若唯腹大动摇水声，皮肤黑，名曰水蛊。治之方：巴豆九十枚，去心皮，熬令黄。杏人六十枚，去皮尖，熬令黄。右二味捣相和，服如小豆一枚，以水下为度。勿饮酒佳。忌猪肉、芦笋[15]。

又方：鬼扇，一名射干，捣，绞取汁，服如鸡子，即下水。更服，取水尽。若渴，研麻子汁，饮之，良[16]。

又方：慈弥草三十斤，水三石，煮取一石，去滓，更汤上煎，令可丸。服如皂荚子三丸至五六丸。水随小便去，即饮糜粥养之[17]。

又方：小豆三升；白茅根一大把，切。右二味，以水三升，煮取干，去茅根，食豆，水随小便下[18]。

又方：马鞭草、鼠尾草各十斤。右二味切，以水一石，煮取五斗，去滓，更煎，余五升，以粉和丸，饮服如大豆二丸，至四五丸。禁肥肉，生冷勿食[19]。

肿满者

白楮树白皮一握，水二升，煮取五合。白槟榔大者二枚，末之。内更煎三五沸，汤成。下少许红雪，服之[20]。

又将服牛溺、商陆、羊肉臛，及香菜煎等。在肿满条中。其十水丸诸大方在别卷。若止皮肤水，腹内未有者，服诸发汗药，得汗便差。然慎护风寒为急[21]。

若唯腹大，下之不去，便针脐下二寸，入数分，令水出，孔合须腹减乃止[22]。

［辑佚方］

此病本由水来，应水字，而经方皆水为病，故施疾床[23]。

治大腹水病方

芫花（熬）、甘遂各三分，人参二分，麝香三铢。右四味合下筛，酒服钱半边匕，老小服钱边三分匕。亦可丸服之。强人如小豆十丸，老人五丸[24]。

又方：牵牛子三分，熬；厚朴一分，炙。右二味捣筛，强人服三菱角壳，弱人二壳，酒饮随意。枢筋有水气病水肿，诸药不能瘥者，此方效验[25]。

治水蛊方

恒取小豆饭，并饮汁佳[26]。

葛氏方云：水病唇黑，脐突出死，水病脉出者死[27]。

［附方］

李绛《兵部手集》疗水病，无问年月深浅虽复脉恶亦主之

大戟、当归、橘皮各一大两，切，以水一大升，煮取七合，顿服，利水二三斗勿怪，至重不过再服，便差。禁毒食一年，水下后更服，永不作。此方出张尚客[28]。

《外台秘要》治水气

章陆根白者，切如小豆许一大盏，以水三升，煮取一升已上，烂即取粟米一大盏，煮成粥，仍空心服。若一日两度服，即恐利多，每日服一顿即微利，不得杂食[29]。

又，疗水病肿

鲤鱼一头极大者，去头尾及骨，唯取肉，以水二斗，赤小豆一大升，和鱼肉煮，可取二升已上汁，生布绞去滓，顿服尽，如不能尽，分为二服，后服温令暖，服讫当下利，利尽即差[30]。

又方：卒患肿满，曾有人忽脚肤肿，渐上至膝足，不可践地，至大水，头面遍身大肿胀满。

苦瓠白瓤实，捻如大豆粒，以面裹，煮一沸，空心服七枚，至午当出水一斗，三日水自出不止，大瘦乃差。三年内慎口味也。苦瓠须好者，无瀮翳，细理妍净者，不尔有毒，不用[31]。

121

《圣惠方》治十种水不差垂死

用獭肉半斤，切，粳米三合，水三升，葱、椒、姜、豉作粥食之[32]。

又方：治十种水病，肿满喘促，不得卧。

以蝼蛄五枚，干，为末，食前汤调半钱匕至一钱，小便通，效[33]。

《食医心镜》治十种水病不差垂死

青头鸭一只，治如食法，细切，和米并五味煮令极熟，作粥，空腹食之[34]。

又方：主水气胀满，浮肿，小便涩少。

白鸭一只，去毛、肠，洗，馈饭半升，以饭、姜、椒酿鸭腹中缝定，如法蒸，候熟食之[35]。

《杨氏产乳》疗身体肿满，水气，急卧不得

郁李人一大合，捣为末，和麦面溲作饼子，与吃，入口即大便，通利气，便差[36]。

《梅师方》治水肿，坐卧不得，头面身体悉肿

取东引花桑枝，烧灰，淋汁，煮赤小豆，空心食令饱，饥即食尽，不得吃饭[37]。

又方：治水肿小便涩。

黄牛尿，饮一升，日至夜，小便利。差。勿食盐[38]。

又方：治心下有水。

白术三两，泽泻五两，剉，以水三升，煎取一升半，分服[39]。

《千金翼》治小便不利，膀胱水气流滞

以浮萍日干，末，服方寸匕，日一二服，良[40]。

《经验方》河东裴氏传经效治水肿及暴肿

葶苈三两，杵六千下，令如泥，即下汉防己末四两，取绿头鸭就药臼中，截头沥血于臼中，血尽和鸭头更捣五千下，丸如梧桐子。患甚者空腹白汤下十丸，稍可者五丸，频服五日止。此药利小便有效如神[41]。

韦宙《独行方》疗水肿从脚起，入腹则杀人

用赤小豆一斗，煮令极烂，取汁四五升，温渍膝以下，若以入腹，但服小豆，勿杂食，亦愈[42]。

李绛《兵部手集》亦著此法，云曾得效[43]。

【文献及校勘】

[1]《外台》544 页，《肘后方》68 页。"颈脉动"，《肘后方》原作"头脉动"，据《外台》改。

[2]《肘后方》68 页，《医心方》226 页，《纲目》1067 页。"葶苈一升（熬）"，《纲目》作"苦葶苈二升，炒为末"。

[3]《外台》544 页，《肘后方》68 页，《医心方》226 页。"防己"，《肘后方》作"防风"，《医心方》《外台》并作"防己"，从《医心方》等为正。

[4]《肘后方》68 页。

[5][6]《肘后方》68 页，《纲目》1067 页。

[7]《外台》550 页，《肘后方》68 页。"数益水，要当令黄白"，《肘后方》无此文。"自令相和丸如梧子"，《肘后方》作"自相和丸服如大豆丸"。

[8]《肘后方》68 页。

[9]《肘后方》68 页，《纲目》1963 页。"服如大豆二丸"，《纲目》作"小豆大，每服二丸"。

[10]《肘后方》68 页，《纲目》2212 页，《医心方》224 页下 1 行。

[11]《肘后方》68 页，《纲目》2585 页。"稍稍饮"，《肘后方》原作"稍相"，据文义改。

[12]《肘后方》68 页，《证类》400 页。"饮汁，稍稍饮，令尽"，《证类》作"饮尽"。

[13]《肘后方》68 页，《证类》402 页。

[14]《肘后方》68 页，《纲目》2316 页。"蛤蝼"，《纲目》作"蝼蛄"。

[15]《外台》547 页，《肘后方》68 页。"忌猪肉、芦笋"，《肘后方》原脱，据《外台》补。

[16]《外台》547 页，《肘后方》69 页，《纲目》1207 页。"更服，取水尽。若渴"，《肘后方》作"更复取水盅，若汤"。据《外台》改。

[17]《肘后方》69 页。"水三石""三丸"，《肘后方》原作"子三石""三九"，据文义改。

[18]《外台》546 页，《肘后方》69 页，《医心方》226 页，《纲目》1510 页、812 页。按，《纲目》"白茅"条引文同此条。《纲目》"赤小豆"条引文作"赤小豆三升，白茅根一握，水煮，食豆，以消为度"。

[19]《证类》269 页（《本草图经》引），《肘后方》69 页，《纲目》1073 页，《外台》546 页。此条引《外台》文，其他各本文皆小异。"更煎，余五升"，《证类》作"再煎，令稠厚"。

[20]《肘后方》69 页。

[21]《外台》544 页，《肘后方》69 页。"香菜"《外台》作"香薷"。

[22]《肘后方》69 页。

[23]《外台》544 页。

[24]《外台》540 页。

[25]《外台》544 页。

[26]《医心方》226 页。

[27]《医心方》225 页。

[28]～[31]《肘后方》69 页。

[32]～[43]《肘后方》70 页。

治卒心腹癥坚方第二十六

治卒暴癥，腹中有物坚如石，痛如刺，昼夜啼呼，不治之，百日死方

取牛膝根二斤，㕮咀，曝令极干。酒一斗浸之，密器中封口，举著热灰中温之，令味出。先食，服五六合至一升，以意量多少。又方用薲藋根亦准此大良。姚云：牛膝酒神验也[1]。

又方：商陆根，捣，蒸之，以新布藉腹上，以药铺布上，以衣覆，冷即易，取差止。数日之中，晨夕勿息[2]。

又方：蒜十片，去皮，五月五日户上者；桂心一尺二寸；伏龙肝鸭卵大，一枚。右三味合捣，以醇苦酒和之如泥，涂著布上掩病处，三日消[3]。

又方：取樆木烧为灰，淋取汁八升，以酿一斛米，酒成服之，从半合始，不知，稍稍增至一二升，不尽一剂皆愈。此灰入染绛，用叶中酿酒也。樆，直忍切[4]。

凡癥坚之起，多以渐生，而有觉便牢大者，自难治也。腹中微有结积，便害饮食转羸瘦，治之多用陷冰、玉壶、八毒诸大药。今止取小小易得者

虎杖根勿令影临水上者，可得石余。净洗干之，捣作末，以秫米五斗炊饭内搅之，好酒五斗渍封，药消饭浮，可饮一升半。勿食鲑、盐，癥当出[5]。

又方：虎杖根一升，干捣千杵，酒渍饮之。从少起，日三，亦佳。此酒治癥，乃胜诸大药[6]。

又方：蚕矢一石，桑柴烧灰，以水淋之五度，取生鳖长一尺者，内中煮之烂熟，去骨，细擘剉，更煎令可丸，丸如梧子大，一服七丸，日三[7]。

又方：射罔二两，椒三百粒。右二味捣末，鸡子白和为丸，如麻子大，服一丸，渐至如大豆大，一丸至三丸为度[8]。

又方：大猪心一枚，破头去血，捣末雄黄、麝香当门子五枚，巴豆百枚，去心皮生用，同心入以好酒，于小铜器中煎之。若酒煎欲干，随益尽三升，当糜烂，煎令可丸如麻子，服三丸，日三服。若酒尽不糜者，出捣蜜丸之，良[9]。

又大黄末半斤，朴消三两，蜜一斤。右三味合于汤上煎，可丸如梧子，服十丸。日三[10]。

治鳖癥伏在心下，手摸见头足，时时转者

白雌鸡一双，绝食一宿，明旦以膏熬饭饲之，取其矢，无问多少，以小便和之，于铜器中火上熬令燥，捣筛，服方寸匕。日四五服，消尽乃止。常饲鸡取矢，差毕，杀鸡单食之。姚同[11]。

治心有下物，在如杯，不得食者方

葶苈二两，熬；大黄二两；泽漆四两，洗。右三味捣筛，蜜和，捣千杵，服如梧子二丸，日三，不知稍加[12]。

其有陷冰、赭鬼诸丸方，别在大方中[13]。

治两胁下有气结者

狼毒二两，附子二两（炮），旋复花一两。右三味，捣筛，蜜和丸，服之梧子大二丸，稍加至三丸，服之[14]。

熨癥法

铜器，受二升许，贮鱼膏（即鱼油），令深二三寸，作大火柱六七枚，燃之令膏暖，重纸覆癥上，以器熨之，昼夜勿息，膏尽更益也[15]。

又方：吴茱萸三升，碎之。以酒和煮熟，布裹以熨癥上，冷更炒，更番用之。癥当移去，复遂熨，须臾消止。亦可用射罔五两、茱萸末，以鸡子白和，涂癥上[16]。

又方：灶中黄土一升，生葫一升。右二味，先捣葫熟，内土复捣，以好苦酒烧令沸沸。先以涂布一面，仍拓病上，又涂布上干复易之，取令消止[17]。

治妇人脐下结物大如杯升，月经不通，发作往来，下痢羸瘦

此为气瘕，按之若牢强肉癥者，不可治。未者可治方：干漆一斤，末；生地黄三十斤，捣绞取汁。右二味，以地黄汁火煎干漆，令可丸，食后服如梧子大三丸，日三服，即差[18]。

［辑佚方］

治卒心腹癥坚方

大黄二两；朴消如半鸡子，一枚。右二味，以酒二升，煮取一升，去滓，尽服之，立消。无朴消，用芒消、消石亦佳[19]。

［附方］

《外台秘要》疗心腹宿癥，卒得癥

取朱砂细研，溲饭，令朱多，以雄鸡一只，先饿二日后，以朱饭饲之，著鸡于

板上，收取粪，曝燥，为末，温清酒服方寸匕至五钱，日三服。若病困者，昼夜可六服，一鸡少，更饲一鸡，取足服之，俟愈即止[20]。

又，疗食鱼肉等成癥结在腹，并诸毒气方

狗粪五升，烧末之，绵裹，酒五升，渍再宿，取清，分十服，日再，已后日三服，使尽，随所食癥结即便出矣[21]。

《千金方》治食鱼鲙及生肉住胸膈不化必成癥瘕

捣马鞭草汁，饮之一升，生姜水亦得，即消[22]。

又方：治肉癥，思肉不已，食讫复思。

白马尿三升，空心饮，当吐肉，肉不出，即死[23]。

《药性论》云：治癥癖病

鳖甲、诃梨勒皮、干姜末等分，为丸，空心下三十丸，再服[24]。

宋明帝宫人患腰痛牵心，发则气绝。徐文伯视之曰：发瘕。以油灌之，吐物如发，引之长三尺，头已成蛇，能动摇，悬之滴尽，惟一发[25]。

《胜金方》治膜外气及气块方

延胡索不限多少，为末，猪胰一具，切作块子，炙熟，蘸药末食之[26]。

【文献及校勘】

[1]《外台》335页，《证类》153页，《肘后方》70页，《纲目》1029页。此条引《外台》文，《肘后方》文略异。"坚如石"，《肘后方》作"石"。

[2]《外台》336页，《肘后方》71页。此条，《肘后方》作"多取当陆根捣蒸之，以新布藉腹上，药披着布上，勿腹上，冷复之，昼夜勿息"。

[3]《外台》336页，《千金方》213页，《肘后方》71页。"蒜十片，去皮，五月五日户上者""伏龙肝"，《肘后方》作"五月五日葫十斤去皮""灶中黄土"。"鸭卵大，一枚"，《肘后方》作"如鸭子一枚"，《千金方》作"如鸡子大一枚"。

[4]《肘后方》71页，《纲目》2050页。此条，《纲目》引文略异。

[5]《外台》336页，《肘后方》71页，《纲目》1099页。此条引《外台》文，《肘后方》作"取虎杖根，勿令影临水上者，可得石余，杵熟煮汁，可丸，以秫米五六升，炊饭内，日中涂药后可饭，取差"。

[6]《外台》336页，《肘后方》71页，《纲目》1099页。

[7]《肘后方》71页。

[8]《外台》335页，《肘后方》71页，《纲目》1183页。此条引《肘后方》文，《外台》引文略异。

[9]《肘后方》71页。"若酒煎欲干"，《肘后方》原作"令心没欲歇"，据其注文改。

[10]《外台》336页，《肘后方》71页。

[11]《外台》337页,《肘后方》71页,《医心方》223页。此条引《外台》文,《肘后方》文略异。"时时转者",《医心方》作"时时转动者"。

[12]《外台》330页,《肘后方》71页,《医心方》221页,《纲目》1135页。此条引《外台》文,《肘后方》文略异。

[13]《肘后方》71页。

[14]《肘后方》71页,《千金方》213页,《纲目》1126页。此条,《纲目》引文略异。

[15]《肘后方》72页。

[16]《外台》335页,《肘后方》72页。"射罔五两",《肘后方》原脱,据《外台》补。"涂癜上",《肘后方》原作"服之",据《外台》改。

[17]《外台》330页,《肘后方》72页。此条引《外台》文,《肘后方》文略异。"内土",《肘后方》作"内上"。

[18]《肘后方》72页。

[19]《外台》329页,《医心方》223页。"大黄二两",《医心方》作"大黄一两"。

[20]~[26]《肘后方》72页。

治心腹寒冷食饮积聚结癖方第二十七

治腹中冷癖,水谷阴结,心下停痰,两胁痞满,按之鸣转,逆害饮食

取大蟾蜍一头,去皮及腹中物支解之;芒消,大人用一升,中人七合,羸小五合,右二味,以水七升,煮取四升,温服一升。一时顿服一升,若未下,更服一升。中人七合,羸小五合。得下者止。后九日十日一遍作之[1]。

又方:茱萸八两,消石一升,生姜一斤。右三味,以酒五升合煮取四升,先服一升,下,痛者止,勿再服之。下病后,好将养之[2]。

又方:大黄八两;芒消四两,熬令汁尽;葶苈四两,熬。右三味熟捣,蜜和,丸如梧子大,食后服三丸,稍增五丸[3]。

又方:狼毒三两,附子一两,旋复花三两。右三味捣,蜜丸,服如梧子大,食前三丸,日三服[4]。

巴豆三十枚,去心皮熬;杏人二十枚,熬;桔梗六分;藜芦四分,炙;皂荚三分,去皮。右五味捣,蜜和丸如胡豆,未食,服一丸。日三。欲下病者服二丸。长将服百日都好,差。忌猪肉、芦笋、狸肉[5]。

又方:巴豆一两,去心皮,生用;桔梗二两;贝母二两;矾石一两。右四味捣千杵,蜜和,丸如梧子,一服二丸,病后少少减服[6]。

又方:茱萸三两,茯苓一两,右二味捣,蜜丸如梧子大,服五丸,日三服[7]。

又治暴宿食留饮不除，腹中为患方

巴豆一分，大黄、芒消、茯苓各三两。右四味捣，蜜丸如梧子大，一服二丸，下，痛止[8]。

又方：巴豆一两，去心皮熬；椒目二两。右二味以枣膏捣，丸如麻子，服二丸，下，痛止[9]。

又方：巴豆一枚，去心皮熬；椒目十四枚；豉十六粒。右三味合捣为丸，服二丸，当吐利，吐利不尽，更服二丸。服四丸，下之，亦佳[10]。

中候黑丸，治诸癖结痰饮第一良

巴豆八分，去心皮熬；杏人五分，去皮熬；桔梗四分；芫花十二分，熬；桂心四分。右五味，先捣三药成末，别捣巴豆、杏人如膏合和，又捣一千杵，下蜜，又捣二千杵，丸如胡豆。浆服一丸取利，可至二三丸。儿生十日欲痫发，可与一二丸如黍米。诸腹不快，体中觉患便服之。得一两行利，即好[11]。

硫黄丸，至热，治人之大冷，夏月温饮食，不解衣者

附子、桂、乌头、干姜、椒、细辛、人参、当归、皂荚、茱萸、礜石、硫黄。右十二种等分，随人多少，捣，蜜丸如梧子大，一服十丸至二十丸，日三服。若冷痢者，加赤石脂、龙骨。即便愈也[12]。

露宿丸、治大寒冷积聚方

附子（炮）、干姜、桂、皂荚、礜石、桔梗各三两。右六味捣筛，蜜丸如梧子大，酒下十丸，日三，加至一十五丸[13]。

［辑佚方］

治腹中冷癖，逆害饮食方

大黄三两；甘草二两，炙；蜜一升二合；枣二十七枚。右四味切，以水四升，先煮三物，取二升一合，去滓，内蜜，再上火煎令烊，分再服。忌海藻、菘菜[14]。

［附方］

《外台秘要》疗癖方

大黄十两，杵，筛，醋三升，和匀，白蜜两匙，煎堪，丸如梧桐子大。一服三十丸，生姜汤吞下，以利为度，小者减之[15]。

《圣惠方》治伏梁气在心下结聚不散

用桃奴二两，为末，空心温酒调二钱匕^[16]。

《简要济众》治久积冷不下食，呕吐不止，冷在胃中

半夏五两，洗过，为末，每服二钱，白面一两，以水和溲，切作棋子，水煮，面熟为度，用生姜、醋调和服之^[17]。

【文献及校勘】

[1]《外台》322 页，《肘后方》73 页，《纲目》2337 页。此条引《外台》文，《肘后方》文略异。"羸小五合，得下者止"，《肘后方》作"瘦弱人五合，得下则"。

[2]《肘后方》73 页。"下，痛者止"，《肘后方》原作"不痛者止"，据方义改。

[3]《肘后方》73 页。"熟捣"，商务本《肘后方》注云："熟，另本作热"。

[4]《肘后方》73 页，《纲目》1126 页。此条药物和"治卒心腹癥坚方第二十六"注［14］相同，但方中各药用量不同。

[5]《外台》323 页，《肘后方》73 页。此条引《外台》文，《肘后方》文略异。"日三""长将服"，《肘后方》作"日二""长将息"。

[6]《肘后方》73 页。

[7]《肘后方》73 页，《医心方》206 页。"日三服"，《医心方》作"日三"。

[8]《肘后方》73 页。"下，痛止"，《肘后方》原作"不痛止"，据文义改。

[9]《肘后方》73 页，《纲目》1856 页。"服二丸，下，痛止"，《纲目》作"每服二丸，吞下，其痛即止"。

[10]《肘后方》73 页，《纲目》1856 页。此条，《纲目》引文相对简略一些。"服四丸"，《肘后方》原作"服四神丸"，据文义改。

[11]《外台》322 页、233 页，《肘后方》73 页。此条引《外台》文。"又捣一千杵，下蜜"，《肘后方》无此文。"如黍米"，《肘后方》作"如粟米"。

[12]《肘后方》73 页，《千金方》309 页。

[13]《肘后方》74 页，《医心方》216 页，《千金方》309 页，《证类》124 页（《本草图经》引）。此条，《证类》作"胡洽大露宿丸，主寒冷百病。方：礜石（炼）、干姜、桂心、皂荚、桔梗各三两，附子二两，六物捣筛，蜜丸，服如梧子五丸，日三，渐增，以知为度"。又，方中"礜石"，《肘后方》原作"矾石"，据《证类》《医心方》改。

[14]《外台》323 页，《医心方》206 页。"右四味切……忌海藻、菘菜"，《医心方》作"以水三升煮枣，取一升，内诸药，煮取一升七合，分再服"。

[15]～[17]《肘后方》74 页。

治胸膈上痰癃诸方第二十八

治卒头痛如破，非中冷，又非中风方

釜下墨四分；附子三分，炮。右二味捣散，以冷水服方寸匕，当吐愈。一方有桂心一分。忌猪肉、冷水[1]。

又方：苦参、桂心、半夏（洗）。右三味等分为末，苦酒和，以涂痛上则差。忌生葱、羊肉、饧[2]。

又方：乌梅三十枚，盐三指撮。右二味，以酒三升，煮取一升，去滓，顿服，当吐，愈[3]。

此本在杂治中，其病是胸膈中痰阙气上冲所致，名为厥头痛，吐之即差。

但单煮茗作饮二三升许，适冷暖，饮三升，须臾擿吐，擿吐毕又饮，能如此数过。剧者须吐胆汁乃止，不损人，渴而即差[4]。

治胸中多痰，头痛不欲食，及饮酒则疼阻痰方

瓜蒂三七枚，常山二两，松萝、甘草各一两。右四味，酒水各二升半，煮取一升半，初服七合取吐，吐不尽，余更分二服，得快吐差后，须服半夏汤[5]。

胡洽名粉隔汤

矾石一两，以水二升，煮取一升，内蜜半合，顿服之，须臾未吐，饮少热汤[6]。

又方：瓜蒂三十枚，松萝三两，杜衡三两。右三味切，以水酒一升二合渍之再宿，去滓，温分再服。一服不吐，晚更一服[7]。

又方：瓜蒂一两，赤小豆四两。右二味捣筛，温汤三合，以散一钱匕，投汤中，和服之，须臾当吐。不吐更服半钱匕，汤三合，令吐，如吐不止，饮冷水[8]。

又方：先作一升汤，投水一升，名为生熟汤，及食三合盐，以此汤送之，须臾欲吐，便擿出，未尽更服二合。饮汤二升后，亦可更服，汤不复也[9]。

又方：常山四分，甘草半两。右二味切，以水七升，煮取三升，服一升不吐，更服。亦可内蜜半升。忌生葱、生菜、海藻、菘菜[10]。

方中能月服一种，则无痰水之患。又有旋覆五饮，在诸大方中[11]。

若胸中痞塞短气膈者

杏人五十枚，碎；甘草二两；茯苓三两。右三味，水一斗三升，煮取六升，分为五服[12]。

又方：桂四两，附子（炮）、术、甘草各二两。右四味，水六升，煮取三升，分为三服[13]。

膈中有结积觉骇骇不去者

巴豆半两，去皮心熬之；藜芦一两，炙，末之。右二味，先捣巴豆如泥，入藜芦末，又捣万杵，蜜丸如麻子大，服一丸至二三丸[14]。

膈中之患，名曰膏肓，汤丸经过，针灸不及，所以作丸含之，令气势得相熏染，有五膈丸方

人参六分，甘草（炙）十分，麦门冬（去心）十分，椒（汗）六发，附子（炮）、桂心、干姜、细辛、远志各六分。右九味捣筛，以蜜和丸如弹子，以一枚著牙齿间含，稍稍咽汁，日三。主短气胸满，心下坚，冷气。此病有十许方，率皆相类，此丸最效。五膈者谓忧膈、气膈、恚膈、热膈、寒膈也。其病各有诊别，在大方中。又有七气方，大约与此大同小别耳[15]。

[辑佚方]

葛氏方若胸中常有痰冷水饮，虚羸不足取吐者

半夏一升，洗；生姜半斤，茯苓三两。右三味，水七升，煮取一升半，分再服。

又方：吴茱萸、干姜、蜀椒（汗）、曲、杏人（去皮尖）、好豉（熬）。右六味等分捣筛，蜜和，丸如梧子，饮服七丸。日三。忌生冷[16]。

[附方]

《圣惠方》治痰厥头痛

以乌梅十个，取肉，盐二钱，酒一中盏，合煎至七分，去滓，非时温服，吐即佳[17]。

又方：治冷痰饮恶心。

用荜拨一两，捣为末，于食前用清粥饮调半钱服[18]。

又方：治痰壅呕逆，心胸满闷，不下食。

用厚朴一两，涂生姜汁，炙令黄，为末，非时粥饮调下二钱匕[19]。

《千金翼》论曰：治痰饮吐水无时节者，其源以冷饮过度，遂令脾胃气羸，不能消于饮食，饮食入胃，则皆变成冷水，反吐不停者，赤石脂散主之

赤石脂一斤，捣，筛，服方寸匕，酒饮自任，稍稍加至三匕，服尽一斤，则终身不吐痰水。又不下痢，补五脏，令人肥健。有人痰饮服诸药不效，用此方遂愈[20]。

《御药院方》真宗赐高祖相国去痰清目进食生犀丸

川芎十两，紧小者，粟米泔浸三日，换，切片子，日干，为末，作两料，每粒入麝、脑各一分，生犀半两，重汤煮，蜜杵为丸，小弹子大，茶酒嚼下一丸。痰加朱砂半两；膈壅加牛黄一分，水飞铁粉一分；头目昏眩，加细辛一分，口眼㖞斜，炮天南星一分[21]。

又方：治膈壅风痰。

半夏，不计多少，酸浆浸一宿，温汤洗五七遍，去恶气，日中晒干，捣为末，浆水溲饼子，日中干之，再为末，每五两入生脑子一钱，研匀，以浆水浓脚，丸鸡头大，纱袋贮通风处，阴干，每一丸，好茶或薄荷汤下[22]。

《王氏博济》治三焦气不顺，胸膈壅塞，头昏目眩，涕唾痰涎，精神不爽。利膈丸

牵牛子四两，半生半熟，不蛀皂荚，涂酥二两，为末，生姜自然汁煮糊，丸如桐子大。每服二十丸，荆芥汤下[23]。

《经验后方》治头风化痰

川芎，不计分两，用净水洗浸，薄切片子，日干或焙，杵为末，炼蜜为丸，如小弹子大。不拘时，茶酒嚼下。

又方：治风痰。

郁金一分，藜芦十分，各为末，和令匀，每服一字，用温浆水一盏，先以少浆水调下，余者水漱口，都服便以食压之[24]。

《外台秘要》治一切风，痰风，霍乱，食不消，大便涩

诃梨勒三枚，捣取末，和酒顿服，三五度，良[25]。

《胜金方》治风痰

白姜蚕七个，直者，细研，以姜汁一茶脚，温水调灌之[26]。

又方：治风痰。

以萝卜子为末，温水调一匙头，良久吐出涎沫。如是瘫缓风，以此吐后，用紧疏药服，疏后服和气散，差[27]。

《斗门方》治胸膈壅滞，去痰开胃

用半夏净洗，焙干，捣罗为末，以生姜自然汁和为饼子，用湿纸裹，于慢火中煨令香，熟水两盏，用饼子一块，如弹丸大，入盐半钱，煎取一盏，温服。能去胸膈壅逆，大压痰毒，及治酒食所伤，其功极验[28]。

【文献及校勘】

[1]《外台》236页，《肘后方》74页。“忌猪肉、冷水”，《肘后方》原缺，据《外台》补。

[2]《外台》236页，《肘后方》74页。此条引《外台》文，《肘后方》文略异。

[3]《外台》236页，《肘后方》74页，《纲目》1739页。

[4]《外台》235页，《肘后方》74页，“煮茗”，《肘后方》原作“煮米”，据《外台》改。

[5]《外台》235页，《肘后方》74页，《医心方》204页。“瓜蒂三七枚，常山二两”，《外台》作“瓜蒂二七枚，常山三两”。

[6]《外台》235页，《肘后方》74页。

[7]《外台》235页，《肘后方》74页，《纲目》2160页。“瓜蒂三十枚”，《外台》作“瓜蒂三七枚”。

[8]《外台》235页，《肘后方》74页。“和服之，须臾当吐，不吐更服半钱匕”，《肘后方》作“和服便安卧，欲擿之不吐更服之”。

[9]《肘后方》74页。

[10]《外台》236页，《肘后方》75页。此条引《外台》文，《肘后方》文略异。

[11]《肘后方》75页，《医心方》204页。

[12]《外台》340页，《金匮》26页，《肘后方》75页。此条，《金匮》标题为“茯苓杏人甘草汤”，文亦略异。

[13]《肘后方》75页。

[14]《肘后方》75页，《纲目》1157页。“服一丸至二三丸”，《纲目》作“每吞一二丸”。

[15]《外台》243页，《肘后方》75页。“以一枚著牙齿间含”“此丸最效”，《肘后方》作“以一丸含”“此丸最胜，用药虽多，不合五膈之名”。

[16]《外台》243页。《外台》注云：“此方出《隐居效方》，《肘后方》同。”

[17]～[21]《肘后方》75页。

[22]～[28]《肘后方》76页。

治卒患胸痹痛方第二十九

胸痹之病，令人心中坚痞急痛，肌中苦痹，绞急如刺，不得俯仰，其胸前及背皆痛，手不得犯，胸满短气，咳唾引痛，烦闷自汗出，或彻引背膂，不即治，数日杀人。治之方[1]

用雄黄、巴豆（去心皮，熬），右二味，先捣雄黄细筛，内巴豆，务熟捣之相和，丸如小豆，服一丸，不觉稍益。忌野猪肉、芦笋[2]。

又方：枳实，捣末，宜服方寸匕，日三夜一服[3]。

又方：栝楼实一枚，捣；薤白半升，切；白酒七升。右三味同煮，取二升，分温，再服[4]。

又方：栝楼实一枚，捣；薤白三两，切；半夏半升，汤洗去滑。右三味以白酒一斗同煮，取四升，温服一升，日三服，主胸痹不得卧，心痛彻背者[5]。

又方：橘皮半斤；枳实四枚，炙；生姜半斤。右三味切，以水五升，煮取二升，分再服[6]。

又方：枳实、桂等分。右二味捣，橘皮汤下方寸匕，日三服[7]。

仲景方神效

乌喙、干姜、桂各一分，细辛、茱萸、人参、贝母各二分。右七味合捣，蜜和，丸如小豆大。一服三丸，日三服之[8]。

若已差复发者

下韭根五斤，捣绞取汁，饮之立愈[9]。

［附方］

杜壬治胸膈痛彻背心，腹痞满气不得通，及治痰嗽

大栝楼，去穰取子，熟炒，别研，和子皮面糊为丸，如梧桐子大，米饮下十五丸[10]。

【文献及校勘】

[1]《外台》341 页，《肘后方》76 页，《医心方》150 页。"坚痞急痛""胸前及背皆痛""数日杀人"，《肘后方》作"坚痞忽痛""胸前皮皆痛""数日害人"。

[2]《外台》341 页，《肘后方》77 页。"不觉稍益。忌野猪肉、芦笋"，《肘后方》作"不效，稍益之"。

[3]《外台》341 页，《证类》324 页（《本草图经》引），《肘后方》77 页，《纲目》2080 页。"宜服"，《纲目》作"汤服"。

[4]《外台》341 页，《肘后方》77 页，《金匮》26 页，《千金方》243 页。"白酒七升"，《千金方》作"白酨浆一斗"。酨，醋浆也。

[5]《肘后方》77 页，《金匮》26 页。

[6]《外台》341 页，《金匮》26 页，《肘后方》77 页，《医心方》150 页下 8~9 行。

[7]《肘后方》77 页，《金匮》27 页。

[8]《肘后方》77 页。

[9]《外台》341 页，《肘后方》77 页，《医心方》150 页，《纲目》1592 页。"韭根"，《外台》作"薤根"。

[10]《肘后方》77 页。

治卒反胃呕㕮方第三十

葛氏治卒干呕不息方

破鸡子去白，吞中黄数枚则愈[1]。

又方：捣生葛根，绞取汁，服一升许[2]。

又方：甘蔗汁，温令热，服一升，日三服。一云：甘草汁。一方：生姜煮汁服一升[3]。

又方：灸腕后两筋中一夫，名间使，各七壮。灸心主尺泽亦佳[4]。

又方：人参、甘草各二两，生姜四两。右三味，水六升，煮取二升，分为三服[5]。

治卒呕㕮又厥逆方

用生姜半斤，去皮切之；橘皮四两，擘之。右二味，以水七升，煮三升，去滓，适寒温，服一升，日三服[6]。

又方：生薞薁藤断之，当汁出，器承取，饮一升。生葛藤尤佳[7]。

治卒㕮不止方

饮新汲井水数升，佳[8]。

又方：痛抓眉中央，闭气也[9]。

又方：以物刺鼻中。若以少许皂荚屑内鼻中，令嚏，则差[10]。

又方：但闭气抑引之[11]。

又方：好豉二升，煮取汁服之[12]。

又方：香苏浓煮汁，顿服一二升，良[13]。

又方：粢米三升，为粉，井花水服之，良[14]。

又方：枇杷叶一斤，拭毛，蜜炙，水一斗，煮取三升，分再服[15]。

又方：葛洪治呕哕，切芦根，水煮顿服一升[16]。

治食后喜呕吐者

烧鹿角灰二两，人参一两，捣末，服方寸匕，日三服，姚同[17]。

治人忽恶心不已方

薤白半斤，茱萸一两，枳实二枚，豉半升，米一合，枣四枚，盐如弹丸。右七味，水三升，煮取一升半，分为三服[18]。

又方：但多嚼豆蔻子，及咬槟榔，亦佳[19]。

治人胃反不受食，食毕辄吐出方

大黄四两，甘草二两。右二味，水二升，煮取一升半。分为再服之[20]。

治人食毕噫醋及醋心方

吴茱萸半斤，生姜六两，人参一两，大枣十二枚。右四味切，以水六升，煮取二升，绞去滓，分为三服，每服相去十里久[21]。

哕不止

半夏，洗，干，末之，服一匕，则立止[22]。

又方：附子四分，炮；干姜六分。右二味捣，苦酒丸如梧子，服三丸，日三，效[23]。

[附方]

张仲景方：治反胃呕吐大半夏汤

半夏三升，人参三两，白蜜一升，以水一斗二升，煎扬之一百二十遍，煮下三升半，温服一升，日再。亦治膈间痰饮[24]。

又方：主呕哕，谷不得下，眩悸，半夏加茯苓汤。

半夏一升，生姜半斤，茯苓三两，切，以水七升，煎取一升半，分温服之[25]。

《千金方》治反胃，食即吐

捣粟米作粉，和水，丸如梧子大七枚，烂煮，内醋中，细吞之，得下便已。面亦得用之[26]。

又方：治干哕。

若手足厥冷，宜食生姜，此是呕家圣药[27]。

治心下痞坚，不能食，胸中呕哕

生姜八两，细切，以水三斤，煮取一升，半夏五合，洗去骨，以水五升，二味合煮，取一斤半，稍稍服之[28]。

又方：主干呕。

取羊乳一杯，空心饮之[29]。

《斗门方》治翻胃

用附子一个，最大者，坐于砖上，四面著火，渐逼碎，入生姜自然汁中，又依前火逼干，复淬之，约生姜尽，尽半碗许，捣罗为末，用粟米饮下一钱，不过三度，差[30]。

《经验方》治呕逆反胃散

大附子一个，生姜一斤，细剉，煮，研如面糊，米饮下之[31]。

又方：治丈夫、妇人吐逆连日不止，粥食汤药不能下者，可以应用此候效就摩丸。

五灵脂，不夹土石拣精好者，不计多少，捣罗为末，研狗胆汁，和为丸，如鸡头大。每服一丸，煎热生姜酒，摩令极细，更以少生姜酒化以汤，汤药令极热，须是先做下，粥温热得所，左手以患人，药吃不得，漱口，右手急将粥与患人吃，不令太多[32]。

又方：碧霞丹，治吐逆立效。

北来黄丹四两，筛过，用好米醋半升，同药入铫内，煎令干，却用炭火三秤，就铫内锻透红，冷，取研细为末，用粟米饭，丸如桐子大。煎醋汤下七丸，不嚼，只一服[33]。

《孙真人食忌》治呕吐

以白槟榔一颗，煨，橘皮一分，炙，为末，水一盏，煎半盏服[34]。

《广济方》治呕逆不能食

诃梨勒皮二两，去核，熬为末，蜜和，丸如梧桐子大。空心服二十丸，日二服[35]。

《食医心镜》主脾胃气弱，食不消化，呕逆反胃，汤饮不下

粟米半升，杵细，水和，丸如梧子大。煮令熟，点少盐，空心和汁吞下[36]。

《金匮玉函方》治五噎，心膈气滞，烦闷，吐逆不下食

芦根五两，剉，以水三大盏，煮取二盏，去滓，不计时温服[37]。

《外台秘要》治反胃。昔幼年经患此疾，每服食饼及羹粥等，须臾吐出。贞观许奉御兄弟及柴蒋等家，时称名医，奉敕令治，罄竭各人所长，竟不能疗，渐羸惫，侯绝朝夕，忽有一卫士云：服驴小便极验。且服二合，后食惟吐一半，晡时又服二合，人定时食粥，吐即便定，迄至今日，午时奏之，大内中五六人患反胃，同服一时俱差。此药稍有毒，服时不可过多，承取尿及热服二合，病深七日以来，服之良，后来疗人并差[38]。

又方：治呕。

麻人三两，杵，熬，以水研取汁，著少盐吃，立效。李谏议用，极妙[39]。

又方：治久患咳噫，连咳四五十声者。

取生姜汁半合，蜜一匙头，煎令熟，温服，如此三服，立效[40]。

又方：治咳噫。

生姜四两，烂捣，入兰香叶二两，椒末一钱匕，盐和面四两，裹作烧饼，熟煨，空心吃，不过三两度，效[41]。

《孙尚药》治诸吃噫

橘皮二两，汤浸去瓤，剉，以水一升，煎之五合，通热烦服，更加枳壳一两，去瓤，炒，同煎之，服效[42]。

《梅师方》主胃反，朝食暮吐，旋旋吐者

以甘蔗汁七升，生姜汁一升，二味相和，分为三服[43]。

又方：治醋心。

槟榔四两，橘皮二两，细捣，为散，空心生蜜汤下方寸匕[44]。

《兵部手集》治醋心，每醋气上攻如酽醋

吴茱萸一合，水三盏，煎七分，顿服。纵浓亦须强服，近有人心如蜇破，服此方后二十年不发[45]。

【文献及校勘】

[1]《外台》188页，《证类》399页，《肘后方》77页。"则愈"，《证类》作"差"。

[2]《外台》188页，《证类》196页，《肘后方》77页，《医心方》212页，《纲目》1279页。"生葛根"，《肘后方》《医心方》作"葛根"。

[3]《外台》188页，《证类》471页，《肘后方》77页，《纲目》1889页。"服一升"，《证类》《纲目》作"服半升"。"生姜煮汁"，《证类》《肘后方》脱"煮"字。按，生姜刺激性很强，不可能服一升。"一方：生姜煮汁服一升"，《肘后方》作"一方：生姜汁服一升"。按，"煮汁"与"汁"不同，纯生姜汁刺激性很大，不能服一升。

[4]《肘后方》77页，《医心方》212页。"一夫"，《肘后方》原作"一穴"，据《医心方》改。

[5]《肘后方》77页。

[6]《肘后方》77页，《医心方》211页。

[7]《外台》189页，《肘后方》77页，《纲目》1887页。此条，《纲目》作"蘡薁藤煎汁，呷之"。

[8]《外台》190页，《肘后方》77页，《医心方》212页，《纲目》400页。"数升"，《纲目》作"一升"。

[9]《外台》189页，《肘后方》77页，《医心方》212页。此条引《外台》文，《肘后方》作"痛爪眉中间夹间气也"。

[10]《外台》189页，《肘后方》77页，《医心方》212页。此条引《外台》文。"若以少许"，《肘后方》作"各一分来许"。

[11]《外台》189 页，《肘后方》77 页，《医心方》212 页。"抑引之"，《肘后方》原作"仰引之"，据《医心方》《外台》改。

[12]《外台》189 页，《肘后方》78 页，《医心方》212 页。

[13]《肘后方》78 页，《纲目》921 页。此条，《纲目》注出处为《千金方》。"顿服"，《肘后方》作"头服"。

[14]《肘后方》78 页，《纲目》1474 页。"粢米三升，为粉"，《纲目》作"粢米粉"。

[15]《外台》189 页，《肘后方》78 页，《医心方》212 页。

[16]《外台》189 页，《证类》271 页（《本草图经》引），《肘后方》78 页，《医心方》212 页，《纲目》1002 页。此条引《证类》文。

[17]《肘后方》78 页，《纲目》2852 页。

[18]《肘后方》78 页，《医心方》210 页。

[19]《肘后方》78 页，《医心方》210 页，《纲目》868 页。此条，《纲目》作"多嚼白豆蔻子最佳"。

[20]《肘后方》78 页，《医心方》206 页。"水二升"，《医心方》作"水三升"。

[21]《外台》194 页，《肘后方》78 页，《医心方》210 页。"绞去滓，分为三服，每服相去十里久"，《肘后方》原作"分为再服也"，据《外台》改。

[22]～[30]《肘后方》78 页。

[31]～[38]《肘后方》79 页。

[39]～[45]《肘后方》80 页。

治卒发黄疸诸黄病方第三十一

治黄疸方

取蔓菁子捣细末，平旦以井花水和一大匙服之。日再，渐加至两匙，以知为度。每夜小便浸少许帛，各书记，色渐退白，则差。不过服五升以来，必差[1]。

又方：烧乱发服一方寸匕，日三，秘验，酒饮并得[2]。

又方：捣生麦苗，水和，绞取汁服三升。以小麦胜大麦，一服六七合，日三四，此治酒疸也[3]。

又方：藜芦，著灰中炮之，令小变色。捣下筛末，服半钱匕，当小吐，不过数服。此秘方也[4]。

又方：鸡矢白、小豆、秫米各二分。右三味捣筛为末，分为三服。黄汁当出，此通治面目黄，即差[5]。

139

疸病有五种，谓黄疸、谷疸、酒疸、女疸、劳疸也。黄汗者，身体四肢微肿，胸满不得汗，汗出如黄檗汁，由大汗出，卒入水所致[6]。**方**

猪脂一升，成煎者，温令热，尽服之，日三，燥矢当下，下则稍愈，便止[7]。

又方：栀子十五枚，栝楼子三枚，苦参三分。右三味捣末，以苦酒渍鸡子二枚令软，合黄白以和药，捣丸如梧子大，每服十丸，日五六，除热，不吐，即下，自消也[8]。

又方：生地黄三斤，剉；黄雌鸡一只，治之。右二味，将生地黄，内鸡腹中，急缚仰置铜器中，蒸令极熟，绞取汁，再服之[9]。

又方：生茅根一把，细切。以猪肉一斤合作羹，尽啜食之[10]。

又方：柞树皮烧末，服方寸匕，日三服[11]。

又方：栀子十五枚，黄檗十五分，甘草一尺。右三味，水四升，煮取一升半，分为再服。此药亦治温病发黄[12]。

又方：茵陈六两，大黄二两，栀子十四枚。右三味，水一斗二升，先煮茵陈取六升，去滓，内二物，煮取三升，分为三服。此方亦治谷疸，及天行发黄[13]。

又方：麻黄一大把，去节。右一味，酒五升，煮取二升半，可尽服，汗出差[14]。

若变成疸者多死，急治之方

土瓜根捣取汁。服一升，平旦服至食时，病从小便去则愈。不忌，先须量病人气力，不得多服。力衰则起不得[15]。

谷疸者，食毕头旋，心怫郁不安而发黄，由失饥大食，胃气冲熏所致。治之方

茵陈四两，切；大黄二两；栀子七枚。右三味，以水一斗，先煮茵陈取六升，以汁煎二物得二升，分为三服，黄从小便去，病出立愈[16]。

又方：苦参三两，龙胆草一两。右二味下筛，牛胆汁和丸。先食，以麦粥饮服如梧子大五丸，日三，不知稍增[17]。

酒疸者，心中懊痛，足胫满，小便黄，饮酒面发赤斑黄黑，由大醉当风入水所致。治之方

黄者二两，木兰一两。右二味为散，酒服方寸匕。日三[18]。

又方：大黄一两，枳实五枚，栀子七枚，香豉一升。右四味切，以水六升，煮取二升，去滓，温服七合，日三服[19]。

又方：芫花、椒目各等分。右二味，捣下筛为散，平旦服一钱匕，老少半服之。药攻两胁则下便愈。间一日复服，使小减如前[20]。

女劳疸者，身目皆黄，发热恶寒，小腹满急，小便难。由大劳大热交接，交接后入水所致。治之方

消石，熬黄；矾石，烧令汁尽。右二味等分，捣，绢筛，以大麦粥汁和服方寸匕，日三，重衣覆取汗，病随大小便去，小便正黄，大便正黑也[21]。

又方：乱发大如鸡子一枚，猪膏半斤。右二味，内发膏中煎之，发消尽研，绞去膏细滓，分二服，病从小便去也[22]。

治时行发黄方

茵陈（切）一升，栀子十二枚，大黄二两。右三味，以水一斗，先煮茵陈取五升，去滓，内二物，又煮取三升，分四服。亦可兼取黄疸中杂治法，差[23]。

又方：茵陈（切）一升，栀子三七枚，好豉一升，生葛根汁二升。前三味，水五升，煮取三升，去滓，内生葛根汁，分为五服[24]。

又方：捣土瓜根，绞取汁，饮一升至二三升[25]。

又方：切竹煮饮之[26]。

又方：竹叶（切）五升，小麦七升；石膏三两，末，绵裹之。右三味，以水一斗五升，煮取七升，一服一升，尽吃即差也[27]。

又方：醋酒浸鸡子一宿，吞其白数枚[28]。

又方：金色脚黄雌鸡，血在，治如食法，煮熟食肉，饮汁令尽，不愈再作，亦可下少盐豉，佳[29]。

治急黄方

比岁又有肤黄病，初唯觉四体沉沉不快，须臾，见眼中黄，渐至面黄，及举身皆黄，急令溺白纸，纸即如檗染者，此热毒已入内。急治之[30]。

若初觉黄，便作瓜蒂赤豆散

瓜蒂二小合，赤小豆二合。右二味捣筛为散，直吹鼻中，鼻中黄汁出数升者，多差[31]。

急黄若已深，应看其舌下两边，有血脉弥弥处，芦刀割破之，紫血出数升，亦歇。然此须惯解割者，不解割，忽乱伤舌下青脉，血出不止，便杀人。止血方可烧纺轮铁，以灼此脉令焦。破灼以后，禁诸杂食[32]。

又方：兼瓜蒂杂巴豆捣为丸服之。大小便亦去黄汁。又云：有依黄坐，黄复，须分别之[33]。

[辑佚方]

灸黄疸法

葛氏灸脾俞百壮，穴在第十一椎下，两旁一寸半[34]。

又方：灸手太阴随年壮，穴在手大指端[35]。

又方：灸钱孔百壮，穴度乳至脐中，屈筋头骨是[36]。

又方：灸胃管百壮，穴在鸠尾齐中[37]。

[附方]

《外台秘要》治黄疸

柳枝，以水一斗，煮取浓汁半斤，服令尽[38]。

又方：治阴黄，汗染衣，涕唾黄。

取蔓菁子捣末，平旦以井花水服一匙，日再加至两匙，以知为度，每夜小便重浸少许帛子，各书记，日色渐退，白则差，不过服五升[39]。

《图经》曰：黄疸病及狐惑病并猪苓散主之

猪苓、茯苓、术，等分，杵末，每服方寸匕，水调下[40]。

《食疗》云：主心急黄

以百合蒸过，蜜和食之。作粉尤佳。红花者名山丹，不堪食[41]。

治黄疸

用秦艽一大两，细锉，作两帖子，以上好酒一升，每帖半升酒，绞取汁，去滓，空腹分两服。或利便止就中，好酒人易治。凡黄有数种，伤酒曰酒黄，夜食误食鼠粪亦作黄，因劳发黄多痰涕，目有赤脉，日益憔悴，或面赤恶心者是。崔元亮用之，及治人皆得方极效。秦艽须用新罗纹者[42]。

《伤寒类要》疗男子、妇人黄疸病，医不愈，耳目悉黄，食饮不消，胃中胀热，生黄衣；在胃中有干矢，使病尔

用煎猪脂一小升，温热顿服之，日三，燥矢下去乃愈[43]。

又方：治黄百药不差。

煮驴头、熟，以姜、齑啖之，并随多少饮汁[44]。

又方：治黄疸，身眼皆如金色。

不可使妇人、鸡、犬见，取东引桃根，切细如著，若钗股以下者一握，以水一大升，煎取一小升，适温空腹顿服。后三五日，其黄离离如薄云散，唯眼最后差，百日方平复。身黄散后，可时时饮一盏清酒，则眼中易散，不饮则散迟。忌食热面、猪、鱼等肉。此是徐之才家秘方[45]。

《正元广利方》疗黄，心烦热，口干，皮肉皆黄

以秦艽十二分，牛乳一大升，同煮，取七合，去滓，分温再服，差。此方出于许人则[46]。

【文献及校勘】

[1]《外台》142 页，《肘后方》80 页。又《外台》136 页及 138 页皆重见此方，但未注明出于《肘后方》。此条引《外台》文，《肘后方》文相对简略一些。"蔓菁子"，《肘后方》作"芜菁子"。

[2]《外台》139 页，《证类》363 页，《肘后方》80 页，《纲目》2932 页。此条引《外台》文，《证类》《肘后方》引文互有出入。

[3]《肘后方》80 页，《外台》139 页。此条，《外台》文与《肘后方》文略异。

[4]《证类》251 页，《肘后方》80 页。

[5]《肘后方》80 页，《纲目》2603 页。"黄汁当出"，《纲目》作"水下当有黄汁出也"。

[6]《肘后方》80 页，《医心方》231 页，《纲目》812 页，《证类》389 页。此条，《医心方》作"葛氏方云：黄病有五种，谓黄汗、黄疸、谷疸、酒疸、女劳疸也"。"黄汗者"，《肘后方》原作"黄汁者"，据《证类》改。"黄檗汁，由"，《肘后方》原作"黄檗汁，油"，据《证类》改。

[7]《外台》140 页，《证类》389 页，《肘后方》80 页，《纲目》2689 页。"燥矢当下"，《肘后方》《证类》作"当下"，无"燥矢"二字。

[8]《肘后方》80 页。

[9]《肘后方》80 页。"极熟"，商务本《肘后方》注云："熟，另本作热"。

[10]《外台》139 页，《肘后方》81 页，《医心方》231 页，《纲目》812 页。

[11][12]《肘后方》81 页。

[13]《肘后方》81 页，《外台》145 页。此条，《外台》引文略异。

[14]《外台》138 页，《金匮》42 页下末行，《肘后方》81 页。

[15]《外台》143 页，《证类》220 页，《医心方》233 页，《肘后方》81 页。此条，《肘后方》作"土瓜根捣取汁，顿服一升，至三服，须病汗，当小便去，不尔，更服之"。

[16]《外台》145 页，《肘后方》81 页，《医心方》232 页。"黄从小便去，病出立愈"，《肘后方》作"溺去黄汁差"，《医心方》作"溺当去黄汁"。此条和注[13]相似。

[17]《外台》145 页，《证类》198 页，《肘后方》81 页，《纲目》800 页、816 页。此条，《证类》《肘后方》作"苦参三两，龙胆一合，末，牛胆丸如梧子，以生麦汁服五丸，日三服"。

[18]《外台》144 页，《证类》178 页，《肘后方》81 页，《纲目》698 页、1935 页。"木兰"，《外台》作"木兰皮"；《纲目》698 页作"木兰"，《纲目》1935 页作"木兰皮"。

[19]《外台》144 页，《肘后方》81 页，《金匮》42 页。"香豉一升"，《肘后方》作"豉六合"。

[20]《外台》145 页，《肘后方》81 页，《纲目》1216 页。此条引《外台》文，《肘后方》作

"芫花、椒目等分，烧末，服半钱，日一两遍"。

[21]《外台》143 页，《肘后方》81 页，《金匮》42 页。此条引《外台》文，《肘后方》作"消石、矾石等分，末，以大麦粥饮服方寸匕，日三，令小汗出，小便当去黄汁也"。

[22]《外台》136 页，《肘后方》81 页，《金匮》42 页，《证类》363 页，《纲目》2932 页。此条引《外台》文，《肘后方》作"乱发如鸡子大，猪膏半斤，煎令消尽，分二服"。

[23] 此条与注 [13] 相似。注 [13] 的方中用栀子十四枚、茵陈六两，本方用栀子十二枚、茵陈一升。

[24] 商务本《肘后方》43 页。

[25] 商务本《肘后方》43 页。"捣土瓜根"，《肘后方》原作"捣生瓜根"，据文义改。

[26] 商务本《肘后方》43 页。"之"字后，《肘后方》原有"如饮"二字，并注云："另本无如饮二字"。

[27] 商务本《肘后方》43 页，《纲目》2165 页。"一服一升，尽吃即差也"，《纲目》作"细服，尽剂愈"。

[28] 商务本《肘后方》43 页，《纲目》2609 页。

[29] 商务本《肘后方》43 页，《纲目》2589 页。"不愈再作，亦可下少盐豉"，《肘后方》作"不过，再作亦可，下少盐豉"。

[30] 商务本《肘后方》43 页。

[31] 商务本《肘后方》43 页，《外台》138 页。

[32] [33] 商务本《肘后方》43 页。

[33] ～ [37]《医心方》232 页。

[38] ～ [41]《肘后方》81 页。

[42] ～ [46]《肘后方》82 页。

治卒患腰胁痛诸方第三十二

葛氏治卒腰痛诸方，不得俯仰方

正立倚小竹，以度其人足下至脐，断竹，及以度之背后当脊中，灸竹上头处，随年壮，毕，藏竹，勿令人得矣[1]。

又方：鹿角，长六寸，烧，捣筛为末，以酒服方寸匕。陶云：鹿茸尤良[2]。

又方：鳖甲一枚，炙令黄，捣筛，服方寸匕，食后，日三服[3]。

又方：附子二分，炮；桂心八分；丹皮四分，去心。右三味，捣筛为末，以酒服一刀圭，日再服[4]。

腰痛，皆犹肾气虚弱，卧冷湿地当风所得，不时差，久久流入脚膝，冷痹疼弱重滞，或偏枯，腰脚疼挛，脚重急痛。治之方

附子一枚大者，炮；桂心、细辛各二两；茯苓三两；防风、独活、杜仲各二两；秦芜三两；牛膝、芍药（白者）各二两；芎䓖、干地黄各三两。右十二味切，以水一斗，煮取三升，分三服。温将息，勿取冷，宜用蒴藋叶火燎，厚安床上，及热卧上，冷即易之。冬月取根捣用，事须熬之。忌芜荑、生葱、生菜、海藻、菘菜、酢物[5]。

治诸腰痛，或肾虚冷腰疼痛、阴痿方

干漆（熬烟绝）十二分，桂心八分，附子四分，杜仲、牛膝各十二分，巴戟天（去心）十二分，狗脊八分，山茱萸、干薯蓣、五加皮各十分，防风六分，独活八分。右十二味捣，炼蜜丸如梧子大，空腹酒下二十丸。日再加减，以知为度也。大效[6]。

胁痛如打方

大豆半升，熬令焦。以好酒一升，煮之，令沸，热饮取醉[7]。

又方：菊花、芫花、羊踯躅各二升。右三味，以醋拌令湿润，分为两剂，内二布囊中蒸之，如炊一斗米许顷，适寒温，隔衣熨之，冷即易熨，痛处定即差[8]。

又方：去穷骨上一寸，灸七壮，其左右各一寸，灸七壮，差[9]。

治积年久腰痛，有时发动方

干漆五分；桂一尺；干地黄十分；甘草五分，灸；白术五分。右五味捣末，以酒服方寸匕，日三。忌桃、李、雀肉、生葱、海藻、菘菜、芫荑等[10]。

又方：六七月取地肤子，阴干，末，服方寸匕，日五六服[11]。

治反腰有血痛方

杜仲三升许，捣，以苦酒和涂痛上，干复涂。并灸足踵白肉际，三壮[12]。

治臂腰痛

生葛根，削之，嚼之，咽其汁，多多益佳[13]。

又方：生地黄，捣，绞取汁三升，煎取二升，内蜜一升，和煎之三五沸，日服一升，亦可一日尽三升，以差止，甚效[14]。

又方：灸腰眼中，七壮[15]。

臂腰者，犹如反腰，忽转而挽之[16]。

治腰中常冷痛，如带钱方

术四两，茯苓四两，甘草二两，干姜二两。右四味，水五升，煮取三升，分为三服。小品云温[17]。

治胁卒痛如打方

以绳横度两乳中间，屈绳从乳横度，以起痛胁下，灸绳下屈处三十壮，便愈。此本在杂治中[18]。

陶隐居效方，治腰背痛方

杜仲一斤，切。酒二斗，渍十日，服三合[19]。

[辑佚方]

治腰胁卒痛背痛方

大豆二升，酒三升，煮取二升，顿服，佳[20]。

又方：捣桂筛三升许，以苦酒和涂痛上，干复涂[21]。

[附方]

《千金方》治腰脚疼痛

胡麻一升，新者，熬令香，杵、筛，日服一小升，计服一斗，即永差。酒、饮、蜜、汤、羹汁皆可服之，佳[22]。

《续千金方》治腰膝疼痛伤败

鹿茸，不限多少，涂酥，炙紫色，为末，温酒调下一钱匕[23]。

《经验方》治腰脚痛

威灵仙一斤，洗干，好酒浸七日，为末，面糊丸桐子大，以浸药酒下二十丸[24]。

《经验后方》治腰疼神妙

用破故纸为末，温酒下三钱匕[25]。

又方：治肾虚腰脚无力。

生栗袋贮，悬干，每日平明吃下十余颗，次吃猪肾粥[26]。

又方：治丈夫腰膝积冷痛或顽麻无力。

菟丝子，洗，称一两，牛膝一两，同浸于银器内，用酒过一寸，五日暴干，为末，将元浸酒再入少醇酒作糊，溲和，丸如梧桐子大，空心酒下二十丸[27]。

《外台秘要》疗腰痛

取黄狗皮，炙，裹腰痛处，取暖彻为度，频即差也。徐伯玉方同[28]。

《斗门方》治腰痛

用大黄半两，更入生姜半两，同切如小豆大，于铛内炒令黄色，投水两碗，至五更初顿服，天明取下腰间恶血物，用盆器贮，如鸡肝样，即痛止[29]。

又方：治腰重痛。

用槟榔为末，酒下一钱[30]。

《梅师方》治卒腰痛，暂转不得

鹿角一枚，长五寸，酒二升，烧鹿角令赤，内酒中浸一宿，饮之[31]。

崔元亮《海上方》治腰脚冷风气

以大黄二大两，切如棋子，和少酥，炒令酥尽，入药中，切不得，令黄焦，则无力，捣筛为末，每日空腹以水大三合，入生姜两片如钱，煎十余沸，去姜，取大黄末两钱，别置碗子中，以姜汤调之，空腹顿服，如有余姜汤，徐徐呷之，令尽，当下冷脓多恶物等，病即差止。古人用毒药攻病，必随人之虚实而处置，非一切而用也。姚僧垣初仕，梁武帝因发热欲服大黄。僧垣曰：大黄乃是快药，至尊年高，不可轻用。帝弗从，几至委顿。元帝常有心腹疾，诸医咸谓宴用平药可渐宣通，僧垣曰：脉洪而实，此有宿食，非用大黄无差理。帝从而遂愈。以此言之，今医用一毒药而攻众病，其偶中病，便谓此方之神奇，其差误乃不言，用药之失，如此者众矣，可不戒哉[32]。

《修真方》神仙方

菟丝子一斗，酒一升，浸良久，漉出，暴干，又浸，以酒尽为度。每服二钱，温酒下，日二服，后吃三五匙水，饭压之，至三七日加至三钱匕服之，令人光泽，三年老变为少。此药治腰膝去风，久服延年[33]。

【文献及校勘】

[1]《外台》471页，《肘后方》82页，《医心方》156页。此条《外台》文略异。

[2]《外台》471页，《证类》377页，《肘后方》82页，《纲目》2851页。此条引《外台》文，《肘后方》文略异。此条，《证类》作"肾脏虚冷，腰脊痛如锥刺，不能动摇，鹿角屑二大两，熬令微黄捣末，空腹，暖酒一杯，投鹿角末方寸匕服之，日三两服"。

[3]《外台》467页，《证类》426页，《肘后方》82页，《纲目》2505页。此条，《纲目》作"鳖甲，炙，研末，酒服方寸匕，日二"。

[4]《外台》471页，《肘后方》82页。

[5]《外台》469页，《千金方》166页、167页，《肘后方》82页。此条引《外台》文，《肘后方》文略异。

[6]《肘后方》82页。

[7]《外台》470页，《肘后方》83页，《证类》486页，《纲目》1503页。此条，《外台》引文略异。"胁痛"，《证类》作"肠痛"。

[8]《外台》468页，《肘后方》83页。此条，《肘后方》作"芫花菊花等分，踯躅花半斤，布囊贮，蒸令热，以熨痛处，冷复易之"。

[9]《外台》471页，《肘后方》83页，《医心方》156页。"去穷骨"，《外台》作"灸脊穷骨"。

[10]《外台》471页，《肘后方》83页。"白术"，原作"水"，据《外台》改。

［11］《证类》187 页，《肘后方》83 页，《纲目》1059 页。"六七月"，《纲目》作"六月、七月"。又，"阴干，末，服"，《证类》《纲目》并作"干末，酒服"。

［12］《肘后方》83 页，《医心方》156 页。

［13］《证类》196 页（《本草图经》引），《肘后方》83 页，《医心方》156 页，《纲目》1279 页。"臀腰痛"，《肘后方》作"肾腰痛"，《医心方》作"概腰痛"。"生葛根，削之"，《肘后方》原无"削之"二字，据《医心方》补。

［14］《外台》470 页，《肘后方》83 页，《医心方》156 页。此条引《外台》文，《肘后方》《医心方》引文互异。

［15］《肘后方》83 页。

［16］《肘后方》83 页。"挽之"，《肘后方》作"倪立"。

［17］《肘后方》83 页。

［18］《肘后方》83 页，《医心方》151 页。"以起"，《肘后方》原作"以趁"，据《医心方》改。

［19］《肘后方》83 页，《证类》305 页。"酒二斗"，《证类》作"酒二升"。

［20］《证类》486 页，《纲目》1503 页。

［21］《证类》290 页，《医心方》156 页，《纲目》1931 页。此条引《证类》文，《纲目》作"桂末，和苦酒涂之，干，再上"。"捣桂筛"，《医心方》作"捣桂下筛"。

［22］～［25］《肘后方》83 页。

［26］～［33］《肘后方》84 页。

治虚损羸瘦不堪劳动方第三十三

治人素有劳根，苦作便发，则身百节皮肤，无处不疼痛。或热筋急。治之方

取白柘东南行根一尺，刮去上皮，取中间皮以烧屑。亦可细切捣之，以酒服三方寸匕，厚覆取汗。日三服，无酒以浆服之。白柘是柘之无刺者也[1]。

治卒连时不得眠方

暮以新布火炙以熨目，并蒸大豆，更番囊贮枕，枕冷，复更易热，终夜常枕热豆，即立愈[2]。

此二条本在杂治中，并皆虚劳，患此疾，虽非乃飙急，不即治，亦渐瘵人，后方营救，为力数倍，今故略载诸法[3]。

凡男女因积劳虚损，或大病后不复常，若四体沉滞，骨肉疼酸，吸吸少气，行动喘惙，或小腹拘急，腰背强痛，心中虚悸，咽干唇燥，面体少色，或饮食无味，阴阳痿弱，悲忧惨戚，多卧少起，久者积年，轻者才百日，渐至瘦削，五脏气竭，则难可复振。治之方

桂三两；芍药四两；大枣二七枚；甘草二两；生姜五两，无者亦可用干姜；饴八两。右六味，以水九升，先煮五物取三升，去滓，内饴，分三服。间日复作一剂。复可将诸丸散耳。黄耆加二两，人参二两，为佳。若患痰满，及溏泄，可除饴耳。姚同[4]。

又方：生地黄一斤，切；饴糖二升。乌雌鸡一头，治如食法，以右二味内腹内，急缚，铜器贮甑中，蒸五升米久，须臾，取出食肉，饮汁，勿啖盐。三月三度作之。姚云神良，并止盗汗[5]。

又方：牡蛎二两，白术四两，甘草一两，麦门冬四两，大枣二十枚，胶三两。右六味，水八升，煮取二升，分再服[6]。

又方：黄耆、枸杞根白皮、生姜各三两，甘草、麦门冬、桂各二两，生米三合。右七味，水九升，煮取三升，分四服[7]。

又方：羊肾一枚，切；术一升。右二味，以水一斗，煮取九升，服一升，日二三服，一日尽。冬月分二日服，日可再服[8]。

建中肾沥汤法诸丸方

干地黄四两，山茱萸二两，薯蓣二两，牡丹二两，茯苓二两，泽泻一两，桂二两，附子一两。右八味捣蜜丸如梧子，服七丸。日三，加至十丸。此是张仲景八味肾气丸方。治虚劳不足，大伤饮水，腰痛，小腹急，小便不利。又云：长服即去附子，加五味子，治大风冷[9]。

又方：黄连、苦参、忍冬、菖蒲各一升；车前子、枸杞子各一升。右六味捣，蜜丸如梧子大，服十丸，日三服[10]。

肾气大丸诸散方

桂半斤，术一斤，干地黄、茯苓、泽泻各四两。右五味捣筛，饮服方寸匕，日三两服，佳[11]。

又方：生地黄二斤，面一斤。右二味，捣，炒干，筛，酒服方寸匕，日三服[12]。

[**辑佚方**]

治筋实极方

筋实极，则手足爪甲或青或黄或黑乌黯，四肢筋急烦满。地黄煎方。

生地黄汁三升；生葛汁一升，澄清；大黄二两；生玄参汁一升；栀子人、升麻、麻黄（去节）、犀角屑各三两；石膏五两，碎；芍药四两。右十味切，以水七升，煮取二升，去滓，下地黄汁一两沸，次下葛汁等，煎取三升。分为三服，日再，忌芜荑[13]。

[附方]

枸杞子酒

主补虚，长肌肉，益颜色，肥健人，能去劳热。用生枸杞子五升，好酒二斗，研搦匀碎，浸七日，漉去滓，饮之。初以三合为始，后即任意饮之。《外台秘要》同[14]。

《食疗》补虚劳，治肺劳，止渴，去热风

用天门冬，去皮、心，入蜜煮之，食后服之。若暴干，入蜜丸尤佳。亦用洗面，甚佳[15]。

又方：雀卵白，和天雄末、菟丝子末，为丸，空心酒下五丸。主男子阴痿不起，女子带下，便溺不利，除疝瘕，诀痛肿，续五脏气[16]。

《经验方》暖精气，益元阳

白龙骨、远志，等分，为末，炼蜜丸，如梧桐子大。空心、卧时冷水下三十丸[17]。

又方：除盗汗及阴汗。

牡蛎为末，有汗处粉之[18]。

《经验后方》治五劳七伤，阳气衰弱，腰脚无力，羊肾苁蓉羹法

羊肾一对，去脂膜，细切，肉苁蓉一两，酒浸一宿，刮去皱皮，细切，相和作羹，葱白、盐、五味等，如常法事治，空腹食之[19]。

又方：治男子、女人五劳七伤，下元久冷，乌髭鬓，一切风病，四肢疼痛，驻颜，壮气。

补骨脂一斤，酒浸一宿，放干却用，乌油麻一升，和炒，令麻子声绝即播去，只取补骨脂，为末，醋煮，面糊丸，如梧桐子大。早晨温酒、盐汤下二十丸[20]。

又方：固阳丹。

菟丝子二两，酒浸十日，水淘，焙干，为末，更入杜仲一两，蜜炙，捣，用薯蓣末酒煮，为糊丸，如梧桐子大。空心用酒下五十丸[21]。

《食医心镜》益丈夫，兴阳，理腿膝冷

淫羊藿一斤，酒一斗，浸经三日，饮之佳[22]。

《御药院》治脚膝风湿，虚汗少力，多疼痛及阴汗

烧矾作灰，细研末，一匙头，沸汤投之，淋洗痛处[23]。

《外台秘要》补虚劳，益髓长肌，悦颜色，令人肥健

鹿角胶，炙，捣为末，以酒服方寸匕，日三服[24]。

又治骨蒸

桃人一百二十枚，去皮、双仁，留尖，杵，和为丸。平旦井花水顿服，令尽服讫，量性饮酒令醉，仍须吃水，能多最精，隔日又服一剂，百日不得食肉[25]。

又，骨蒸亦曰内蒸，所以言内者必外寒，内热附骨也。其根在五脏六腑之中，或皮燥而无光，蒸作之时，四肢渐细，足肤肿者。

石膏十分，研，如乳法和水服方寸匕，日再，以体凉为度[26]。

崔元亮《海上方》疗骨蒸鬼气

取童子小便五大斗，澄过，青蒿五斗，八月、九月采，带子者最好，细剉，二物相和，内好大釜中，以猛火煎取三大斗，去滓，净洗，釜令干，再泻汁安釜中，以微火煎可二大斗，即取猪胆十枚，相和，煎一大斗半，除火待冷，以新瓷器贮，每欲服时，取甘草二三两，熟炙捣末，以煎和捣一千杵，为丸。空腹粥饮下二十丸，渐增至三十丸止[27]。

【文献及校勘】

[1]《肘后方》84 页。

[2]《肘后方》85 页，《证类》486 页，《纲目》1504 页。"更番囊贮枕，枕冷，复更易热"，《证类》作"更番囊盛枕，枕冷后更易热"。

[3]《肘后方》85 页。"虽非乃飙急，不即治，亦渐瘵人"，商务本《肘后方》注云："另本作'虽非急飙，若不即治，亦即疗人'。"

[4]《肘后方》85 页，《千金方》308 页、350 页。"轻者才百日"，商务本《肘后方》注云："才，另本作热"。

[5] ~ [7]《肘后方》85 页。

[8]《肘后方》85 页，《纲目》2734 页。"术一升"，《纲目》作"米一升"。

[9]《肘后方》85 页，《千金方》355 页，《金匮》57 页。此条，《金匮》引文略异。

[10][11]《肘后方》85 页。

[12]《肘后方》86 页，《纲目》1023 页。"服"字后，《纲目》有"忌如法"三字。

[13]《外台》435 页。

[14] ~ [25]《肘后方》86 页。

[26][27]《肘后方》87 页。

治脾胃虚弱不能饮食方第三十四

治卒得食病似伤寒，其人但欲卧，七八日不治杀人方

按其脊两边当有陷处，正灸陷处两头，各七壮，即愈[1]。

治食鱼鲙及生肉，住胸膈中不消化，吐之不出，多成癥病方

朴消如半鸡子一枚，大黄二两。右二味，以酒二升，煮取一升，去滓，尽服之，立消。无朴消，用芒消、消石亦佳[2]。

治食生冷杂物，或寒时衣薄当风，夜食便卧不即消，心腹烦满痛胀急，或连日不化方

烧地令极热，即敷薄荐莞席，向卧覆取汗，即立愈也[3]。

治食过饱烦闷，但欲卧而腹胀方

曲，熬令香黄，捣为末，服方寸匕。大麦蘖亦佳。

此四条本在杂治中，皆食饮脾胃家事。令胃气充实，则永无食患。食宜先治其本，故后疏诸法[4]。

治腹中虚冷，不能饮食，食辄不消，羸瘦，四脚尪弱，百病因此互生

曲三斤；生地黄十斤，捣绞取汁。右二味，以地黄汁和曲，日曝干，更和汁尽止，末，食后，服半合，日三，稍增至三合[5]。

又方：曲半斤，麦蘖五升，豉五合，杏人三升。右四味皆熬令黄香，捣筛，丸如弹子大，服一枚，后稍增之[6]。

又方：大黄、芒消、芍药各一斤。右三味末之，以蜜三斤于铜器中汤上煎可丸，服如梧子十丸，日再服[7]。

又方：曲一斤，熬；吴茱萸一升，干姜十两。右三味捣为末，服方寸匕[8]。

又方：曲一斤，熬令黄；术二斤。右二味捣，蜜丸如梧子大。服三十丸，日三。若大冷，可加干姜三两。若患腹痛，加当归三两。羸弱加甘草二两，并长将息。治产后心下停水，除以曲术法，仍须利之[9]。

治脾胃气弱，水谷不得下，遂成不复受食方

大麻人三升；大豆二升，并熬令黄香。右二味捣筛，以饮服一方寸匕，渐加服[10]。

治饱食便卧，得谷劳病，令人四脚烦重，嘿嘿欲卧，食毕辄甚方

大麦蘖一升，熬；椒一两，熬；干姜三两。右三味捣末，服方寸匕。日三四服[11]。

[辑佚方]

治脾胃虚弱不能饮食方

曲半斤，熬；麦蘖五升半，熬；杏人一升，去尖皮熬。右三味捣筛，蜜和末，食后，服如弹丸一枚，渐增之[12]。

又方：曲一两，熬；麦蘖一两，熬；干姜一升，末；豉心一升，熬末；蜀椒一升，汗。右五味捣筛，以蜜拌，食后，酒服之方寸匕[13]。

又方：薤白一斤；枳实三两，炙；豉七合；大枣十二枚，擘；粳米二合；橘皮一两。右六味，以水七升先煮薤，得五升，内诸药，煮取二升半，分三服，日日作之[14]。

温脾丸方

法曲（熬）、小麦蘖（熬）各五合；枳实三枚，炙；厚朴（炙）三两；当归三两，桔梗一两；人参一两；甘草（炙）三两；麦门冬（去心）一两；茯苓三两；附子（炮）一两；桂心三两；干姜一两；细辛一两；吴茱萸五合。右十五味捣筛，蜜和丸如梧子，空腹饮服七丸，日三，亦可加大黄二两。忌海藻、菘菜、猪肉、冷水、生葱、生菜、酢物。此方主脾胃气弱，大腹冷则下痢，少腹热则小便难，气响腹满，喘气虚乏，干呕不得食。此方温中消谷，疗脾益气，名曰温脾丸[15]。

[附方]

《食医心镜》治脾胃气冷，不能下食，虚弱无力，鹘突羹

鲫鱼半斤，细切，起作鲙，沸豉汁热投之，著胡椒、干姜、莳萝、橘皮等末，空腹食之[16]。

《近世方》主脾胃虚冷，不下食，积久羸弱成瘵者

温州白干姜，一物浆水，煮令透心润湿，取出焙干，捣筛，陈廪米煮粥饮，丸如桐子。一服三五十丸，汤使任用，其效如神[17]。

《食疗》治胃气虚，风热，不能食

生姜汁半鸡子壳，生地黄汁少许，蜜一匙头，和水三合，顿服立差[18]。

《经验方》治脾元气发歇，痛不可忍者

吴茱萸一两，桃人一两，和炒，令茱萸焦黑后，去茱萸，取桃人，去皮、尖，研细，葱白三茎，煨熟，以酒浸，温分二服[19]。

《经验后方》治脾胃进食

茴香二两，生姜四两，同捣令匀，净器内湿纸盖一宿，次以银、石器中文武火炒令黄焦，为末，酒丸如梧子大。每服十丸至十五丸，茶、酒下[20]。

《外台秘要》治久患气胀

乌牛尿，空心温服一升，日一服，气散即止[21]。

【文献及校勘】

[1]《外台》857 页，《肘后方》87 页。"即愈"，《外台》作"则愈"。

[2]《外台》329 页，《肘后方》87 页，《纲目》651 页。"无朴消用芒消、消石亦佳"，《肘后方》作"若无朴消者，芒消代之皆可用"。

[3]《肘后方》87 页，《外台》858 页。此条，《外台》引文略异。

[4]《外台》858 页，《肘后方》87 页，《医心方》209 页，《证类》491 页，《纲目》1457 页。"曲，熬令香黄""大麦蘖亦佳"，《肘后方》作"熬面令微香""得大麦生面益佳，无面，以糜亦得"。

[5]《肘后方》87 页。"曲"，原作"面"，据《外台》诸方改。

[6]《肘后方》87 页，《纲目》1549 页。"曲"原作"面"，据《外台》引方改。

[7]《外台》857 页，《肘后方》87 页。"服如梧子十丸，日再服"，《肘后方》作"丸如梧子，服七丸至十九"。

[8]《外台》858 页，《肘后方》88 页。此条引《外台》文，《肘后方》作"曲一斤，干姜十两，茱萸一升，盐一弹，合捣，蜜和如弹丸，日三服"。

[9]《肘后方》88 页，《纲目》742 页。"除"，《肘后方》原作"徐"，据文义改。

[10]《外台》858 页，《肘后方》88 页，《医心方》208 页。此条引《外台》文，《肘后方》作"大麻子三升，大豆炒黄香，合捣，筛，食前一二寸匕，日四五服，佳矣"。"大豆"，《医心方》作"大豆黄卷"。

[11]《外台》858 页，《肘后方》88 页，《医心方》209 页，《纲目》1549 页。"日三四服"，《纲目》作"白汤下，日三"。又，《外台》引此方无"椒一两熬"。

[12][13]《外台》857 页。

[14]《外台》875 页，《医心方》208 页。此条引《医心方》，《外台》缺"橘皮一两"。

[15]《外台》444 页。

[16]～[21]《肘后方》88 页。

治卒绝粮失食饥惫欲死方第三十五

粒食者，生民之所资，数日乏绝，便能致命。本草有不饥之文，而医方莫言斯术者，当以其涉在仙奇之境，非庸俗所能遵故也。遂使荒馑之岁，饿尸横路，良可哀乎！今略载其易为者云：若脱值奔窜在无人之乡，及堕坠溪谷空井深冢之中，四顾迥绝，无可藉口者，便须饮水服气，其服法如左。闭口以舌料上下齿，取津液而咽之。一日得三百六十咽便佳，渐习乃可至千，自然不饥。三五日小疲极，过此便渐轻强。复有食十二时、六戊者诸法。恐危逼之地，不能晓方面及时之早晚，故不论此。若有水者，卒无器，便与左手贮。祝曰："丞掾吏之赐，真乏粮，正赤黄行无过，城下诸医以自防。"毕，三叩齿，右手指三叩左手。如此三遍，便饮之。后复有杯器，贮水尤佳。亦左手执，右手以物扣之如法。日服三升，便不复饥，即差[1]。

若可得游涉之地周行山泽间者

但取松、柏叶，细切，水服二合，日中二三升便佳[2]。

又方：掘取白茅根，洗净，切服之。此三物得行曝燥，石上捣碎服，服者食方寸匕，辟一日[3]。

又方：有大豆者，取三升，挼令光明匝热，以水服，尽此则解十日，赤小豆亦佳，得熬二豆黄末，服一二升，辟十日[4]。

又方：草中有术、天门冬、麦门冬、黄精、葳蕤、贝母，或生或熟，皆可单食[5]。

又方：树木上白耳及檀榆白皮，并可辟饥也[6]。

若遇荒年谷贵，无以充粮，应须药济命者

取稻米一斗，淘汰之，百蒸百曝，捣末，日食一飧，以水调之，服至三十日都止，则可终身不食，日行三百里[7]。

又方：粳米一斗，酒三升渍之，出曝之，以渍酒尽止，出，稍食之，渴饮之，辟三十日，足一斛二升，辟周年[8]。

有守中丸药法

其疏诸米豆者，是人间易得易作，且不乖谷气，使质力无减耳，恐肉秣之身，忽然专御药物，或非所堪。若可得频营，则自更按余所撰谷方中求也[9]。

[辑佚方]

若遇荒年谷贵，无以充粮，应预合诸药以济命方

粳米、䕏米、小麦、麻子（熬）、大豆黄卷各五合，捣末，以白蜜一斤，煎一沸，冷水中，丸如李，顿吞之，则终身不复饥之[10]。

［附方］

《圣惠方》绝谷升仙不食法

取松实捣为膏，酒调下三钱，日三，则不饥渴，饮水勿食他物，百日身轻，日行五百里[11]。

《野人闲话》云：伏虎尊师炼松脂法

十斤松脂，五度以水煮过，令苦味尽，取得后，每一斤炼了松脂，入四两茯苓末，每晨水下一刀圭，即终年不食而复延龄，身轻清爽[12]。

《抱朴子》云：汉成帝时，猎者于终南山见一人，无衣服，身皆生黑毛，跳坑越涧如飞，乃密伺其所在，合围取得，乃是一妇人。问之，言：我是秦之宫人，关东贼至秦，王出降，惊走入山，饥无所食，泊欲饿死，有一老公教我吃松柏叶、实，初时苦涩，后稍便吃遂不复饥，冬不寒，夏不热。此女是秦人，至成帝时三百余载也[13]。

【文献及校勘】

[1]《肘后方》88 页，《医心方》603 页。"无可藉口者"，《医心方》作"无可苏日者"。

[2]《肘后方》89 页，《医心方》604 页，《纲目》811 页。

[3]《肘后方》89 页，《医心方》604 页。

[5]《肘后方》89 页，《医心方》604 页。"葳蕤"，《医心方》作"土藷"。

[6]《肘后方》89 页，《医心方》604 页。"檀榆"，《医心方》作"桓榆"。

[7]《肘后方》89 页，《医心方》604 页，《纲目》1465 页。"则可终身不食，日行三百里"，《纲目》作"可一年不食"。

[8]《证类》489 页，《肘后方》89 页，《纲目》1468 页。"足一斛二升"，《证类》作"足一斗三升"。

[9]《肘后方》89 页。

[10]《医心方》604 页。

[11]～[13]《肘后方》89 页。

［辑佚方］治消渴小便多太数方

治卒消渴小便多方

猪脂未中水者，如鸡子一枚，炙，承取肥汁，尽服之，不过三剂，差[1]。

又方：羊肺一具，作羹，内少肉和盐、豉，如食法，任意进之，不过三具，差。

上二方主小便卒太数，复非淋，一日数十过，令人瘦[2]。

又方：取乌豆，置牛胆中，阴干百日，吞之，即差[3]。

又方：豉一升，内于盐中绵裹之，以白矾好者半斤，置绵上，令蒸之三斗米许时，即下白矾，得消入豉中，出曝干，捣末，服方寸匕[4]。

又方：熬胡麻令变色，研淘取汁，饮半合，日可三四服。不过五升，即差[5]。

又方：秋麻子一升，以水三升，煮三四沸，取汁饮之，无限，不过五升，差[6]。

又方：青粱米煮汁饮之，差，止[7]。

又方：桑根白皮，新掘，入地三尺者佳，炙令黄黑色，切，以水煮之，无问多少，但令浓，随意饮之无多少。亦可内少粟米，勿与盐[8]。

又方：浓煮竹根汁饮之，取差止[9]。

又方：多作竹沥，饮之恣口，数日愈，忌面、炙肉[10]。

又方：石膏半斤，捣碎，水一斗，煮取五升，稍饮五合[11]。

又方：酒煎黄檗汁，取性饮之[12]。

又方：捣黄连，绢筛，蜜和，服三十丸，治渴延年[13]。

又方：黄连末三斤；猪肚一枚，洗去脂膜。取黄连末内猪肚中蒸之，一石米熟即出之。曝干，捣，丸如梧子，服三十丸，日再服。渐渐加之，以差为度。忌猪肉[14]。

又方：黄连一斤，去毛；生地黄十斤。右二味捣，绞地黄取汁，渍黄连，出曝之燥，复内之，令汁尽，干捣之，下筛，蜜和，丸如梧子。服二十丸，日三服。亦可为散，以酒服方寸匕，日三服。尽更令作，即差止。忌猪肉、芜荑[15]。

又方：黄连末一斤，生地黄汁二升，生栝楼汁二升，生羊脂三升（牛脂亦得），好蜜四升。右五味捣合，银锅中熬，成煎，可丸如梧子，饮汁送五丸，日三服，加至十丸。主面黄，咽中干燥，手足俱黄，短气，脉如连珠，除热，止渴利。若苦冷而渴，差，即令别服温药。忌猪肉、芜荑[16]。

又方：黄连不限多少，生地黄汁，生栝楼汁，羊乳（无即用牛乳及人乳亦得）。右四味；取三般汁乳和黄连末，任多少，众手捻为丸，如梧子大，麦饮服三十丸。渐加至四十丸、五十丸。日三服。主岭南山瘴气，兼风热毒气入肾中，变成寒热，脚弱虚满而渴。轻者三日愈，重者五日愈。若药苦难服，即煮麦饮汁下亦得[17]。

又方：黄连六分；栝楼六分；汉防己六分；铅丹六分，研。右四味捣筛为散，每食后取醋一合，水二合，和服方寸匕，日三服。主消渴，肌肤羸瘦，或虚热转筋，不能自止，小便数。服药后，当强饮水，须臾恶水，不复饮矣[18]。

又方：栝楼根五两，薄切，炙，以水五升，煮取四升，随意饮之，良[19]。

又方：栝楼根、浮萍等分。右二味捣筛，以人乳汁和为丸如梧子，麦饮服二十丸。日三服，三年病，三日差[20]。

又方：铅丹、胡粉各二分，栝楼根、甘草各十分，泽泻、石膏、赤石脂、贝母各五分。右八味，冶，下筛，水服方寸匕，日三，壮人一匕半[21]。

又方：栝楼一斤，知母六分，茯苓四分，铅丹一分，鸡肶胵中黄皮十四枚。右五味为散，饮服方寸匕。日三，禁酒、生菜、肉。差后去铅丹，以蜜和之，以麦饮，长服勿绝，良。忌酢物[22]。

又方：栝楼根八分；知母五分；麦门冬六分，去心，土瓜根四分，人参四分；苦参四分。右六味捣筛，以牛胆和为丸如小豆，服二十丸，日三服，麦粥汁下。未知，稍加至三十丸。咽干者加麦冬；舌干加知母；胁下满加人参；小便难加苦参；小便数加土瓜根。随患加之一分[23]。

又方：破故屋瓦，煮之，多饮汁[24]。

治渴、小便利、复非淋方

小豆藿一把，捣取汁，顿服，日三[25]。

葛氏治小便卒太数；复非淋，一日数十过，令人疲瘦方

灸两足下第二指本节第一理七壮[26]。

又方：鸡肠草一把，熟捣，酒一升，渍一时，绞去滓，分再服[27]。

【文献及校勘】

[1]《外台》316页，《医心方》276页。

[2]《外台》316页。

[3]《证类》486页，《纲目》1504页。

[4]《外台》317页。

[5]《外台》316页。

[6]《外台》315页，《证类》483页，《纲目》1448页。"秋麻子"，《证类》无"秋"字。"不过五升，差"，《证类》作"过九升麻子，愈"。

[7]《外台》304页。

[8]《外台》316页，《证类》316页，《纲目》2064页。"内少粟米"，《证类》无"粟"字。

[9]《外台》304页。

[10]《外台》316页，《医心方》262页，《证类》317页，《纲目》2169页。此条，《证类》引

葛氏方云："卒消渴，小便多，作竹沥恣饮，数日愈"。

[11]《医心方》262 页，《证类》108 页，《纲目》547 页。

[12]《外台》316 页。

[13]《证类》176 页，《纲目》774 页。

[14]《外台》317 页。

[15]《外台》315 页。

[16][17]《外台》314 页。

[18]《外台》308 页，《医心方》264 页。

[19]《证类》197 页，《医心方》262 页，《纲目》1272 页。"栝楼根"，《证类》作"栝楼"，《医心方》作"栝楼根"，从《医心方》。

[20]《外台》314 页。

[21]《千金方》374 页。

[22]《外台》314 页。

[23]《外台》315 页。

[24]《医心方》262 页。

[25]《外台》307 页。

[26][27]《医心方》276 页。

[辑佚方]治睡中遗尿方

治少小睡中遗尿不自觉方

雄鸡肝、桂心。右二味等分，捣，丸，服如小豆一枚。日三服[1]。

又方：雄鸡喉咙及矢白、肶胵里黄皮烧末，麦粥清尽服之[2]。

又方：以赤鸡翅烧末，酒服三指撮。日三[3]。

又方：雄鸡矢白（熬）、桂心。右二味，等分，末。酒服方寸匕，日二。亦可除桂心[4]。

又方：取鹊巢中蓐，烧，水服一钱匕，即差[5]。

又方：蔷薇根，随多少，剉，捣，以酒饮之[6]。

又方：矾石（烧令汁尽）、牡蛎（熬）。右二味等分，末之，以粟米粥饮服方寸匕，日三[7]。

【文献及校勘】

[1]～[4]《外台》311 页。

[5][6]《外台》311 页，《千金方》376 页。

[7]《外台》311 页。

［辑佚方］治梦中泄精方

治梦泄精及小便失精方

韭子一升，熬；菟丝子二合；麦门冬一升，去心；芎䓖二两；泽泻一两半；白龙骨三两。右六味，捣筛，以酒服方寸匕，日三。不知，稍稍增之。甚者，夜一服[1]。

治男女梦与人交，精便泄出，此内虚邪气感发，治之方

熬韭子捣末，酒渍，稍稍服[2]。

又方：韭子一升，粳米一升。右二味，水四升，煮取升半，一服[3]。

又方：龙骨二分，术四分，桂二分，天雄一分。右四味捣末，酒服五分匕，日三[4]。

又方：两足内踝上一夫脉上，名三阴交。灸二十一壮，梦即断[5]。

又方：合手掌并大拇指，令两爪相近，以一主灸两际角令半入爪上三壮[6]。

葛氏治男女精平常自出，或闻见所好感动便已发，此肾气乏少，不能禁制方

巴戟天、石斛、黄耆分等，捣，酒服方寸匕，日三[7]。

又方：鹿茸一两，桂一尺，韭子一升，附子一枚，泽泻三两，捣末，服五分匕，日三[8]。

又方：牡丹炙令色变，捣末，服方寸匕，日三[9]。

又方：雄鸡肝、鲤鱼胆；令涂阴头[10]。

葛氏治男子溺精如米汁，及小便前后去精如鼻涕，或溺有余沥污衣。此皆内伤，令人虚绝，治之方

栝楼二分，滑石二分，石韦一分，捣末，以麦粥服方寸匕[11]。

又方：甘草、赤石脂分等，捣末，服方寸匕，日三[12]。

葛氏治失精，精中有血方

父蛾二七枚，阴干之，玄参称半分，合捣末，以米汁向旦日，一服令尽之[13]。

【文献及校勘】

［1］《外台》455 页。

［2］《证类》512 页。

［3］~［10］《医心方》285 页。

［11］《医心方》285~286 页。

[12] [13]《医心方》286 页。

［辑佚方］治诸淋方

葛氏治卒淋方

用鸡肠及繁蒌，若（或）菟丝，并可单煮饮之[1]。

又方：灸足大指前节上十壮良[2]。

又方：灸两足外踝中央，随年壮，有石即下[3]。

又方：但服葎草汁一升，不过三升，亦治石淋[4]。

又方：豉一升，水三升，渍少时，以盐一合内中，顿服[5]。

又方：以比轮钱三百文，以水一斗，煮取三升。饮之，神效[6]。

治五淋方

白茅根四斤，剉之，以水一斗五升，煮取五升，去滓，分三四服[7]。

治五淋方

别甲烧灰，捣，筛，为散。酒服方寸匕。频服数剂。当去石也[8]。

又方：取发髲烧灰，水服之良[9]。

又方：牡牛阴头毛烧灰末，酱汁服一刀圭，日再[10]。

又方：取燕矢末，以冷水服五钱匕，旦服，至食时，当尿石水[11]。

又方：取车前子二升，用绢囊盛之，以水八升，煮取三升，去滓，顿服之，移日又服。石当下也。宿勿食，服之，神良[12]。

又方：取故甑蔽，烧，三指撮服，即通[13]。

又方：石首鱼头中石一升，贝齿一升，合捣，细筛，以苦酒和，分为三分，宿不食，明旦服一分，日中服一分，暮服一分，明日旦，石悉下[14]。

葛氏治热淋方

取白茅根四斤之，剉之，水一斗五升，煮令得五升汁服，日三[15]。

又方：末滑石屑，水服一二合[16]。

治血淋方

石韦（去毛）、当归、芍药、蒲黄各等分。右四味为散，酒服方寸匕。日三服[17]。

陶氏方：取苎麻根十枝，以水五升，煮取二升。一服血止，神验[18]。

治妇人淋方

自取爪甲烧灰，水服。亦治尿血[19]。

【文献及校勘】

[1]《证类》521 页（《本草图经》引），《纲目》1650 页。

[2]～[5]《医心方》265 页。

[6]《外台》728 页。

[7]《外台》730 页，《证类》208 页、239 页，《纲目》812 页。"去滓，分三四服"，《证类》作"适冷暖饮之，日三服"。

[8]《外台》730 页，《证类》426 页，《纲目》2505 页。此条引《外台》文，《证类》及《纲目》文互不相同，但内容大概一致。

[9]《证类》363 页，《纲目》2928 页。此条，《纲目》作"发髲烧存性，研末，每服用一钱，井水服之"。

[10]《幼幼新书》24 页。

[11]《证类》402 页，《医心方》266 页。

[12]《外台》730 页，《证类》159 页，《纲目》1070 页。

[13][14]《医心方》266 页。

[15][16]《医心方》268 页。

[17]《外台》732 页。

[18]《外台》732 页，《证类》483 页。"苎麻根"，《证类》作"麻根"。

[19]《证类》365 页，《纲目》2936 页。

［辑佚方］治小便不利方

治小便不利方

桑螵蛸三十枚，黄芩一两。右二味切，以水一升，煮取四合，顿服之良[1]。

又方：滑石一分，蒲黄一分。右二味为散，酒服一匕，日三。大验[2]。

治小便不利，茎中痛剧，亦治妇人血结、腹坚痛方

牛膝饮方：生牛膝，一名牛唇，掘取根煮服之。立差[3]。

又陶效方：冬瓜子二两，秦艽二分。右二味捣为末，酒服一匕，日三服。神良[4]。

治热结小便不通利方

刮滑石屑，水和涂少腹及绕阴际，干复涂之[5]。

又方：取盐填满脐中，大作艾炷，灸令热为度，良[6]。

治小腹满不得小便方

细末雌黄，蜜丸如枣核大，内一丸溺孔中，令入半寸许，以竹管注阴令紧，嘣气通之[7]。

治小便不通方

车前子草一斤，水三升，煮取一升半，分三服[8]。

又方：乌桕根皮煎汤饮之[9]。

又方：用大蛞蝓二枚，取下体，以水一升渍饮，须臾即通[10]。

又方：取猪胆大如鸡子者，内热酒中服。姚云，亦治大便不通[11]。

又方：熬盐令热，内囊中，以熨少腹上[12]。

又方：以盐满脐，灸上三壮。已上小品方同之[13]。

又方：末滑石，水服方寸匕[14]。

又方：以衣中白鱼虫，内小孔中[15]。

治小便不通及关格方

生土瓜根捣取汁，以少水解之，筒中吹下部，取通[16]。

葛氏治卒关格大小便并不通，支满欲死，二三日则杀人方

取盐，以苦酒和，涂脐中，干复易之[17]。

又方：葵子二升，水四升，煮取一升，顿服之。内猪膏如鸡子一丸，亦佳[18]。

治小便不通，不得服滑药，急闷欲绝方

盐二升，大铛中熬，以布绵裹熨脐下，按之，小便当渐通也[19]。

治卒小便不通及胞转方

取鸡子中黄一枚服之，不过三服，佳[20]。

又方：水上浮萍，曝干，末，服之。小便不通利，水胀流肿佳[21]。

又方：炙桑螵蛸，捣为末，水服之方寸匕，日服良效[22]。

治小便忍久致胞转方

自取爪甲火烧服之[23]。

又方：取梁上尘三指撮，以水服之。神效[24]。

又方：服蒲黄方寸匕，日三服，良[25]。

治胞转不得小便方

用蒲席卷人倒立，令头至地。三反则通[26]。

【文献及校勘】

[1][2]《外台》742 页。

[3]《外台》742 页，《证类》153 页。此条引《外台》文，《证类》作"牛膝一大把并叶，不以

163

多少，酒煮饮之，立愈"。

［4］《外台》742 页。

［5］《外台》742 页，《千金方》382 页。

［6］《外台》742 页。

［7］《证类》104 页。

［8］《证类》159 页。

［9］《纲目》2051 页。

［10］《纲目》2316 页。

［11］《证类》389 页。

［12］《医心方》274 页，《千金方》380 页。

［13］《医心方》274 页，《千金方》380 页。此条引《医心方》文，《千金方》作"脐中著盐，灸之三壮"。

［14］［15］《医心方》274 页。

［16］《证类》220 页，《纲目》1275 页。"关格"，即大小便不通。其中，大便不通为内关，小便不通为内格。

［17］《医心方》269 页，《外台》739 页。

［18］《医心方》269 页，《证类》500 页。

［19］《外台》741 页。

［20］《外台》744 页，《证类》399 页，《千金方》380 页。

［21］［22］《外台》744 页。

［23］《外台》745 页，《医心方》269 页，《证类》365 页，《纲目》2936 页。此条，《医心方》作"自取手十指爪甲烧末，以酒浆服"。"服之"，《证类》作"水服"。

［24］［25］《外台》745 页。

［26］《外台》745 页，《证类》180 页，《纲目》1363 页。此条引《外台》文，《证类》作"以蒲黄裹腰肾，令头致地，三度通"，《纲目》作"以布包蒲黄裹腰肾，令头致地，数次取通"。

［辑佚方］治大便不通方

治脾胃不和，常患大便坚强难方

大黄二两；枳实六枚，炙；厚朴（炙）二两；麻子（别研）五合；芍药二两。右五味捣筛，入麻子，蜜和为丸，如梧桐子大，每服十丸，日三服，稍稍增之，以通利为度，可常将之[1]。

治大便不通方

研麻子以米杂为粥食之[2]。

又方：葵子三升，水四升，煮取一升，去滓服，不差更作。主大便不通十日至一月[3]。

又方：取乌梅五颗，著汤渍，须臾出核，取熟捣之如弹丸。内下部中，即通也[4]。

又方：葛氏云，削瓜菹如指大，导下部中。即效[5]。

又方：用礜石如指大者，导下部[6]。

治卒关格大小便不通，支满欲死方

乌桕根皮，干，为末，热水服二钱。先以芒消二两，煎汤服，取吐甚效[7]。

又方：甘遂二铢，贝齿三枚。右二味为末，浆水和服，须臾即通也[8]。

又方：芒消三两，纸三重裹，于炭火内烧令沸，安一升水中，尽服之。当先饮温汤一二升以来，吐出，乃饮芒消汁也[9]。

陶氏治卒大小便不通方

纸裹盐烧，投水中服之[10]。

又方：土瓜根捣汁，入少水解之。筒吹入肛门内，二便不通，前后吹之，取通[11]。

【文献及校勘】

[1]《外台》735页、736页、503页，《医心方》271页。此条方中各药用二两，《医心方》皆用三两。"麻子"，《医心方》作"麻子人"。

[2]《外台》736页，《证类》483页，《医心方》270页，《纲目》1447页。此条，《医心方》作"亦可直煮麻子为饮服之"，《纲目》作"麻子煮粥，如上法服之"。

[3]《证类》500页，《外台》736页。

[4]《外台》738页，《医心方》270页。此条，《医心方》作"剥乌梅皮，以渍酱豆中，导下部"。

[5]《外台》737页。

[6]《外台》736页。

[7]《纲目》2051页。

[8]《纲目》2542页。

[9]《外台》738页，《证类》86页。此条引《外台》文，《证类》作"芒消三两，纸裹三四重，炭火烧之，令内一升汤中，尽服，当先饮汤一升，已吐出乃服之"。

[10]《外台》739页。

[11]《纲目》1275页。

［辑佚方］治卒下痢诸方

治黄连为主治下痢诸方

黄连一升，以酒五升，煮取一升半，分温再服，主重下，脐当小绞痛，则差[1]。

又方：黄连一升，金色者；陈米五合。右二味，以水七升，煮取二升，分再服。主热水谷下痢[2]。

又方：黄连末，鸡子白丸，饮服十丸。三十丸，即差。主赤痢热下久不止[3]。

又方：黄连半斤，捣末，以鸡子白和为饼子，微火炙令黄黑，复捣筛，服方寸匕，日三有效。下清血瘘黄失色，医不能治者，皆差[4]。

又方：黄连、灶突中尘各半两。右二味末之，以枣膏和，分作三丸，日服一丸。姚氏同。葛氏云，主挟热者多下赤脓杂血[5]。

又方：黄连末，半鸡子壳；鸡子黄一枚；乱发灰半鸡子壳；醇苦酒半鸡子壳；蜜半鸡子壳；白蜡方寸匕。右六味，于铜器中，炭火上，先内苦酒，蜜、蜡、鸡子黄搅调，乃内黄连末、发灰，又搅煎，视可搏，出为丸。久困者一日一夜尽之。可者二日尽之。此乃华佗治老小下痢，柴立不能食，食不化，入口即出，命在旦夕，久痢神验方[6]。

又方：黄连末、蜡、阿胶各一两。右三味，先以酒半升令沸，下胶、蜡合烊，乃内黄连末，顿服之。主治纯下白如鼻涕者。姚氏治卒注下并痢血，一日夕数十行[7]。

又方：黄连，切；龙骨如鸭子大一枚；胶如掌大，炙；熟艾一把。右四味，水五升煮三物，取二升，去滓，乃内胶，胶烊分再服。浓煮干艾叶亦佳。又当煮忍冬米和作饮，饮之。主治休息痢[8]。

又方：黄连、黄檗等分。右二味捣末，蜜丸如梧子大，饮服十丸，日四服。主治舍时岁蛊注毒下[9]。

又葛氏方：黄连半两，黄檗二两，栀子二七枚。右三味切，以酒二升渍一宿，去滓，煮三沸，顿服之。主治卒下血[10]。

又方：黄连四两，黄檗二两，栀子二十枚，阿胶（炙）二两。右四味切，以水六升，煮取二升，分为三服。又一方加乌梅二十枚。主治热病久下痢脓血[11]。

又方：黄连二两，黄檗一两，栀子三十枚，阿胶（炙）二两，乌梅二十枚。右五味切，以水七升，煮取二升半，分为再服，神良。主治热水谷下痢，名乌梅汤[12]。

又方：黄连三两，黄檗二两，当归二两，苦参三两，生犀角屑二两。右五味捣筛为散，以糯米煮作饮，莫令生，每日空腹服一方寸匕。日再服便差，勿轻之。治苦下无问冷热及脓血痢，悉主之[13]。

又方：黄连、黄檗、当归、干姜各二两。右四味捣筛，煮取乌梅汁服方寸匕，日三。若腹中绞痛，加当归；下赤加黄连；下白加干姜。大效，神良，秘之。此乃隐居效验方。主下部绞痛、重下、下赤白[14]。

又方：黄连六两，干姜二两，当归三两，阿胶（炙）三两。右四味捣筛，三年醋八合，消胶令溶和，并手丸如大豆，以饮服三十丸，日再。主赤白冷热痢腹痛[15]。

又方：黄连三两，干姜三两。右二味捣筛，白酒一升半合煎，令可丸。饮服如梧桐子二十丸，忌猪肉、冷水。主治水下痢色白。食不消者为寒下[16]。

又方：黄连二两，干姜三两，附子（炮）二两，矾石（熬）二两。右四味捣筛为散，以酒服方寸匕，日三，不止更服。主治苦时岁蛊注毒下[17]。

又方：黄连二两，附子（炮）半两，阿胶（炙）半两，甘草（炙）半两。右四味切，以水三升，煮取一升半，分再服之。主寒下[18]。

又方：黄连二两；阿胶（炙）二两；胡粉七棋子；乌梅肉二两；猪肝一斤，煮，焙干。右五味捣下筛，蜜和，酒服十五丸如梧子，日三，稍加。亦可散服，主下痢肠滑，饮食及服药皆完出[19]。

又方：黄檗一两，细切；干姜二两（生姜倍之）；石榴一枚（小者二枚）；阿胶二两，别研溃之。右四味切，以水三升，煮取一升二合，去滓，内胶令烊，顿服，不差复作。治老小亦良。人羸者稍稍服之，不必顿尽，须臾复服，石榴须预取之。一方无黄檗用黄连。主治大痎痢及白滞，困笃欲死，肠已滑[20]。

以干姜、附子等为主治寒下诸方

干姜，切如大豆，米饮服六七枚，日三夜一服。痢青色者为寒痢，累服得效[21]。

又方：干姜二两，末；杂面一升。右二味为烧饼，熟食之尽，更作，不过三剂差。主寒下[22]。

又方：干姜三两，末；腥二两，切。右二味，以水六升半，著米一合，煮作糜。糜熟，内姜，一食令尽，不差更作。主治寒下[23]。

又方：干姜五两，好墨五两。右二味捣筛，以醋浆和，丸如桐子大，服三十丸，加至四五十丸，米饮下，日夜可六七服。如无醋浆，以醋入水解之，令其味如醋浆和之。七十病痢垂死，服之愈。徐云，但嚼书墨一丸，差[24]。

又方：干姜四片，乌梅二十个，赤石脂一升，粳米一升。右四味切，以水七升煮，取令熟药成，服七合，日三。主久下痢脓血[25]。

又方：干姜二分；鹿茸二分，炙；石榴皮二两；枣核中人七枚；赤䊷如三指，烧作灰。右五味捣筛为散，先食，饮服方寸匕，日三夜一。若下数者，可五六服。治青、黄、白、黑鱼脑痢。日五十行[26]。

又方：干姜、附子（炮）、龙骨。右三味等分，捣筛，蜜和，丸如梧子大，饮下五丸，渐至十丸，日一服。主治纯下白如鼻涕者[27]。

又方：干姜、附子（炮）、皂荚（炙，去子）。右三味等分，捣筛为散，饮服方寸匕，不过再服即愈。亦可丸服。主治青下、白下[28]。

又方：干姜、附子（炮）、桂心、赤石脂。右四味等分，捣筛，蜜丸如小豆，每服三丸，日三服，饮下。治水下积久不差，肠垢已出[29]。

又方：附子（炮）、桂心、乌梅肉各二两；曲（炒）一升；人参、茯苓各四两；麦蘖（炒）一升。右七味捣筛，蜜和为丸如梧子。食前，饮服十丸，日三，稍稍增之。治数十年休息痢下，不能食，消谷下气。亦治虚羸[30]。

又方：乌头（炮）、半夏（洗）、甘草（炙）各等分。右三味捣筛，蜜和，丸如梧桐子大，饮服三丸，日再服。主寒下[31]。

又方：附子一两，炮；干地榆一斤。右二味，以酒一斗，渍五宿，饮一升，日三服，尽更作。治休息痢[32]。

治赤白痢方

取鸡子一枚，扣头取黄去白，内胡粉末，令满壳，烧焦成屑。以酒服一钱匕[33]。

又方：烧大荆，取沥，服五六合，即差[34]。

又方：烧马矢一丸作灰，分服，酒水随意服。已试，良[35]。

又方：豉，熬令少焦。捣，服一合，日再三服。又熬豉令焦，水一升淋取汁服，冷则用酒淋，日三服之[36]。

治热毒下血赤下诸方

栀子十四枚，去皮。捣筛，蜜和，丸如梧子，饮服三丸，日再服。治下黄色者，协毒热下[37]。

又葛氏方：小豆二升，捣碎，水三升和，绞取汁饮之。姚云立止。主治卒

168

下血[38]。

又方：鼠尾草、地榆各一两。右二味切，以水二升，煮取一升，分为二服。如不差，取屋尘水，尽去滓，服一升，日二服。此是徐平方，治下血二十年者，若不止，重服即愈[39]。

又方：鼠尾草。以水浓煮煎如薄饴糖，服五合至一升，日三。赤下用赤花者，白下用白花者，佳也[40]。

又方：牛膝三两。捣碎，以酒一升渍经宿，每服一两杯，日二三服。姚同。治先下赤后下白为肠蛊痢[41]。

葛氏治挟热者，多下赤脓或杂血方

薤一把，煮鲫鱼醋，内秫米食之，多差[42]。

葛氏治若时岁蛊注毒下

秫米一升，烧成炭，水三升，和饮之[43]。

治下痢色白，食不消者，为寒下方

灸脐下一寸，五十壮，良[44]。

又方：好曲，熬。以粟米粥服方寸匕，日四五，止[45]。

又方：牛角䚡，烧灰。捣筛，每饮服方寸匕，日三[46]。

又方：生姜汁二升，白蜜一升半，右二味相和，分再服[47]。

葛氏治下色白，食不消为寒下方

干姜、赤石脂分等，末，以白饮和丸如梧子，日十丸，日三夜一[48]。

又葛氏方：豉一升，绵裹；薤白一把。右二味，以水三升，煮取二升。及热顿服之。陶效方云：治暴下，大去血痢。姚云：治赤白下痢，并效[49]。

又方：酸石榴皮烧灰，为末，服方寸匕[50]。

治水下积久不差，肠垢已出者方

石榴一枚，合皮捣，绞取汁，随多少服之，最良[51]。

又方：石榴皮一枚，黄檗一两，干姜二两半。右三味，以水三升，煮取一升二合，内胶，顿服[52]。

又方：乌梅二十枚。以水二升，煮取一升，顿服之[53]。

又方：治赤白久下，谷道疼痛不可忍，宜服温汤，熬盐熨之。又灸枳实熨之，妙[54]。

葛氏方云重下，此谓赤白滞下也，令人下部疼重，故名重下。去脓血如鸡子白，日夜数十行，绕脐痛，治之方

熬豉令小焦，捣，服一升，日再三[55]。

治休息痢方

龙骨四两，捣如小豆，以水五升，煮取二升半，冷之，分为五服。又以米饮和为丸，服十丸[56]。

又葛氏治久下痢经时不止者，此成休息痢，取犬骨炙令黄焦。捣筛，饮服方寸匕，日三服，即愈[57]。

葛氏方云：下痢手足逆冷，灸之不暖或无脉，微喘者死。下痢舌萎烦躁而不渴者死。下痢不禁，肠垢出者死[58]。

【文献及校勘】

[1]《外台》682页，《纲目》776页，《证类》176页。

[2]《外台》676页。

[3]《证类》176页。

[4]《外台》687页。

[5]《外台》689页，《医心方》250页。

[6]《外台》680页。

[7]《外台》678页。

[8]《外台》694页，《医心方》254页。

[9]《外台》688页，《医心方》256页。

[10]《外台》686页。

[11]《外台》688页。

[12]《外台》675页。

[13]《外台》683页。

[14]《外台》682页。

[15]《外台》689页、690页。

[16]《外台》678页。

[17]《外台》688页。

[18]《外台》678页。

[19]《外台》696页。

[20]《外台》694页。

[21]《证类》194页，《纲目》1627页。"米饮服六七枚"，《证类》作"米饮服六七十枚"。

[22][23]《外台》678页。

[24]《证类》328页，《纲目》447页。

［25］《外台》689 页，《医心方》253 页、255 页。

［26］《外台》689 页。

［27］《外台》678 页，《医心方》248 页。

［28］《外台》680 页。

［29］《外台》677 页，《医心方》254 页。

［30］《外台》694 页。

［31］《外台》678 页。方中乌头、半夏相反，用时宜注意。

［32］《外台》694 页。

［33］《外台》690 页，《证类》399 页，《纲目》475 页、2610 页。此条，《纲目》作"治赤白痢方：定粉一两，鸡子清和，炙焦为末，冷水服一钱"。

［34］《外台》690 页，《证类》303 页。此条引《外台》文，《证类》文略异。

［35］《外台》689 页，《纲目》2777 页。此条引《外台》文，《纲目》文略异。

［36］《外台》682 页，《证类》493 页。

［37］《外台》684 页，《医心方》250 页，《纲目》2087 页。

［38］《外台》686 页。

［39］《外台》686 页，《证类》220 页（《本草图经》引），《纲目》758 页。

［40］《外台》682 页，《医心方》253 页。

［41］《外台》688 页，《证类》153 页，《纲目》1029 页。

［42］《医心方》250 页。

［43］《医心方》256 页。

［44］《外台》678 页。

［45］《证类》492 页，《纲目》1545 页，《外台》679 页。"好曲"，《外台》作"好面"。

［46］《外台》679 页。

［47］《外台》678 页，《医心方》248 页。

［48］《医心方》248 页。

［49］《外台》679 页。

［50］《外台》678 页，《证类》475 页，《医心方》248 页，《纲目》1748 页。"烧灰"，《证类》作"烧赤为末"，《纲目》作"烧存性"，《医心方》作"烧末"。

［51］《外台》677 页。

［52］《医心方》254 页。

［53］《外台》677 页，《医心方》255 页。

［54］《证类》107 页，《纲目》633 页。

［55］《医心方》255 页。

［56］《外台》694 页，《证类》368 页，《医心方》254 页，《纲目》2378 页。

［57］《外台》694 页，《证类》381 页。"犬骨"，《外台》误作"大骨"。

［58］《医心方》246 页。

［辑佚方］治卒吐血唾血方

治卒吐血方

桂屑，取方寸匕，昼夜含二十许服。亦治下血。大神验[1]。

又方：服蒲黄一升[2]。

又方：浓煮鸡苏饮汁。亦治下血、漏血，良[3]。

又方：荷叶经霜败者，烧灰，研末，新汲水服二钱[4]。

又方：襄荷根向东者一把，捣，绞汁三升服之。亦治蛊毒及痔血、妇人患腰痛[5]。

治吐血内崩上气面色如土方

干姜、阿胶、柏叶各二两，艾一把。右四味㕮咀，以水五升，煮取一升，内马通汁一升，煮取一升，顿服[6]。

葛氏治卒呕血，腹内绞急，胸中隐然而痛，面色紫黑，或从溺出方

灸脐左右各五分，四壮[7]。

又方：末桂一尺，羊角一枚炙焦，捣末，分等，合服方寸匕，日三四[8]。

葛氏治卒唾血方

取茅根，捣，服方寸匕。亦可绞取其汁，稍稍饮之，勿使顿多[9]。

治血气逆心烦满方

烧羚羊角若水羊角末，水服方寸匕[10]。

葛氏治人九窍四肢指间皆血出，此暴惊所致也

以井花水噀其面，当令卒至，勿令病人先知[11]。

又方：粉一升，水和如粥饮之[12]。

【文献及校勘】

[1]《千金方》222 页，《证类》290 页，《医心方》139 页，《纲目》1931 页。

[2]［3]《医心方》138 页。

[4]《纲目》1900 页。

[5]《证类》514 页，《纲目》1007 页。

[6]《千金方》221 页。

[7]［8]《医心方》138 页。

[9]《医心方》139 页。

[10]《纲目》2844 页，《证类》382 页。

［11］［12］《医心方》137 页。

［辑佚方］治小便出血方

治小便出血方

灸足第二指本第一文七壮。立愈[1]。

又方：水服乱发灰方寸匕，日三服[2]。

又方：龙骨末二方寸匕，温酒一升服之，日三服[3]。

又方：当归四两，细剉，酒三升，煮取一升，顿服之[4]。

又方：生地黄汁一升，生姜汁一合。右二味相和，顿服，不差，更作[5]。

葛氏治小便血方

茅根一把，切，煮去滓，数饮之[6]。

又方：捣葱白，取汁服一升[7]。

葛氏治妇人溺血方

车前草一斤，水一斗，煮取四升，分四服[8]。

又方：葵根、茎、子无在，取一升，水四升，煮取一升，内书中白鱼虫十枚，研服一合[9]。

葛氏治妊身尿血方

取黍藁烧末，服方寸匕，日三[10]。

【文献及校勘】

［1］《外台》746 页。

［2］《外台》744 页。

［3］《外台》746 页。

［4］《外台》746 页，《证类》199 页，《纲目》835 页。此条引《证类》文。"当归四两，细剉"，《外台》无"细剉"二字。

［5］《外台》746 页。

［6］［7］《医心方》278 页。

［8］［9］《医心方》483 页。

［10］《医心方》500 页。

［辑佚方］治大便下血方

葛氏治卒大便下血方

豉一升，以水三升渍，煮三沸，去滓，顿服汁一升，日三，冬天每服辄温[1]。

又方：豉二升，以酒六升，合煮，得三升，服一升，日三[2]。

又方：煮香薷极令浓，去滓，服一升，日三[3]。

又方：乱发如鸡子大，烧，末，水服之，不过三[4]。

又方：三指撮盐，烧，向东服之[5]。

又方：灸两足大指迥毛中，随年壮，即愈[6]。

葛氏载徐平疗下血二十年者

取地榆、鼠尾草各三两，水二升，煮半，顿服。不断，水渍屋尘，饮一小杯投之，不过重作乃愈[7]。

【文献及校勘】

[1] ～ [6]《医心方》273 页。

[7]《证类》220 页。

［辑佚方］治卒大便脱肛方

治卒大便脱肛方

灸顶上回发中，百壮[1]。

又方：以豆酱清合酒涂之[2]。

又方：烧虎骨末，水服方寸匕，日三，即差[3]。

又方：防己实焙干为末，如茶法煎服[4]。

又方：猪膏和蒲黄，折内，但以粉之亦佳[5]。

又方：熬石灰，令热，故绵裹之，坐其上，冷又易之[6]。

治若肠随肛出转广不可入一尺来者方

捣生栝楼，取汁温服之，以猪肉汁洗手，随抑按自得入效[7]。或云捣生栝楼取汁温之，猪肉汁中洗手，随接之，令暖自得入[8]。

又方：熬石灰令热，布裹以熨之，随按令入[9]。

又方：以铁精粉之[10]。

【文献及校勘】

［1］［2］《外台》710 页，《医心方》170 页。

［3］《外台》710 页。

［4］《证类》223 页，《纲目》1316 页。此条，《纲目》作"防己实，治脱肛。焙研，煎饮代茶"。

［5］［6］《医心方》170 页。

［7］《外台》710 页，《纲目》1270 页。

［8］《证类》197 页，《医心方》170 页。此条引《证类》文，《医心方》作"捣生栝楼，取汁温，以猪膏内中，手洗，随按抑，自得缩入也"。

［9］［10］《医心方》170 页。

[辑佚方] **治肠痔及下部痒痛方**

凡痔病有五：若肛边生肉如鼠乳出孔外，时时脓血出者，名牡痔也；若肛边肿痛生疮者，名酒痔也；若肛边有核痛及寒热者，名肠痔也；若大便辄清血出者，名血痔也；若大便难，肛良久肯入者，名气痔也。此皆坐中寒湿，或房室失节，或醉饱过度所得，当时不为患，久久不差，终能困人。别有大方，今单行亦要便宜，依按用之[1]。

治痔猬皮丸方

猬皮一具细切，熬令焦；槐子三两；附子（炮）二两；干姜二两；连翘二两；续断一两；矾石二两，烧令汁尽；黄耆一两；当归二两；干地黄五两。右十味捣筛，蜜丸，饮服十五丸如梧子，日再，加至三十丸。亦可主瘘，常用大验[2]。

治肠痔每大便常下血方

以槐树上木耳，取末，饮服方寸匕，日三服[3]。

又方：取枳实根皮捣末，饮服方寸匕，日三。亦可煮汁常饮[4]。

又方：枸杞根；白蔷薇根各二分，曝干。右二味捣筛为末，服方寸匕，日三。五六日当更小肿，是中病[5]。

又方：生地黄一斤，切，以酒二斗渍三日，随意饮多少，即差[6]。

又方：取蒲黄，以水服方寸匕，日三，差[7]。

又方：附子（炮）、矾石（熬）各一两。右二味捣筛，蜜丸如梧子，服二丸，酒下，日三，稍增，百日，永差不发[8]。

又方：作鲭鱼鲙，姜齑食之多少，任人[9]。

又方：以鲤鱼作鲙，姜齑食之，任性多少，良[10]。

又方：常食鲫鱼羹，及蒸，随意任之[11]。

又方：烧獭肝，服一钱匕[12]。

又方：烧猬皮，敷之[13]。

又方：小豆一升，苦酒五升，煮豆熟，出，干，复内苦酒中，候酒尽，止，末，酒服方寸匕，日三度[14]。

治谷道赤痛方

杏人熬令黑，杵作膏，敷之，良[15]。

又方：菟丝子熬令黄黑，末，以鸡子黄和涂之。亦治下部虫痒[16]。

葛氏治谷道蜃创赤痛又痒方

槐皮、桃皮、楝子合末，猪膏和导[17]。

又方：以枣膏和水银令相得，长三寸，绵裹宿导下部[18]。

又方：胡粉、雄黄分等，末，导下部内[19]。

治痔下部痒痛如虫啮方

胡粉、水银。右二味，以枣膏调匀，绵裹，夜卧内谷道中，导之，效[20]。

又方：捣桃叶一斛，蒸之令热，内小口器中，以布盖上坐之，虫死即差[21]。

又方：掘地作小坑，烧令赤，以酒沃中，捣吴茱萸三升内中，及热，以板覆上，开一小孔，以下部坐上，冷乃下。不过三度，即差[22]。

又方：以溺温令热，内少矾石，以洗之，良[23]。

又方：蒸大枣取膏，以水银和，捻长三寸，以绵裹，宿内下部中，明日虫皆出[24]。

又方：高鼻蜈蝌，烧末，绵裹，内孔中，当大蛴虫出[25]。

治大便血，风冷积年，多变作痔方

烧稻藁灰，淋汁，煎热渍之，三五度，佳[26]。

葛氏治下部卒有创方

捣蚒蟠涂之[27]。

又方：煮豉以渍之[28]。

又方：豆汁以摩墨导之[29]。

又方：若转深者，乌梅五十枚，盐五合，水七升，煮取三升，分三服[30]。

又方：常煮举皮饮之[31]。

下部生疮已决洞者

牡丹末，汤服方寸匕，日三服[32]。

【文献及校勘】

[1]《外台》700 页。

[2]《外台》704 页。

[3]《外台》703 页，《证类》293 页，《纲目》1715 页。此条引《证类》文。"木耳，取末""日三服"，《外台》作"耳，捣末""日三"。

[4]《外台》703 页，《证类》324 页。

[5][6]《外台》703 页。

[7]《外台》703 页，《证类》180 页，《医心方》175 页，《纲目》1364 页。此条引《外台》文，《医心方》作"葛氏治患肠痔每大便恒去血方，常服蒲黄方寸匕，日三，须差止"。"日三，差"，《证类》作"日三服，良"。

[8]《外台》703 页。

[9]《医心方》174 页。

[10][11]《外台》703 页。

[12]《外台》707 页，《证类》392 页。此条引《证类》文，《外台》作"獭肝，烧，捣散，服之"。

[13]《外台》707 页，《证类》424 页。此条引《证类》文，《外台》作"以猬皮烧灰傅之"。

[14]《证类》487 页，《纲目》1511 页。

[15]《外台》707 页，《证类》474 页，《医心方》171 页、172 页，《幼幼新书》34 页，《纲目》1733 页。此条引《证类》文。"杵作膏，傅之，良"，《外台》作"捣取膏涂之"，《幼幼新书》作"杏人熬黄，捣稀涂"。

[16]《外台》707 页，《证类》152 页，《医心方》172 页，《纲目》1237 页。"鸡子黄"，《纲目》作"鸡子白"。

[17]～[19]《医心方》172 页。

[20]《外台》707 页，《医心方》171 页。

[21]《外台》707 页，《证类》473 页，《医心方》171 页，《纲目》1748 页。

[22]《外台》707 页，《证类》319 页，《纲目》1865 页。

[23]《外台》707 页。

[24]《证类》463 页，《纲目》1758 页。

[25]《医心方》171 页。

[26]《外台》708 页。

[27]～[31]《医心方》172 页。

[32]《纲目》854 页。

[辑佚方] 治妇女月水不利诸病方

治月经不通方

桃人一升，土瓜根、大黄、水蛭、虻虫、芒消各二两，牛膝、桂心、牡丹、射干、黄芩、芍药、柴胡各三两。右十三味㕮咀，以水九升，煮取三升半，去滓，内消令烊，分为三服[1]。

葛氏治妇人月水不利，结积无子方

大黄、桃人、桂心各三两，捣末，未食服方寸匕，日三[2]。

葛氏又云或至两三月、半年、一年不通者

桃人二升、麻子人二升，合捣，酒一斗，渍一宿，服一升，日三夜一[3]。

治血内漏者方

蒲黄二两，水服方寸匕，立止[4]。

又方：雄黄末如大豆内疮中，又服五钱匕，血皆化为水，卒以小便服之[5]。

治下血不止方

菖蒲三两，酒五升，煮取二升，分三服[6]。

治妇人崩中漏下青、黄、赤、白使人无子方

好墨末一钱匕服[7]。

又方：鹿茸二两，当归二两，蒲黄二两。右三味捣筛，酒服五分匕，日三，加至方寸匕[8]。

又方：赤石脂蜜丸，服如梧子三丸，日三[9]。

又方：露蜂房烧末，三指撮，酒服之，良[10]。

妇女人漏下，或差，或剧，常漏不止，身体羸瘦，饮食减少，或赤，或白，或黄，使人无子者方

牡蛎、伏龙肝、赤石脂、桂心、乌贼骨、禹馀粮各等分，冶，下筛，空心，以粥饮服方寸匕，日二[11]。

又方：干姜、经墨各一两。右末为丸，酒下，日三丸，神验[12]。

又方：常炙猪肾、脂食之。面裹煮吞之，亦佳[13]。

葛氏治妇人不生子方

以戊子日，令妇蘙胫卧上西北首交接，五月七月庚子、壬子日尤佳[14]。

又方：桃花末舒者，阴干百日，捣末，以戊子日三指撮酒服[15]。

葛氏治女人阴脱出外方

磁石四两，桂心一尺，猬皮一枚，鳖头一枚。右四味，治，下筛，饮服方寸匕，日一服，即缩。慎举重及急带衣，断房室周年，乃佳[16]。

又方：水煮生铁令浓，以洗之。矾石亦良[17]。

又方：烧蛴螬末，以猪膏和，傅之，蒲黄粉之[18]。

葛氏治妇人无病，触禁久不生子，常候月水绝后，一日交接为男，二日为女，三日为男，四日为女，五日为男，六日为女。过此，则女间闭不成，勿复交接，更时后日，徒然无益，浪辛苦也。方

柏子人一升，茯苓（末）二升。右捣，合乳和服十丸，即佳[19]。

又方：大黄七分，黪参五分，皂荚、杏人、吴茱萸各二两，半夏、前胡各一分。右捣，蜜丸，服二十丸，不过半年有子。依前法，即定男女也[20]。

【文献及校勘】

[1]《千金方》59 页。

[2][3]《医心方》479 页。

[4]《证类》180 页，《纲目》1363 页。"水服方寸匕，立止"，《纲目》作"每服方寸匕，水调下，服尽止"。

[5]《证类》101 页、102 页。

[6]《证类》144 页。

[7]《证类》328 页，《幼幼新书》明抄本卷 1，《纲目》447 页。此条引《证类》文，《纲目》作"好墨一钱，水服，日二服"，《幼幼新书》作"好墨，末，一匕，饮服"。

[8]《医心方》481 页，《幼幼新书》明刊本 6 页。"蒲黄二两"，《幼幼新书》作"蒲黄等分"。

[9]《医心方》481 页。

[10]《医心方》481 页，《幼幼新书》明刊本 6 页。"良"，《幼幼新书》无此字。

[11]《千金方》69 页，《幼幼新书》明刊本 5 页。"日二"，《幼幼新书》作"日三"。

[12]《幼幼新书》明刊本 5 页。

[13]《幼幼新书》明刊本 6 页。

[14][15]《医心方》530 页。

[16]《千金方》440 页。

[17][18]《医心方》477 页。

[19][20]《幼幼新书》明抄本卷 1。

［辑佚方］治妇人妊身诸病方

治妊身阻病方

妊身阻病，患者心中烦闷，头眩重，憎闻饮食气，食便呕逆、吐闷、颠倒，四肢垂重不自胜持，且茯苓丸即效，要先服半夏茯苓汤两剂后，可将服茯苓丸。方：人参一两，茯苓一两，甘草（炙）二两，枳实（炙）二两，桂心（熬）一两。右五味捣筛，蜜和，丸如梧桐子大，饮服二十丸，渐至三十丸，日三。忌海藻、菘菜、羊肉、饧、桃、李、雀肉、醋等[1]。

葛氏治妊妇心痛方

刮取青竹皮，以水煮令浓，绞去滓，服三升[2]。

葛氏治妊身腹痛方

秤锤烧正赤，以着酒中，令三沸，出锤，饮酒[3]。

葛氏治妊身腰背痛如折方

末鹿角，酒服方寸匕[4]。

又方：葱白煮汁服之验[5]。

又方：胶、桂各一尺，捣以酒三升，煮得一升，去滓，尽服[6]。

葛氏治妇人妊身之肿方

大豆二升，酒三升，煮取二升，顿服之[7]。

葛氏治妊身尿血方

（方见前小便出血方）

葛氏治妊身日月未至欲产方

灶中黄土末，以鸡子白丸如梧子吞一丸[8]。

葛氏治妊身卒胎上迫心痛方

取弩弦急带之。立愈[9]。

又方：生艾捣，绞取汁三升，胶四两，蜜四两，合煎，取一升五合，顿服之[10]。

治妊身得病，欲去胎方

取鸡子一枚，以三指撮盐置鸡子中，服之立出[11]。

又方：班猫烧末，服一枚，即下[12]。

治妊身得时疫病令胎不伤方

取井底泥傅心下气[13]。

葛氏治卒腹痛安胎方

乌鸡肝一具，切过，酒五合，服令尽。姚云：肝勿令入水中[14]。

治胎动不安方

取苎根如足大指者一尺，咬咀，以水五升，煮取三升，去滓服[15]。

治妊身二三月，上至八九月，胎动不安，腰痛，已有所见方

艾叶、阿胶、当归各三两，甘草一两。右四味咬咀，以水八升，煮取三升，去滓，内胶令消，分三服，日三[16]。

葛氏治卒胎动不安，或腰痛胎转抢心，下血不止方

取菖蒲根汁三升，服之[17]。

又方：葱白一把，以水煮，令葱熟，饮其汁[18]。

又方：生鱼二斤，秫米一斤，调作臛，顿食之[19]。

又方：艾叶一鸡子大，以酒四升，煮取二升，分为二服，良[20]。

又方：生曲半饼，碎末，水和，绞取汁，服三升[21]。

葛氏治妊身由顿仆及举重致胎动去血者方

黄连，捣，下筛，酒服方寸匕，日三愈，血乃止。忌猪肉、冷水等物[22]。

治妊身卒下血

白胶二两，以酒煮消尽，顿服[23]。

又方：取桃树上干不落桃子，烧作灰，和水服差[24]。

治妊身月水不止，名为漏胞，治之方

阿胶五两，干地黄五两，酒五升，煮取一升半，未食，温再服[25]。

又方：生地黄汁一升，渍酒四合，煮三五沸，服之。不止，又服[26]。

葛氏治子上迫心方

取乌犬血，小小饮之，立下[27]。

葛氏方云变女为男法

觉有妊三月，溺雄鸡浴处[28]。

又方：密以大刀置卧席下[29]。

又方：新生男儿脐，阴干百日，烧，以酒服之[30]。

治频堕胎，或三四月即堕者方

用杜仲焙研，枣肉为丸，糯米饮下[31]。

葛氏治胎堕血露不尽方

艾叶半斤，酒四升，煮取一升，顿服之[32]。

【文献及校勘】

[1]《外台》914 页，《千金方》20 页。此条方中用药，《千金方》校注云："《肘后方》不用干姜、半夏、橘皮、白术、葛根，只五味，又云，妊娠忌桂，故熬。"《外台》注云："《肘后方》只五味，又云，妊娠忌桂，故熬。"

[2]《医心方》498 页。

[3] ~ [6]《医心方》499 页。

[7]《医心方》500 页。

[8]《医心方》502 页。

[9]《外台》918 页，《医心方》497 页。

[10]《医心方》497 页。

[11]《外台》923 页。

[12]《医心方》503 页。

[13]《证类》128 页。

[14]《证类》399 页。

[15]《证类》270 页。

[16]《千金方》25 页。

[17]《证类》144 页。

[18] [19]《医心方》495 页。

[20]《证类》218 页，《纲目》939 页。

[21]《证类》492 页，《医心方》497 页，《纲目》1545 页。"半饼""服三升"，《医心方》作"半斤""三升，分二服"。

[22]《外台》916 页。

[23]《证类》372 页，《纲目》2798 页。

[24]《证类》473 页，《纲目》1746 页。"取桃树上干不落桃子，烧作灰"，《纲目》作"用桃枭烧存性。"

[25]《医心方》497 页。

[26]《证类》150 页。

[27]《医心方》512 页。

[28] ~ [30]《医心方》533 页。

[31]《纲目》1987 页。

[32]《医心方》496 页。

［辑佚方］治妇人胎产诸病方

葛氏治产妇易产方

密取马鬐毛，系衣中，勿令知耳[1]。

治难产方

墨一寸，末，水服之，立产[2]。

又方：取蓖麻子二枚，两手各把一枚，须臾立下[3]。

又方：莲华一叶，书人字，吞之，立产[4]。

葛氏治逆产先出足者方

盐以汤和，涂儿蹠下，并摩妇腹上[5]。

又方：真丹涂儿蹠下[6]。

又方：取釜月底墨，以交牙书儿蹠下[7]。

又方：丹书左足下作千字，右足下作黑字[8]。

葛氏治逆产先出手者方

嚼盐涂儿掌中[9]。

葛氏治横生方

服水银如大豆二枚[10]。

又方：梁上尘三指撮服之[11]。

又方：烧铁杵令赤，内酒中饮之[12]。

又方：烧斧令赤，内酒中饮之[13]。

葛氏治子死腹中方

小儿死腹中，葵子末，酒服方寸匕。若口噤不开，格口灌之，药下即活[14]。

又方：以苦酒煮大豆，令浓，漉取汁，服三升，死胎即下。

又方：饮夫小便一升[15]。

下死胎得效方

鹿角屑二三方寸匕，煮葱豉汤，和服之立出[16]。

治胞衣不出，腹满则杀人方

多肥猪脂佳[17]。

又方：月水布烧末，以服少少[18]。

又方：末皂荚，内鼻中，得嚏即下[19]。

又方：解发刺喉中，令得呕之，良[20]。

治堕胎胞衣不出，腹中疼痛，牵引腰脊痛

用好墨细研，每服非时温酒调下二钱匕[21]。

治产后心闷目不开方

生赤小豆。杵末，东流水服方寸匕，不差，更服[22]。

治一切产后血病方

益母草不限多少，竹刀切洗净，银器内炼成膏，瓷器内封之，并以酒服。内损亦服[23]。

葛氏治产后血气逆心烦满者方

生竹皮一升，水三升，煮取一升半，分三服[24]。

治产后血运方

苏方木三两，剉，水五升，煮取二升，分再服差。若无苏方木，取绯衣煮汁服亦得[25]。

又方：半夏末，冷水和，丸大豆大，内鼻中即愈。此扁鹊法也[26]。

治产后腹中瘕痛方

末桂，温酒服方寸匕，日三[27]。

又方：烧斧令赤，以染酒中饮之[28]。

治产后阴肿痛方

烧桃人傅之[29]。

治产后阴道开不闭方

石灰一斗熬之，以水二斗投灰中，适寒温，入水中坐，须臾更作[30]。

治产后阴下脱方

铁精粉推内之[31]。

治产后下血不止方

炙桑白皮，煮水饮之[32]。

葛氏治血露不绝方

以锯截桑根，取屑五指撮，取醇酒服之，日三[33]。

又隐居效方泽兰汤：泽兰八分；当归三分；芍药十分；生地黄三分；大枣十四枚；生姜十分；甘草六分，炙。右七味切，以水九升，煮取三升，分为三服。欲死涂身得差。主产后恶露不尽，腹痛往来兼满少气[34]。

葛氏治产后恶血不除方

生姜三斤吹咀，以水一斗，煮取三升，分三服，当下恶血[35]。

葛氏治产后中风，若风痓通身冷直口噤不知人方

作沸汤内壶中，令产妇以足塌壶上，冷复易之[36]。

又方：吴茱萸一升，生姜五累，以酒五升，煮三沸，分三服[37]。

葛氏治产后若中柔风，举体疼痛，自汗出者方

独活四两，以清酒二升，合煮，取升半，分二服[38]。

葛氏治产后虚羸，自汗出，鲤鱼汤方

鲤鱼肉三斤，葱白一斤，香豉一斤，凡三物，水六升，煮取二升，分再服，微汗即止[39]。

葛氏治产后虚烦不得眠者方

枳实、芍药分等，并炙之，末服方寸匕，日三[40]。

葛氏治产后烦热若渴，或身重痒方

熬大豆酒淋及热饮二升，温覆取汗[41]。

葛氏治产后无乳汁方

凡去乳汁，勿置地，虫蚁食之，令乳无汁，可以沃东壁上[42]。

又方：烧鹊巢，末三指撮，酒服之[43]。

又方：末蜂房，服三指撮[44]。

葛氏治产后乳汁溢满急痛者方

但温石以熨之[45]。

又方：若因乳儿，汁出不可止者，烧鸡子黄食之[46]。

葛氏治产后妒乳方

梁上尘醋和涂之，亦治阴肿[47]。

又方：榆白皮，捣，醋和，封之[48]。

葛氏治产后月水不通方

桂心为末，酒服方寸匕[49]。

又方：铁杵锤烧，内酒中，服之[50]。

【文献及校勘】

[1]《医心方》509页。

[2]《证类》328页，《纲目》447页。

[3]《证类》265页，《纲目》1148页。此条引《证类》文，《纲目》作"取蓖麻子十四枚，每手各把七枚，须臾立下也"。

[4]《证类》461页，《纲目》1898页。此条引《证类》文，《纲目》作"莲花一瓣，书人字，吞之，即易产"。

[5] ～ [7]《医心方》511页。

[8]《医心方》511页、512页。

［9］～［13］《医心方》512 页。

［14］《证类》500 页。

［15］《医心方》512 页。

［16］《证类》377 页，《纲目》2851 页。此条引《证类》文。"下死胎得效方""二三方寸匕"，《纲目》作"胎死腹中""三寸匕"。

［17］《证类》389 页。

［18］～［20］《医心方》513 页。

［21］《证类》328 页，《纲目》447 页。此条引《证类》文，《纲目》作"胞衣不出，痛引腰脊，好墨温酒服三钱"。

［22］《证类》487 页，《纲目》1511 页。

［23］《证类》154 页。

［24］《医心方》517 页。

［25］《证类》348 页，《纲目》2045 页。

［26］《证类》245 页，《纲目》1200 页。此条引《纲目》文。《证类》标注此条出典为《产书》。《肘后方》14 页用此法救卒中恶。

［27］《证类》290 页，《医心方》519 页，《纲目》1931 页。此条引《医心方》文，《证类》同《医心方》，《纲目》作"桂末，酒服方寸匕，取效"。

［28］《医心方》519 页。

［29］《证类》473 页。

［30］《证类》123 页，《纲目》573 页。此条引《证类》文，《纲目》作"产后阴道不闭，或阴脱出，石灰一斗，熬黄，以水二斗，投之，澄清熏"。

［31］《证类》114 页。

［32］《证类》316 页，《纲目》2064 页。

［33］《证类》316 页，《外台》948 页、949 页，《纲目》2064 页。"桑根"，《外台》作"桑木"。

［34］《外台》949 页。

［35］《医心方》518 页。

［36］［37］《医心方》521 页。

［38］《医心方》521 页，《千金方》42 页。

［39］～［41］《医心方》522 页。

［42］～［44］《医心方》523 页。

［45］～［48］《医心方》524 页。

［49］［50］《医心方》527 页。

［辑佚方］治小儿诸病方

治小儿初生未可与朱蜜方

取甘草一指节长，炙，碎，以水二合，煮取一合，以缠绵点儿口中，可得一蚬壳止。儿当快吐胸中恶汁，此后待儿饥渴更与之。若两服并不吐，尽一合止。得吐恶汁，儿智慧无病[1]。

葛氏方：甘草吐恶汁后，更与朱蜜，主镇心神，安魂魄。炼真珠砂如大豆，以蜜一蚬壳和，一日与一豆许，三日与之，大宜小儿矣[2]。

又方：与朱蜜下牛黄，益肝胆，除热，定惊，辟恶气。与之如朱蜜多少[3]。

治小儿新生三日应开肠胃助谷神方

碎米浓作汁饮如乳酪，与儿大豆许数令咽之，频与三豆许，三七日可与哺，慎不得取次与杂药红雪少少得也[4]。

葛氏治小儿哺吐下方

甘草（炙）、人参、当归、干姜各一分。末，水一升，煮五合，分服，日三，内射半分，佳[5]。

葛氏治霍乱方

人参、芦箨各二分，扁豆藤二两，仓米二撮。哎咀，水二升，煮五合，分五服效[6]。

葛氏治小儿哕方

取东行牛口中沫涂儿口[7]。

又方：鸦鹿角，熬如豆，着舌下[8]。

徐王神效方

治小儿吐乳，四肢皆软，谓之中人忤：桂心三两，水二升，煮取一升半，分三服，又将浓滓涂五心，常令温之[9]。

葛氏治小儿中人忤吐下黄水方

水一斗，煮钱十四文，以浴之[10]。

又方：取水和粉并熟艾，各为丸鸡子大，摩小儿五心良久，擘毛出，差[11]。

葛氏灸法，治小儿中客忤恶气方

灸儿脐上下左右各半寸，及灸儿鸠尾下一寸，凡五处，各三十壮，都主儿百病[12]。

葛氏治小儿腹胀方

粉及盐分等，合熬，令变色，以磨腹上即愈[13]。

葛氏治卒心痛腹胀坚如石满气喘息方

好盐如鸡子大，浆水二升，煮三沸，内搅消，取半，分为三服[14]。

葛氏治小儿未百日腹痛，徐王神效方

豚子卵一枚，当归一分，水三升，煮七合，饮[15]。

葛氏治小儿腹暴病满欲死方

半夏，筛，酒和，服黍米五丸，日三[16]。

葛氏治小儿夜啼方

取犬颈下毛，缝囊裹，以系儿两手，立止[17]。

又方：暮取儿衣，以系柱[18]。

隐居效方治小儿夜啼不安

此腹痛，故至夜辄剧，状似鬼祸。五味子汤方：五味子、白术、当归、芍药各四分，桂心、甘草（炙）各二分。右六味切，以水一升，煎取五合，分服之，增减量之[19]。

葛氏云：小儿汗出，舌上白，爱惊者，衣厚过热也。鼻上青及下痢青，乳不消，喜啼者，衣薄过冷也。

小儿多患胎寒好啼，昼夜不止，因此成痫。宜与当归散方

当归为末，一小豆大，以乳汁咽之。日夜三四度服，差。若不差，当归半两，小豚卵一具，切，酒一升二合，煮八合，随儿服，日三夜四[20]。

葛氏治小儿惊啼方

捣柏子人，以一刀圭饮之[21]。

治小儿卒得痫方

刺取白犬血一枣许含之，又涂身上[22]。

又方：吊藤、甘草（炙）各二分。右二味，以水五合，煮取二合，服如小枣大，日五夜三，大良[23]。

又方：茯苓、龙齿各二分；钩藤、芍药、黄芩各一分；甘草半分；蚱蝉二枚，炙；牛黄二豆大，末；竹沥一合，研；下东流水二斗；金银各十两。银器煮，取五升入药，煎升半，间乳细服[24]。

又方：熊胆一两，有乳及竹沥服，又炙虎睛服[25]。

葛氏治小儿客忤方

令儿仰卧，以小瓮着胸上，烧甑蔽于瓮中大减，即愈[26]。

葛氏云：儿病身软时醒为痫，身强直反张不醒为痉，客忤类痫，但目不上接[27]。

葛氏治小儿卒不知何所疾痛，而不知人便绝死方

取雄鸡冠血，临儿口上，割令血出，沥儿口入喉便活[28]。

葛氏治小儿卒身热如火不能乳哺方

急断犬耳取血，以涂面及身也[29]。

葛氏治小儿疟病方

临发时，捣大附子和苦酒涂背上[30]。

又方：石上菖蒲浓煮浴儿[31]。

又方：恒山四分，小麦三合，淡竹叶（切）一升，右以水三升，煮取一升服之[32]。

葛氏治小儿六七岁，心胁结癖，时时寒热如疟，服紫丸六十日吐下。癖仍坚，以鸡子汤去恶物数升遂愈

甘遂七铢；甘草（炙）、黄芩各三钱；水二升半；鸡子一枚，少扣，开出白，投水中，热搅，吹去滓，内药，煮一升。随儿可下数合，病未尽更与。若坚实多者，加黄芩、细辛各一两[33]。

葛氏治小儿癖病方，若（或）患腹中癖结常壮热者方

生鳖血和桂屑涂癖上[34]。

又方：末麝香，服如大豆者[35]。

又方：大黄，炙令烟出；龟甲，炙令黄；茯苓。凡三物分等，蜜丸，服如大豆一枚，日三[36]。

又方：捣白头翁，练囊盛，以掩癖上[37]。

葛氏治小儿大腹丁奚方

取生韭根，捣，以猪膏煎稍稍服之[38]。

又方：熟炙鼠肉若（或）伏翼肉，以哺之[39]。

葛氏治小儿寸白方

薏苡根二斤，细剉，水七升，煮取两升，分再服之，又可作糜也[40]。

葛氏治小儿阴颓方

但灸其上，又灸茎上向小肠脉[41]。

又方：灸小指头七壮，随差左右也[42]。

治小儿解颅方

杵鼠肝及脑傅之[43]。

又方：蟹足骨、白蔹等分，细末，乳汁和，涂上，干又傅[44]。

又方：烧繁蒌，末，傅，良[45]。

葛氏治小儿变蒸方

凡小儿生后六十日，目瞳子成，能咳笑，识人。百五十日，任脉生，能反复。百八十日，尻骨成，能独坐。二百一十日，掌骨成，能匍匐。三百日，髌骨成，能独倚。三百六十日为一期，膝骨成，乃能行[46]。

葛氏云：凡小儿自生三十二日一变，再变为一蒸，凡十变五小蒸。又有三大蒸，凡五百七十六日。变蒸毕乃成人。其变蒸之候，身热，脉乱，汗出，数惊。不乳哺，上唇头小白泡起如珠子，耳冷，尻冷，此其证也。单变小微，兼蒸小剧，平蒸五日，或七日、九日，慎不可疗。若或大热不已，则与少紫丸微下[47]。

葛氏又云：若于变蒸中，加以时行温病，其证相似，唯耳及尻通热，口上无白泡耳，当先服黑散发汗，汗出以粉傅之，差。若不尽除，即以紫丸下之[48]。

治少小初变蒸时有者，服之发汗已止，黑散方

杏人二分；大黄一分；麻黄二两，去节。右三物，先捣大黄、麻黄下筛，杏人令如脂。内散，令调，更粗筛之，盛以专囊。二十日儿，以汁和之，如小豆，一丸分为二丸，易吞，厚衣苞之，令汗，汗出毕下帐，燃火，解衣，温粉粉之。

百日儿取散如枣核大，以小阳和服之，汗出之后，消息如上法，当豫温粉，不可解衣乃温粉[49]。

又方：治已服黑散，发热不歇，服之热小差便止，勿复，与紫丸方。赤石脂一两，巴豆三十枚，代赭一两，杏人三十枚。右四物，先治（研）巴豆、杏人，捣二千杵，乃内代赭、赤石脂，更捣三千杵，绝也，药势即成。一方云：相和与少蜜和之，盛以密器，无令药燥，燥则无势，以巴豆、杏人自丸，常若不能尽屑，当稍稍内之，令相丸。

二十日儿，服如黍米一丸汔，小小乳，乳之，令药得下，却两食顷，乃复乳之，勿令饱耳。平旦一服药，日中热尽，日西夕时，复小增丸，至鸡鸣时，若复与一丸，愈者止。

三十日儿，服如大黍米一丸。

四十日儿，服如麻子一丸。

六七十日儿，服如胡豆一丸。

百日儿，服如小豆一丸。不下，故热者，增服半丸，以下利为度[50]。

葛氏治小儿咳嗽方

紫菀六分，贝母二分，款冬花一分。右捣为散，每服如豆大，着乳头咽之，日三四。母勿食大咸、酢物[51]。

葛氏治小儿咳嗽上气杏人汤方

杏人四十枚，去皮；麻黄八分。以水二升，煮取一升，分温服五合，增减以意度之[52]。

葛氏治小儿盗汗方

以干姜末一分，粉三分，合以粉之[53]。

又方：石膏一两，麻黄根二两，蜜和如小豆，服一丸[54]。

葛氏治小儿遗尿方

取燕巢中蓐烧，服一钱匕，即差[55]。

葛氏治小儿小便不通方

取衣中白鱼虫，涂脐中，内溺道中[56]。

又方：取故席多垢者，剉，一升，以水三升，煮取一升，去滓，饮之[57]。

葛氏治小儿大便不通方

取蜂房熬，末，以酒、若（或）水服少许[58]。

又方：以白鱼虫，磨脐下至阴[59]。

葛氏治小儿大便血方

刮鹿角作屑，以米汁服五分匕[60]。

又方：烧鹊巢为屑，饮之少少许[61]。

徐王神效方，治三岁儿或赤白谷痢，冷热不调

鸡子破头如粟，倾出，和胡粉皂子大，研极匀，内壳中，糊头，蒸熟食，差止[62]。

治痢日夜数十行

鸡子和酽醋搅，煎如稀饧，食，勿令吐[63]。

徐王方，治三岁儿冷痢

附子一枚，炮，水五合，煮鸡子一枚，哺儿[64]。

治三岁患痢，初脓少血多，四日脓多血少，朱子丸方

生地黄汁五合，羊肾脂一合，暖分三服[65]。

葛氏治脓血相杂，乳母服方

扁豆茎（炙）一升，人参三两。水三升，煮升半，去滓，煮粥食，常覆乳勿冷。乳母捻去少许[66]。

治痢经时不止，成休息痢方

龙骨炙黄焦，捣，服方寸匕，日三[67]。

又方：龙骨四两，捣如小豆，水五升，煮减半，冷，分五服[68]。

治小儿疳痢方

单煮地榆汁如饴糖，与服便已[69]。

又方：龙骨、当归、黄连、人参各二两；甘草炙，一两。筛，蜜丸如梧子，白饮下两丸，日再，五岁五丸[70]。

葛氏治小儿泄痢方

末赤小豆和苦酒涂践下[71]。

又方：猪肉炙哺之[72]。

葛氏治小儿脱肛方

熬石灰令热，故帛裹，坐其上，冷复易之[73]。

葛氏治小儿下部有疮方

煮豉以渍之[74]。

又方：谷汁以磨墨导也[75]。

葛氏治小儿阴疮方

取灶中黄土，末，以鸡子白和傅之[76]。

又方：浓煮黄檗汁渍之[77]。

葛氏治小儿身有赤处方

烧牛矢涂之[78]。

又方：鸡冠血涂之[79]。

葛氏治小儿赤游肿方

糯米研和粥傅之[80]。

又方：米粉熬唾和涂之[81]。

葛氏治小儿丹疮方

以生鱼血涂之，干更涂之[82]。

葛氏治小儿风脐及脐疮久不差方

烧甑带作灰，和乳汁傅之[83]。

又方：末当归粉之[84]。

又方：干虾蟆，烧灰，傅，日三四，佳[85]。

葛氏治小儿恶疮久不差方

烧乱发并釜月下土，猪膏和傅之[86]。

又方：梁上尘敷之[87]。

又方：黄连、胡粉、水银，末，和，敷之。若疮燥，和猪肪傅之[88]。

葛氏治小儿头疮方

取白头翁根捣傅一宿或作疮，二十日愈[89]。

又方：鸡矢烧，冶（研）为末，和猪脂敷之[90]。

葛氏治小儿头面身体疮方

取儿父裤浣汁，以浴之，勿令儿及母知也[91]。

葛氏治小儿月食疮方

以五月五日虾蟆屑，和膏敷之[92]。

葛氏治小儿目赤痛方

捣荠菜取汁，以注目眦中[93]。

葛氏治小儿口疮方

烧葵傅，婴孺用根，口疮并食[94]。

桑白汁涂疮上，日夜十余过[95]。

葛氏治初生儿鹅口方

以发缠箸，沾井华水拭之，三日一如此，便脱去。不脱，可煮栗芙汁令浓，以绵缠箸拭之。如无栗芙，栗木皮亦得[96]。

葛氏治小儿唇疮方

葵根烧末，敷之[97]。

治小儿紧唇方

头垢涂之[98]。

葛氏治小儿卒重舌方

以儿着箕中，东向，内中灸箕舌三壮，良[99]。

又方：烧蛇蜕为末，唾和，涂舌上差[100]。

又方：釜月下土，苦酒和敷舌下[101]。

葛氏治小儿齿脱生方

以薄蛇编绳向东磨齿处，微令破，即生，甚神验[102]。

葛氏治小儿白秃方

烧鲫鱼，末，以酱汁和敷之[103]。

又方：末藜芦，猪膏和涂之[104]。

葛氏乳母杂忌慎法云：小儿新生十岁，衣被不可露，慎之慎之。大方说其事，畏乌获取儿[105]。

【文献及校勘】

[1]《证类》148 页，《幼幼新书》16 页。"初生"，《幼幼新书》作"新产出"。

[2]《幼幼新书》17 页。

[3]《幼幼新书》明抄本卷 4。

[4]《证类》489 页，《纲目》1468 页，《幼幼新书》10 页。"开肠胃"，《幼幼新书》作"开腹"。"三七"，《证类》《纲目》作"二七"，《大观》《幼幼新书》作"三七"。

[5]《幼幼新书》11 页。

[6]《幼幼新书》27 页。

[7][8]《医心方》564 页。

[9]～[12]《幼幼新书》明刊本 15 页。

[13]《医心方》566 页。

[14]《幼幼新书》明刊本 7 页。

[15]《幼幼新书》明刊本 9 页。

[16]《幼幼新书》明刊本 13 页。

[17][18]《医心方》572 页。

[19]《外台》988 页。

[20]《证类》199 页，《纲目》837 页，《幼幼新书》明刊本 18 页、19 页。此条引《幼幼新书》文。

[21]《医心方》572 页。

[22]《证类》381 页。

[23]《证类》357 页（《本草图经》引）。

[24]《幼幼新书》明刊本 13 页。

[25]《幼幼新书》明刊本 7 页。

[26]《医心方》571 页。

[27]《幼幼新书》明刊本 10 页。

[28]《医心方》573 页。

[29]《医心方》578 页。

[30]～[32]《医心方》572 页。

[33]《幼幼新书》明刊本 31 页。此方甘遂、甘草相反，用时宜注意。又细辛用量不过钱，方末云加"细辛一两"，更宜慎用。

[34]～[37]《医心方》566 页。

[38]《医心方》574 页。按，大腹丁奚，其症腹大，颈细小，人黄瘦。

[39]《医心方》574 页。

［40］《医心方》569 页。

［41］［42］《医心方》568 页。

［43］《纲目》2903 页。

［44］《幼幼新书》明抄本卷6，《医心方》557 页。

［45］《医心方》557 页。

［46］《医心方》554 页。

［47］［48］《幼幼新书》明抄本卷7。

［49］《医心方》554 页，《幼幼新书》明刊本 7 页。

［50］《医心方》554 页，《幼幼新书》明刊本 7 页。

［51］《幼幼新书》明刊本 3 页。

［52］《幼幼新书》明刊本 11 页。

［53］［54］《医心方》578 页。

［55］《医心方》576 页。

［56］ ～ ［59］《医心方》575 页。

［60］［61］《医心方》576 页。

［62］［63］《幼幼新书》明刊本 3 页。

［64］《幼幼新书》明刊本 7 页。

［65］［66］《幼幼新书》明刊本 26 页。

［67］［68］《幼幼新书》明刊本 30 页。

［69］《证类》220 页,《纲目》758 页。

［70］《幼幼新书》明刊本 2 页。

［71］［72］《医心方》574 页。

［73］ ～ ［75］《医心方》569 页。

［76］［77］《医心方》568 页。

［78］《医心方》576 页。

［79］《医心方》577 页。

［80］ ～ ［82］《医心方》579 页。

［83］［84］《医心方》566 页。

［85］《幼幼新书》明刊本 19 页。

［86］ ～ ［88］《医心方》582 页。

［89］《证类》207 页,《纲目》764 页。

［90］《医心方》558 页。

［91］《医心方》559 页。

［92］《医心方》581 页。此条可参见"治卒得月蚀疮方"注 ［52］。

［93］《医心方》561 页。

［94］《幼幼新书》1 页。

［95］《医心方》562 页。

［96］《幼幼新书》明刊本 11 页。

［97］《医心方》562 页。

［98］《纲目》2933 页。

［99］《医心方》563 页。

［100］《幼幼新书》明刊本 6 页。

［101］［102］《医心方》563 页。

［103］［104］《医心方》558 页。

［105］《幼幼新书》明抄本卷 4。"畏乌获取儿"，按，《证类》408 页《本草拾遗》云："姑获能收人魂魄。今人一云乳母鸟，言产妇死变化作之。能取人之子以为己子，胸前有两乳。《玄中记》云：姑获，一名天帝少女，一名隐飞，一名夜行游女，好取人小儿养之。有小子之家，则血点其衣以为志。今时人小儿衣不欲夜露者为此也。"

补辑《肘后方》 卷之五

治痈疽妒乳诸毒肿方第三十六

隐居效方治羊疽疮，有虫痒

附子八分，藜芦二分。右二味捣末，傅之，虫自然出[1]。

葛氏治始发诸痈疽发背及乳方

初起焮赤忽痛，不早治杀人，使速消方，皆灸其上百壮[2]。

又方：熬粢粉令黑，鸡子白和之，以涂练上贴痈，小穿练上作小口，以泄毒气令散，燥复易之。此药神效[3]。

又方：以釜底土捣取散，以鸡子中黄和涂之，加少豉弥良。以五月葫及少盐佳[4]。

又方：捣黄檗末，筛，鸡子白和，厚涂之，干复易，差[5]。

又方：烧鹿角捣末，以苦酒和，涂之，佳[6]。

又方：于石上水磨鹿角，取浊汁，涂痈上，干复易，随手消[7]。

又方：半夏末，鸡子白和涂良。姚云生者神验，以水和涂之[8]。

又方：神效，水磨。出小品[9]。

又方：醋和茱萸捣，若捣姜或小蒜，傅之，并良[10]。

一切恶毒肿

蔓菁根一大握（无，以龙葵根代之）；乳头香一两（光明者）；黄连一两（宣州者）；杏人四十九枚，去尖用；柳木取三四钱（白色者）。右五味各细剉，捣三二百杵，团作饼子，厚三四分，依肿处大小贴之，干复易，立散，别贴膏药治疮处，佳[11]。

葛氏治痈发背腹阴匿处通身有数十处方

取牛粪干者烧，捣下重绢，以鸡子白和涂之，干复易[12]。

又方：用鹿角、桂、鸡矢，别捣，烧，合和，鸡子白和涂，干复上[13]。

又痈已有脓，当使坏方

取白鸡两翅羽肢各一枚，烧服之，即穿。姚同[14]。

又方：吞薏苡子一枚，勿多[15]。

又方：以苦酒和雀矢，涂痈头上，如小豆大即穿[16]。

葛氏治痈肿若已结痈，使聚不更长方

小豆末涂，若鸡子白和，尤佳，即差[17]。

又方：芫花木，胶汁和，贴上，燥复易，化为水[18]。

治痈肿溃后脓血不止急痛方

取生白楸叶，十重贴上，布帛宽缚之。缓急得所，日二易，止痛消肿，食脓血，良无比，胜于众贴。冬以先收干者，临时盐汤沃润用之，亦可薄削楸皮用之[19]。

乳肿

桂心三分，乌头二分，甘草二分。右三味捣散，以苦酒和涂肿上，以小纸覆濡其上，将乳居其中，以干布置乳下，须臾布当濡，有脓水也佳[20]。

葛氏治妇人乳痈妒肿

坚硬紫色，削柳根皮捣熟，熬令温，帛囊盛熨乳上，冷更易，甚良。一宿即愈[21]。

又方：研米槌二枚，煮令热，以絮及巾覆乳上，用二槌更互熨肿数十过差。上已用大验[22]。

乳痈方

大黄、罔草（即莽草）、伏龙肝（即灶下黄土也）、生姜各二分。右四味，先以三物捣筛，又合生姜捣，以醋和涂，乳痛则止。极验。

刘涓子不用生姜，用生鱼，三味等分。

余比见用鲫鱼立验。此方小品佳[23]。

姚氏乳痈

大黄、鼠矢、黄连各一分。右三味捣末，合鼠矢更捣，以黍米粥清和傅乳四边，痛止即愈。无黍米，粟米、粳米并可用[24]。

又方：牛马矢傅，并佳。此并消去[25]。

小品治妒乳方

黄芩、白蔹、芍药各等分。右三味捣末下筛，浆水服一钱匕，日五服。若右乳结者，将左乳汁服；左乳结者，将右乳汁服，散消。姚同此方，必愈[26]。

姚方：捣生地黄傅之，热则易。小豆亦佳[27]。

又云：二三百众疗不差，但坚紫色者，用前柳根皮法。云熬令温，熨肿，一宿愈[28]。

凡乳汁不得泄，内结，名妒乳。乃急于痈[29]。

徐玉治乳中瘰疬起痛方

大黄、黄连各三两。水五升，煮取一升二合，分三服，得下，即愈[30]。

葛氏治卒毒肿起急痛方

芜菁根大者，削去上皮，熟捣，苦酒和如泥，煮三沸，急搅之出，傅肿，帛裹上，日再三易，用子亦良[31]。

又方：烧牛矢，末，苦酒和，傅上，干复易[32]。

又方：水和石灰封上。

又方：以苦酒磨升麻，若青木香或紫檀，以磨傅上良[33]。

又方：取水中萍子草，熟捣，以傅上[34]。

又治毒肿已入腹者

麝香、薰陆香、鸡舌香、青木香各一两。右四味，以水四升，煮取二升，分为再服[35]。

若恶核肿结不肯散者

吴茱萸、小蒜等分，合捣傅之，单蒜亦得[36]。

又方：捣鲫鱼以傅之[37]。

若风肿多痒，按之随手起或隐疹方

但令痛以手摩捋、抑按，日数度，自消[38]。

又方：以苦酒磨桂，若独活，数傅之，良[39]。

身体头面忽有暴肿处如吹方

巴豆三十枚，连皮碎，水五升，煮取三升，去滓，绵沾以拭肿上，趁手消，勿近口[40]。

皮肉卒肿起，狭长赤痛，名膈

鹿角五两，白蔹一两，牡蛎四两，附子一两。右四味捣筛，和苦酒，涂帛上，燥复易[41]。

小品治痈结肿坚如石，或如大核色不变，或伤石痈不消

鹿角八两，烧作灰；白蔹二两；粗理黄色磨石一斤。右三味，先烧石令赤，内醋五升中，复烧内之，醋尽半止，取三味捣筛作细末，以余醋拌和如泥，厚涂之，干即涂，取消止，尽更合。内服连翘汤下之[42]。

姚方治若发肿至坚而有根者，名曰石痈

当肿上灸百壮，石子当碎出，不出者，可益壮。痈疽、瘤、石痈、结筋、瘰疬皆不可就针角。针角者，少有不及祸者也[43]。

治痈肿未溃方

莽草末，和鸡子白，涂纸令厚，贴上，燥复易，得痛，自差[44]。

治痈肿振焮不可忍方

大黄捣筛，以苦酒和，贴肿上，燥易，不过三，即差减，不复作，脓自消除，甚神验也[45]。

治痈肿未成脓方

取牛耳垢，封之即愈[46]。

若恶肉不尽者，食肉药食去，以膏涂之，则愈。食肉药方

取白炭灰、荻灰等分，水淋之，煎令如膏。此不宜预作，作之十日则歇。并可以去黑子，黑子药注便即拭去，不时拭则伤肤，又一方以桑皮灰亦妙[47]。

治痈肿方

凡痈肿用栝楼根、赤小豆皆当，内苦酒中，五宿出，熬之毕，捣为散，以苦酒和，涂纸上，贴肿验[48]。

隐居《必效方》消痈肿

白蔹二分，藜芦一分。右二味捣为末，以苦酒和如泥，贴肿上，日三，大良[49]。

治疽疮骨出方

黄连、牡蛎各二分熬。右二味末，先以盐汤洗，以粉之[50]。

葛氏治忽得熛疽著手足肩，累累如米豆，刮汁出，急治之

熬芜菁子熟，捣，绵裹傅之，勿止[51]。

若熛疽发于十指端，及色赤黑，甚难治，宜按大方，非单方所及[52]。

若骨疽积年，一捏一，汁出不差

取胶熬捣末，粉勃疮上，及破生鳢鱼以掩之，如食顷，刮视其小虫出，更洗更傅，虫出尽止[53]。

姚方云：熛疽者，肉中忽生一点子如豆粟，剧者如梅李大，或赤或黑或白或青，其瘑有核，核有深根，痛惨应心。少久四面悉肿，疱黯深紫黑色，能烂坏筋骨，毒入脏腑杀人。南方人名为拓著毒

著厚肉处，皆割之。亦烧铁令赤烙疱上，令焦如炭。亦灸黯疱上百壮佳。单捣酸模叶，傅肿四面，防其长大，饮葵根汁、犀角汁、升麻汁，折其势耳。外治依丹毒法也[54]。

刘涓子治痈疽发坏出脓血，生肉黄耆膏

大黄、黄耆、独活、白芷、薤白、当归、芎䓖、芍药各一两；生地黄三两。右九物切，猪膏二升半，煎三上三下，膏成，绞去滓，傅充疮中，摩左右，日三[55]。

治丹痈疽始发，浸淫进长，并少小丹拓方

大黄二两；芒消三两；黄连二两；黄芩三两；升麻二两；甘草一两，炙；当归一两；芎䓖二两；羚羊角一两。右九味哎咀，水一斗三升，煮取五升，去滓，还内铛中，后下芒消，用杖搅，令成膏，适冷热。贴帛，拓肿上，数度，便随手消散，王练甘林所秘方。慎不可近阴[56]。

又熛疮浸淫多汁，日就浸大，胡粉散

胡粉（熬）、菌茹、甘草（炙）各二分，黄连三分。右四物捣散，筛，以粉疮，日三，极验[57]。

治诸疽疮膏方

蜡、乱发、矾石、松脂各一两，猪膏四两。右五物，先下发，发消下矾石。矾石消下松脂，松消下蜡，蜡消下猪膏。涂疮上[58]。

洗诸败烂疮方，赤龙皮汤

槲树皮（切）三升，以水一斗，煮取五升，春夏冷用，秋冬温用，洗乳疮，及诸败疮，洗了则傅膏[59]。

发背初欲肿，便服此大黄汤

大黄、黄芩、甘草（炙）、升麻各三两，栀子人一百枚。右五味切，以水九升，煮取三升半，分三服，服得快下数行，便止，不下，则更服[60]。

治发背及妇人发乳及肠痈，木占斯散

木占斯、甘草（炙）、桔梗、栝楼、细辛、干姜、厚朴（炙）、防风、人参、败酱草各一两。右十味为散，酒服方寸匕，日七夜四，以多为度，病在上当吐，病在下当下脓血，此谓肠痈之属。凡痈肿即可服。兼治诸疽痔，若疮已溃便早愈，发背无有不疗。长服去败酱。亦治妇人发乳、诸产、癥瘕，益良[61]。

又刘涓子治痈消脓，木占斯散方

木占斯、甘草（炙）、桔梗、栝楼、细辛、干姜、厚朴（炙）、防风、人参、败酱、桂心各一两。右十一味捣为散，服方寸匕。入咽觉流入疮中，若痈及疽灸亦不能发，坏者可服之。疮未坏者去败酱，已坏发脓者，内败酱。此药时有化痈疽令成水，为妙[62]。

治痈肿坚核不消，白蔹薄贴方

白蔹、莽草、大黄、黄连、黄芩、吴茱萸、芍药、赤石脂，右八味各等分捣筛，以鸡子黄和如浊泥，涂布上，随核大小贴之，燥易[63]。

治发背欲死者方

取冬瓜截去头，合疮上，瓜当烂，截去更合之，瓜未尽，疮已敛小矣，即用膏养之[64]。

又方：伏龙肝末之，以酒调，厚傅其疮口，干即易，不日平复[65]。

又方：取梧桐子叶鏊上焙成灰，绢罗，蜜调傅之。干即易之[66]。

痈肿杂效方，治热肿

以家芥子，并柏叶，捣，傅之，无不愈，大验；得山芥更妙。

又捣小芥子末，醋和作饼子，贴肿及瘰疬，数看消即止，恐损肉，此治马附骨，良[67]。

又方：烧人粪作灰，头醋和如泥，涂肿处，干数易，大验[68]。

又方：取黄色雄黄，雌黄色石，烧热令赤，以大醋沃之，更烧醋沃，其石即软如泥，刮取涂肿，若干，醋和。此大秘要耳[69]。

灸肿令消法

取独棵蒜横截厚一分，安肿头上，炷如梧桐子大，灸蒜上百壮。不觉消，**数数灸**。唯多为善。勿令大热。但觉痛擎起蒜，蒜焦更换用新者。不用灸损皮肉，如有体干，不须灸。余尝小腹下患大肿，灸即差。每用之，则可大效也[70]。

又方：生参□□□头上核，又磁石末和醋傅之[71]。

又方：甘草□□□涂此蕉子不中食[72]。

又方：鸡肠草傅良[73]。

又方：白蔹末傅良[74]。

又热肿疖方

麷胶熬涂，一日十数度，即差。治小儿疖子，尤良。每用神效[75]。

一切毒肿，疼痛不可忍者

溲面团，肿头如钱大，满中安椒，以面饼子盖头上，灸令彻痛即立止[76]。

又方：捣蓖麻人，傅之，立差[77]。

手脚心风毒肿

生椒末、盐末等分。右二味，以醋和傅，立差[78]。

痈疽生臭恶肉者

以白蔺茹散傅之，看肉尽便停，便傅诸膏药。若不生肉，傅黄耆散。蔺茹、黄耆止一切恶肉。仍不尽者，可以漆头赤皮蔺茹为散，用半钱匕，和白蔺茹散三钱匕，以傅之。此姚方，差[79]。

恶脉病，身中忽有赤络脉起如蚓状。此由春冬恶风入络脉之中，其血瘀所作之

宜服五香连翘，镵去血，傅丹参膏，积日乃差；余度山岭即患，常服五香汤，傅小豆得消[80]。

恶核病者，肉中忽有核如梅李，小者如豆粒，皮中惨痛，左右走，身中壮热，糜恶寒是也。此病卒然而起，有毒入腹杀人。南方多有此患

宜服五香连翘汤，以小豆傅之，立消。若余核，亦得傅丹参膏[81]。

恶肉病者，身中忽有肉，如赤小豆粒突出，便长如牛马乳，亦如鸡冠状

宜服漏芦汤，外可以烧铁烙之，日三烙，令稍焦，以升麻膏傅之[82]。

气痛之病，身中忽有一处如打扑之状，不可堪耐，而左右走身中，发作有时，痛静时，便觉其处冷如霜雪所加，此皆由冬温至春，暴寒伤之

宜先服五香连翘数剂。又以白酒煮杨柳皮暖熨之，有赤点，点处宜镵去血也[83]。

五香连翘汤，治恶肉、恶脉、恶核、瘰疬、风结肿气痛

木香、沉香、鸡舌香各二两，薰陆香一两，麝香半两，夜干（即射干）、紫葛、升麻、独活、寄生、甘草（炙）、连翘各二两，大黄三两，淡竹沥三升。右十四味，先煮十三物，以水九升，煮减半，内竹沥，取三升，分三服，大良[84]。

漏芦汤，治痈疽、丹疹、毒肿、恶肉

漏芦、白蔹、白薇、升麻、麻黄（去节）各二两，大黄三两，枳实（炙）、黄芩、芍药、甘草（炙）各二两。右十味切，以水一斗，煮取三升，分三服。若无药，单用大黄下之，佳。其丹毒，须针镵去血[85]。

丹参膏，治恶肉、恶核、瘰疬、风结、诸脉肿

丹参、蒴藋各二两，秦艽、独活、乌头、白及、牛膝、菊花、防风各一两，莽草叶、踯躅花、蜀椒各半两。右十二味，切，以苦酒二升，渍之一宿，猪膏四斤，俱煎之，令酒竭，勿过焦，去滓，以涂诸疾上，日五度，涂故布上贴之。此膏亦可服，得大行即须少少服。小品同[86]。

升麻膏，治丹毒肿热疮

升麻、白薇、漏芦、芒消各二两，黄芩、枳实、连翘、蛇衔各三两，栀子二十枚，蒴藋根四两。右十味切，舂令细，内器中，以水三升，渍半日，以猪脂五升，煎令水竭，去滓，傅之，日五度。若急合，即水煎，极验方[87]。

葛氏治卒毒肿起急痛

柳白皮，酒煮令热，熨上，痛止[88]。

[辑佚方]

治背疮方

取白马齿烧作灰，先以针刺疮头开，即以灰封，以湿面周肿处，后以酽醋洗去灰，根出[89]。

又方：以针挑四畔，白姜蚕为散，水和傅之，即拔出根[90]。

又方：芭蕉根捣涂上[91]。

治因疮而肿者，皆因中水及中风寒所作，其肿入腹则杀人

多以桑灰淋汁渍，冷复易取愈[92]。

葛氏治卒得瘭疮，一名烂疮

烧牛粪末粉和熬秫米黄黑、黄连、胡粉和任涂[93]。

又方：烧铁令赤二七度，淬水中，日二三次浴[94]。

徐平治三岁儿头初起瘭疮如钉盖，一二日面及胸背皆生疮方

水银、朱砂、胡粉、硫黄等分，末，猪脂和涂。禁见狗并青衣小儿、妇女。先浓煮桑汁，洗，傅，日三夜一[95]。

葛氏治若风毒兼攻通身渐肿者方

生苦参、菖蒲根、三白根，剉，各一斗。右四味，以水一石五斗，煮取一斗，去滓，内好酒一升，温服半升，日三。又洗耳[96]。

治卒肿起急痛方

捣荏子如泥涂上，燥复换之[97]。

又方：但以甘刀破上，泄去毒血，乃傅药弥佳[98]。

又方：取水蛭，令唼去恶血。其方在治痈疽之方[99]。

凡毒肿多痛，风肿多痒，按之随手起，或痱瘰、隐疹，皆风肿，治之方

炒蚕矢并盐，布裹熨之[100]。

又方：楸叶浸水中，以裹肿上[101]。

又方：以铍刀决破之，出毒血，便愈[102]。

葛氏治痈发背腹阴匿处通身有数十处方

生栝楼根细捣，以苦酒和涂，干复易之[103]。

又方：赤小豆末，以苦酒和涂之，亦良[104]。

治乳痈方

取人牙齿烧灰细研，酥调贴痈上[105]。

治妇人乳痈妒肿者，或经久众疗不差方

梁上尘，苦酒和涂，又治阴肿[106]。

又方：末地榆白皮，苦酒和傅[107]。

又方：白及、芍药，酒服方寸匕。又可苦酒和涂之[108]。

又方：鼠妇虫以涂之[109]。

又方：车前草捣，苦酒和涂之[110]。

葛氏治始发诸痈疽发背及乳方

取茱萸一升捣之，以苦酒和，贴痈上，干易之，佳[111]。

又方：捣苎根根薄之[112]。

葛氏治久疽骨疽积年，一捏一，汁出不差方

火烊饴，以灌疮中，日三[113]。

又方：以白杨叶，屑，傅之[114]。

治卒发恶核肿方

乌翣根、升麻各二两，以水三升，煮取半升，分再服，以滓熨上[115]。

又方：烧白鹅矢，以水服三方寸匕，以肉薄肿上[116]。

又方：苦酒摩由跋涂之，捣小蒜薄之[117]。

[附方]

《胜金方》治发脑，发背及痈疽，热疖，恶疮等

腊月兔头，细剉，入瓶内，密封惟久愈佳。涂帛上厚封之，热痛傅之如冰，频换，差[118]。

《千金方》治发背痈肿已溃、未溃方

香豉三升，少与水和，热捣成泥，可肿处作饼子厚三分以上，有孔勿复，孔上布豉饼，以艾烈其上炙之，使温温而热，勿令破肉，如热痛即急易之，患当减快得分稳，一日二度炙之。如先有疮孔中汁出，即差[119]。

《外台秘要》疗恶寒啬啬，似欲发背，或已生疮肿，瘾疹起方

消石三两，以暖水一升，和，令消待冷，取故青布揲三重，可似赤处方圆湿布拓之，热即换，频易，立差[120]。

《集验方》治发背

以蜗牛一百个，活者，以一升净瓶，入蜗牛，用新汲水一盏，浸瓶中，封系，自晚至明，取出蜗牛放之，其水如涎，将真蛤粉不以多少，旋调傅，以鸡翎扫之疮上，日可十余度，其热痛止，疮便愈[121]。

崔元亮《海上方》治发背秘法，李北海云：此方神授极奇秘

以甘草三大两，生捣，别筛末，大麦面九两，于大盘中相和，搅令匀，取上等好酥少许，别捻入药，令匀，百沸水溲，如饼子剂，方圆大于疮，一分热，傅肿上，以油片及故纸隔，令通风，冷则换之，已成脓水自出，未成脓便内消，当患肿著药时，常须吃黄耆粥，甚妙[122]。

又一法：甘草一大两，微炙，捣碎，水一大升，浸之，器上横一小刀子，置露中经宿，平明以物搅，令沫出，吹沫服之，但是疮肿发背皆可服，甚效[123]。

《梅师方》治诸痈疽发背，或发乳房初起微赤，不急治之即死。速消方

捣苎根傅之，数易[124]。

《圣惠方》治附骨疽及鱼眼疮

用狗头骨烧烟熏之[125]。

张文仲方：治石痈，坚如石，不作脓者

生章陆根，捣擦之，燥即易，取软为度[126]。

《子母秘录》治痈疽，痔瘘疮及小儿丹

水煮棘根汁洗之[127]。

又方：末蛴螬傅之[128]。

《小品方》治疽初作

以赤小豆末，醋和傅之，亦消[129]。

《博济方》治一切痈肿未破，疼痛，令内消

以生地黄杵如泥，随肿大小摊于布上，掺木香末于中，又再摊地黄一重，贴于

肿上，不过三五度[130]。

《日华子》云：消肿毒

水调决明子末涂[131]。

《食疗》治痈肿

栝楼根，苦酒中熬，燥，捣筛之，苦酒和涂纸上，摊贴，服金石人宜用[132]。

杨文蔚方：治痈未溃

栝楼根、赤小豆等分，为末，醋调涂[133]。

《千金方》治诸恶肿失治有脓

烧棘针作灰，水服之，经宿头出[134]。

又方：治痈疮中冷，疮口不合。

用鼠皮一枚，烧为灰，细研封疮口上[135]。

《孙真人》云：主痈发数处

取牛粪烧作灰，以鸡子白傅之，干即易[136]。

《孙真人食忌》主一切热毒肿

章陆根，和盐少许傅之，日再易[137]。

《集验方》治肿

柳枝如脚指大，长三尺二十枚，水煮，令极热，以故布裹肿处，取汤热洗之，即差[138]。

又方：治痈，一切肿未成脓，拔毒。

牡蛎白者，为细末，水调涂，干更涂[139]。

又方：治毒热，足肿疼欲脱。

酒煮苦参以渍之[140]。

《外台秘要》治痈肿

伏龙肝，以蒜和作泥，涂用布上贴之，如干则再易[141]。

又方：凡肿已溃、未溃者。

以白胶一片，水渍令软，纳纳然，肿之大小贴，当头上开孔，若已溃还合者，脓当被胶，急撮之，脓皆出尽，未有脓者，肿当自消矣[142]。

又方：烧鲤鱼作灰，醋和，涂之，一切肿上，以差为度[143]。

又，疗热毒，病攻手足，肿疼痛欲脱方。

取苍耳汁，以渍之[144]。

《肘后方》治毒攻手足，肿疼痛欲断

猪蹄一具，合葱煮，去滓，内少许盐，以渍之[145]。

《经验后方》治一切痈肿无头

以葵菜子一粒，新汲水吞下，须臾即破，如要两处破，服两粒，要破处，逐粒加之，验[146]。

又方：治诸痈不消，已成脓，惧针，不得破，令速决。

取白鸡翅下第一毛，两边各一茎，烧灰，研，水调服之[147]。

又《梅师方》取雀矢涂头上，即易破。雄雀矢佳，坚者为雄[148]。

谨案：雄黄治疮疡尚矣[149]。

《周礼·疡医》凡疗疡，以五毒攻之。郑康成注云：今医方有五毒之药，作之合黄堥，置石胆、丹砂、雄黄、礜石、磁石，其中烧之三日三夜，其烟上著以鸡羽帚取之，以注创，恶肉、破骨则尽出。故翰林学士杨亿尝笔记，直史馆扬崓年少时有疡，生于颊，连齿颊车外，肿若复瓯，内溃出脓血，不辍吐之，痛楚难忍，疗之百方，弥年不差，人语之，依郑法合烧药成注之创中，少顷，朽骨连两牙溃出，遂愈后，更安宁。信古方攻病之速也。黄堥若今市中所货，有盖瓦合也。近世合丹药犹用，黄瓦甋亦名黄堥，事出于古也。堥音武[150]。

《梅师方》治产后不自乳，见蓄积乳汁结作痈

取蒲公草捣傅肿上，日三四度，易之。俗呼为蒲公英，语化为仆公罂是也。水煮汁服，亦得[151]。

又方：治妒乳，乳痈。

取丁香捣末水调方寸匕服[152]。

又方：治乳头裂破。

捣丁香末傅之[153]。

《千金方》治妒乳

梁上尘，醋和涂之，亦治阴肿[154]。

《灵苑方》治乳痈，痈初发，肿痛结硬，欲破脓，令一服差

以北来真桦皮，无灰酒服方寸匕，就之卧，及觉已差[155]。

《圣惠方》主妇人乳痈不消

右用白面半斤，炒令黄色，用醋煮为糊，涂于乳上即消[156]。

《产宝》治乳及痈肿

鸡矢末，服方寸匕，须臾，三服愈[157]。

《梅师方》亦治乳头破裂，方同[158]。

《简要济众》治妇人乳痈，汁不出，内结成脓肿，名妒乳。方

露蜂房烧灰，研，每服二钱，水一中盏，煎至六分，去滓，温服[159]。

又方：治吹奶，独胜散。

白丁香半两，捣罗为散，每服一钱匕，温酒调下，无时服[160]。

《子母秘录》疗吹奶，恶寒壮热

猪肪脂，以冷水浸拓之，热即易，立效[161]。

杨炎《南行方》治吹奶疼痛不可忍

用穿山甲（炙黄）、木通，各一两；自然铜半两，生用。三味捣罗为散，每服二钱，温酒调下，不计时候[162]。

《食医心镜》云：治吹奶，不痒不痛，肿硬如石

以青橘二两，汤浸，去瓤，焙为末，非时温服酒下二钱匕[163]。

【文献及校勘】

[1]《肘后方》91页。

[2]《外台》672页，《肘后方》91页，《医心方》339页。"始发"，《肘后方》作"奶发"，据《外台》改。"皆灸"，《肘后方》作"比灸"，据《外台》改。

[3]《外台》670页，《肘后方》91页，《纲目》1474页。此条引《外台》文，《肘后方》文略异。

[4]《外台》670页，《肘后方》91页，《证类》122页，《医心方》339页。此条引《外台》文，《肘后方》文略异。

[5]《肘后方》91页，《医心方》339页。

[6]《外台》665页，《肘后方》91页。此条，《外台》作"以鹿角灰、醋和涂之。"

[7]《肘后方》91页。

[8]《外台》672页，《肘后方》91页，《纲目》1200页。此条引《外台》文，《肘后方》作"末半夏，鸡子白和涂之，水磨敷，并良"。

[9]《肘后方》91页。

[10]《外台》672页，《肘后方》91页。此条，《外台》作"以醋和墓上土茱萸，捣姜、小蒜薄贴，并良"。

[11]《肘后方》91页，《纲目》1613页。此条，《纲目》作"用蔓菁叶不中水者，烧灰和腊猪脂封之"。

[12]《外台》671页，《肘后方》91页，《医心方》343页、344页。此条引《医心方》文，《肘后方》文略异。

[13]《肘后方》91页，《医心方》344页。

[14][15]《肘后方》91页。

[16]《肘后方》91页，《证类》495页，《纲目》1556页。"如小豆大即穿"，《肘后方》作"如小豆"。

[17] [18]《肘后方》91页。

[19]《外台》657页，《肘后方》91页。此条，《肘后方》作"取生白楸叶十重贴上，布帛宽缚之"。

[20]《外台》945页，《肘后方》91页，《纲目》1931页。此条引《外台》文，《肘后方》作"桂心甘草各二分，乌头一分炮，捣为末，和苦酒，涂纸覆之，脓化为水，则神效"。

[21]《外台》945页，《肘后方》91页，《证类》343页，《医心方》472页，《纲目》2034页。此条引《外台》文，《肘后方》分立为两条。

[22]《外台》945页，《肘后方》92页。"以絮及巾覆乳上"，《肘后方》作"絮中覆乳"。

[23]《外台》945页，《肘后方》92页。"用生鱼，三味等分"，《肘后方》作"用生姜四分，分等"。

[24]《外台》946页，《肘后方》92页。此条引《外台》文。"鼠矢"，《肘后方》作"鼠粪湿者"。"无黍米，粟米、粳米并可用"，《肘后方》作"无黍米，用粳米并得"。

[25]《肘后方》92页。

[26]《外台》944页，《肘后方》92页。此条引《外台》文，《肘后方》文略异。

[27]《外台》946页，《肘后方》92页。

[28] ～ [30]《肘后方》92页。

[31]《肘后方》92页，《证类》502页。"用子亦良"，《证类》无此四字。"熟捣"，商务本《肘后方》注云："熟，另本作热"。

[32]《肘后方》92页，《医心方》357页。"干复易"，《医心方》作"燥复换"。

[33]《肘后方》92页，《医心方》357页，《纲目》798页。此条，《纲目》作"升麻磨醋频涂之"。"以磨傅上良"，《医心方》作"合磨，以指涂痛处良。"

[34]《肘后方》92页，《纲目》1369页。"熟捣"，商务本《肘后方》注云："熟，另本作热"。

[35]《肘后方》92页，《纲目》1943页。按，此方各药皆易挥发，由四升煮取二升，有效成分皆挥发了，故不宜用汤剂。如改成丸剂，则用量大可减小。

[36] [37]《肘后方》92页，《纲目》1596页。

[38]《肘后方》92页，《医心方》358页。此条，《医心方》作"但令人痛以手摩，将作数百过，自消"。

[39]《肘后方》92页，《医心方》358页。

[40]《肘后方》92页。

[41]《肘后方》93页，《医心方》363页。"鹿角五两""附子一两"，《医心方》作"鹿角一两""附子二两"。"膈"，《医心方》作"膈方"。此方是治膈病的方子。什么叫作"膈病"？按，《诸病源候论》云："膈病，其状赤脉起如编绳，急痛，壮热，其发于脚者，喜从蹑踱起至踝，赤如编绳，故谓膈病也"。

[42]《外台》658页，《肘后方》93页。此条引《外台》文，《肘后方》文略有不同。

[43]《外台》659页，《肘后方》93页。"灸百壮""针角者，少有不及祸者也"，《外台》作"灸肿三百壮""针角杀人"。

［44］《肘后方》93 页，《证类》346 页。

［45］《肘后方》93 页，《纲目》1122 页。此条《纲目》引文略异。

［46］《肘后方》93 页，《证类》378 页。

［47］《外台》655 页，《肘后方》93 页，《千金方》395 页，《纲目》1003 页。此条，《外台》《千金方》《肘后方》及《纲目》等文大意相同，但文句互不相同。"白炭灰、荻灰"，《外台》作"白荻灰,"《千金方》作"蒴藋灰、白炭灰"。

［48］《肘后方》93 页。

［49］《外台》658 页，《肘后方》93 页。"隐居《必效方》""苦酒和"，《肘后方》作"隐居《效方》""酒和"。

［50］《外台》661 页，《肘后方》93 页。"先以盐汤洗，以粉之"，《肘后方》作"盐酒洗后傅"。

［51］《外台》662 页，《肘后方》93 页，《纲目》1615 页。此条，《肘后方》作"熬芜菁热捣裹以展转其上，日夜勿止"。

［52］《肘后方》93 页。"若熛疽发"，《肘后方》作"若发疽"。

［53］《外台》661 页，《肘后方》94 页，《纲目》2425 页。此条引《外台》文，《肘后方》文略小异。"取胶熬"，《肘后方》作"熬末胶饴"，《纲目》作"熬饴糖"。

［54］《外台》661 页，《肘后方》94 页。"点子""痛惨应心""单捣""折其势耳"，《肘后方》作"䵞子""应心""早春""折其热内"。又，"酸模叶"，《外台》作"酸草"，《肘后方》作"酸蓁"。

［55］［56］《肘后方》94 页。

［57］《外台》663 页，《肘后方》94 页。"黄连三分"，《肘后方》作"黄连二分"。

［58］《肘后方》94 页。

［59］《肘后方》94 页，《证类》347 页（《本草图经》引），《纲目》1813 页。"洗了则傅膏"，《纲目》作"洗毕乃傅诸膏"。

［60］《外台》667 页，《肘后方》94 页。"欲肿""三两"，《肘后方》原作"欲疼""二两"，据《外台》改。

［61］《外台》673 页，《肘后方》94 页。此条引《外台》文，《肘后方》文略小异。

［62］《外台》658 页，《肘后方》95 页。此条引《外台》方，《肘后方》无"栝楼"。

［63］《外台》656 页，《肘后方》95 页。"以鸡子黄和如浊泥，涂布上，随核大小贴之，燥易"，《肘后方》作"以鸡子白和如泥，涂故帛上，薄之，开小口，干即易之，差"。

［64］《肘后方》95 页，《证类》503 页，《纲目》1698 页。

［65］《外台》658 页，《肘后方》95 页，《证类》122 页。此条，《证类》引文略异。

［66］《肘后方》95 页，《纲目》1999 页。此条，《纲目》作"梧桐叶，炙焦研末，蜜调傅，干即易"。"鏊上煿成灰"，鏊是一种烧器，煿即熬炒。

［67］《肘后方》95 页，《纲目》1609 页。

［68］《肘后方》95 页，《证类》365 页，《纲目》2941 页。

［69］《肘后方》95 页。

［70］《肘后方》95 页，《证类》517 页（《本草图经》引），《纲目》1599 页。

［71］［72］《肘后方》95 页。

〔73〕《肘后方》95 页，《证类》521 页，《纲目》1652 页。

〔74〕《肘后方》95 页，《证类》255 页，《纲目》1297 页。

〔75〕〔76〕《肘后方》95 页。

〔77〕《肘后方》96 页，《证类》265 页，《纲目》1148 页。

〔78〕《肘后方》96 页，《证类》326 页，《纲目》634 页、1850 页。"手脚心风毒肿"，《证类》作"手足心风肿"，《纲目》634 页作"手足心毒，风气毒肿"，1850 页作"手足心肿，乃风也"。

〔79〕《肘后方》96 页，《证类》276 页。

〔80〕～〔83〕《肘后方》96 页。

〔84〕《肘后方》96 页，《医心方》361 页，《千金方》92 页、393 页。

〔85〕《外台》663 页，《千金方》92 页、395 页，《肘后方》96 页。"分三服"，《肘后方》无此文。

〔86〕《肘后方》96 页，《千金方》396 页，《医心方》361 页。"莽草，"《肘后方》原作"茵草"，据《千金方》《医心方》改。按，此方中，有的本子用防己，有的本子用防风，如《千金方》《医心方》用防己，今本《肘后方》用防风。宋代林亿校《千金方》注云："《肘后方》用防风，不用防己。"可见宋代林亿所见《肘后方》本亦用防风。本书从《肘后方》为正。

〔87〕《外台》663 页，《肘后方》97 页，《千金方》403 页。"白蔹"，《千金方》《外台》作"白薇"。宋代林亿校《千金方》注云："白薇，《肘后方》作白蔹"。则林亿所见《肘后方》本，亦用"白蔹"。

〔88〕《肘后方》97 页。

〔89〕《证类》375 页，《纲目》2772 页。此条引《证类》文，《纲目》引文略异。

〔90〕《证类》430 页。

〔91〕《证类》271 页，《纲目》1007 页。《纲目》题此方治"发背欲死"。

〔92〕《证类》316 页。

〔93〕～〔95〕《幼幼新书》24 页。

〔96〕《医心方》358 页。

〔97〕～〔99〕《医心方》357 页。

〔100〕《医心方》358 页。

〔101〕〔102〕《医心方》358 页。

〔103〕〔104〕《医心方》344 页。

〔105〕《证类》364 页，《纲目》2938 页。

〔106〕〔107〕《医心方》472 页、524 页。

〔108〕～〔110〕《医心方》472 页。

〔111〕《外台》670 页。

〔112〕《医心方》339 页。

〔113〕〔114〕《医心方》345 页。

〔115〕～〔117〕《医心方》361 页。

〔118〕～〔123〕《肘后方》97 页。

〔124〕～〔141〕《肘后方》98 页。

[142] ~ [154]《肘后方》99 页。

[155] ~ [163]《肘后方》100 页。

治肠痈肺痈方第三十七

［辑佚方］

肠痈之病，少腹痞坚，或偏在膀胱左右，其色或白，坚大如掌热，小便欲调，时自汗出，其脉迟，坚者未成脓，可下之，当有血。脉数成脓不复可下[1]。

治肠痈瓜子汤

大黄四两，牡丹三两，桃人五十枚，瓜子一升，芒消二两。右五味㕮咀，以水五升，煮取一升，顿服之，当下脓血[2]。

治肠痛如打方

生大豆半升，熬令焦，酒一升，煮之令沸熟，取醉[3]。

【文献及校勘】

[1]《千金方》419 页。

[2]《千金方》418 页、419 页。

[3]《证类》486 页。

治卒发丹火恶毒疮方第三十八

葛氏治大人小儿卒得恶疮，不可名识者方

烧竹叶和鸡子黄，涂，差[1]。

又方：取蛇床子合黄连二两，末，粉疮上用者，猪脂和，涂，差[2]。

又方：烧蛇皮，末，以猪膏和，涂之[3]。

又方：煮柳叶若皮洗之，亦可内少盐。此又治面上疮[4]。

又方：腊月猪膏一升，乱发如鸡子大，生鲫鱼一头，合煎令消尽，又内雄黄、苦参末二两，大附子一枚，末，绞令凝，以傅诸疮，无不差。胡洽治病疽疥，大效[5]。

恶疮中突出恶肉者

末乌梅屑傅疮中，佳[6]。又末硫黄傅上，燥者唾和涂之[7]。

215

恶疮连痂痒痛方

捣篇竹封，痂落，即差[8]。近方。

【文献及校勘】

[1]《肘后方》100页，《医心方》385页，《幼幼新书》15页。

[2]《肘后方》100页，《幼幼新书》15页。

[3]《证类》444页，《肘后方》100页，《纲目》2396页，《幼幼新书》15页。

[4]《肘后方》100页，《纲目》2033页。

[5]《肘后方》100页，《医心方》385页，《幼幼新书》15页，"鸡子"，《医心方》作"鸭子"。

[6]《肘后方》100页，《医心方》385页。

[7]《肘后方》100页。"燥者"，《肘后方》原作"燥著"，据文义改。

[8]《证类》268页，《肘后方》100页，《纲目》1102页、1521页。"篇竹"，《肘后方》作"扁豆"，《纲目》在"扁豆""萹蓄"两药中同引此方，皆注出《肘后方》方。

[辑佚方]治赤白丹毒方

夫丹者，恶毒之气，五色无常，不即治之，痛不可堪。又待坏，则去脓血数升。或发于节解，多断人四肢。盖疸之类[1]。

治之方

煮栗颊有刺者洗之[2]。

又方：以赤雄鸡血，和真朱以涂[3]。

又方：猪膏和胡粉涂之[4]。

又方：捣麻子以涂之[5]。

又方：菾菜涂之[6]。

又方：以慎火涂之[7]。

治丹发足踝方

捣蒜如泥，以厚涂，干即易之[8]。

治赤丹方

面目身体卒得赤斑，或黑斑如疮状，或痒搔之，随手肿起，不急治之，日甚杀人。治之方：羚羊角煎，以摩之数百遍。若无，有牛脂及猪脂。有解毒药者，皆可用摩，务令分散毒气。神妙[9]。

治赤丹若已遍身赤者方

生鱼合皮鳞烧捣末，以鸡子白和，遍涂之[10]。

又方：羚羊角无问多少，即烧之为灰，令极细，以鸡子清和涂之，极神效，无鸡子，以水和涂之，亦妙[11]。

又方：赤小豆一升，羊角（烧之）三两。右二味为末，鸡子白和傅之。无羊角，单用赤小豆良[12]。

治人面目身体卒赤黑丹起如疥状，不治日剧，遍身即杀人方

煎羊脂以摩之，青羊脂最良[13]。

治白丹方

苎根三斤，小豆四升。右二味，水二斗，煮以浴，日三四遍[14]。

又方：苎根三升，水三斗，煮浴，每日涂之[15]。

又方：酸模草、五叶草煮饮汁，又以滓薄丹，以荠亦佳[16]。

又方：末豉以酒和涂之[17]。

又方：捣香薷叶，若蓼傅之[18]。

又方：蜜和干姜末傅之[19]。

又方：屋上尘以苦酒和涂之[20]。

又方：烧鹿角作灰，以猪膏傅之[21]。

又方：烧猪矢灰，和鸡子白涂之[22]。

葛氏治卒毒气攻身，或肿或赤或痛或痒，淫弈分散上下周匝，烦毒欲死方[23]

取生鱼切之如脍，以盐和傅之。通身赤者，务多作令竟病上，干复易之。鲋鱼为佳[24]。

治小儿丹毒方

多年灶下黄土末，和屋漏水傅之，新汲水亦可，鸡子白或油亦可，干即易[25]。

［辑佚方］治疔肿、肿毒方

治疔肿诸方

治疔肿，以针刺四畔，用安石榴皮末著疮上，以面围四畔，灸以痛为度。内榴末傅上，急裹。经宿连根自出[26]。

又方：治疔肿有根，用大针刺作孔，削蔓菁根如针大，染铁生衣刺入孔中。再以蔓菁根、铁生衣等分，捣，涂于上，有脓出即易。须臾根出立差。忌油腻生冷、五辛粘滑陈臭[27]。

又方：用蜣螂心在腹下度取之，其肉稍白是也。贴疔疮半日许，再易，血尽根出即愈[28]。

又方：取白犬血频涂之有效[29]。

治疗肿垂死方

菊叶一握，捣绞汁一升，入口即活，此神验。冬用其根[30]。

治疗肿复发方

马兜铃根捣烂，用蜘蛛网裹傅，少时根出[31]。

葛氏治钉中热结烦满闷乱，狂言起走者方

以芫花一升，水三升，煮取升半，以布渍汤中，掩钉中上，燥复易[32]。

治肿毒无头方

蛇蜕灰，猪脂和涂[33]。

治一切肿毒方

用蔓菁叶不中水者，烧灰和腊猪脂封之[34]。

[辑佚方]**治大赫疮方**

治大赫疮方

此患急宜防毒气入心腹，饮枸杞汁至差。又枸杞叶捣汁服立差[35]。

又方：若大赫疮已灸之，以蝼蝈干者末之，和盐水傅疮四畔周回如韭叶阔狭[36]。

葛氏方治大人、小儿卒得王灼疮，一名熛疮，一名王烂疮，此疮初起作膘浆，似火疮，故以灼烂为名[37]。

烧牛矢，筛下以粉之[38]。

又方：熬秫米令黄黑，捣以傅[39]。

又方：煮小豆汁，内鸡子绞，以洗之良[40]。

又方：末黄连、胡粉、油和涂之[41]。

[辑佚方]**治卒代指及指制痛忽发疮方**

治手指忽肿痛名为代指方

以乌梅仁杵，苦酒和，以指渍之，须臾，差[42]。

又方：以猪膏和白善傅之，数易，差止[43]。

又方：以指刺炊上热饭中，二七遍[44]。

又方：煮地榆根作汤，渍之半日，甚良[45]。

又方：以泥泥指，令通匝厚一寸许，以内热灰中炮之，泥燥唯视指皮绉者即愈也，不绉者，更为之[46]。

治指忽制痛不可忍方

灸指头痛处，七壮，愈[47]。

治指端忽发疮方

烧铁令热，勿令赤，以灼之。

上二方俱主代指[48]。

治手指赤，随月生死方

以生薤一把，苦酒中煮沸，熟出，以傅之，即愈[49]。

葛氏治卒五指筋挛急，不得屈伸方

灸手踝骨上数壮[50]。

［辑佚方］治恶疮不可名识方

治久疮不已方

槲木皮一尺，阔六寸，切，以水一斗煮取五升，入白砂糖十挺，煎取一升，分三服，即吐而愈[51]。

治大人小儿卒得恶疮，不可名识者方

取牛膝根捣涂之[52]。

又方：取螳螂虫，绞取汁傅疮，疮中虫即走出[53]。

又方：煮取竹汁日澡洗[54]。

【文献及校勘】

[1]《外台》822 页，《医心方》380 页。按，《肘后方》此篇虽有标题，但无与题相应之文。

[2]《外台》822 页，《证类》464 页，《医心方》380 页，《纲目》1754 页。"粟频"，《证类》作"粟皮"。

[3] ～ [7]《医心方》380 页。

[8]《外台》822 页，《证类》518 页，《纲目》1600 页。"如泥，以厚涂"，《证类》作"厚傅之"。

[9] ～ [13]《外台》823 页。

[14]《外台》824 页。

[15]《证类》270 页。

［16］《外台》824 页,《医心方》380 页。

［17］《外台》823 页,《医心方》380 页。"以酒",《医心方》作"以苦酒"。

［18］《外台》823 页,《医心方》380 页。"若蓼",《外台》作"苦蓼",《医心方》作"若蓼"。从《医心方》为正。

［19］《外台》823 页,《证类》411 页,《纲目》2220 页。

［20］《外台》823 页。

［21］《外台》823 页,《证类》377 页,《纲目》2583 页。

［22］《外台》824 页。

［23］［24］《医心方》380 页。

［25］《纲目》442 页。

［26］《证类》476 页,《纲目》1785 页。

［27］《纲目》1613 页。此条文不像《肘后方》的文风,可能是《纲目》用当时的语言摘录的。

［28］《证类》451 页,《纲目》2313 页。

［29］《纲目》2717 页。

［30］《证类》145 页,《纲目》932 页。"菊叶",《纲目》作"菊花"。

［31］《纲目》1253 页。

［32］《医心方》101 页。

［33］《纲目》2396 页。

［34］《纲目》1613 页。

［35］《证类》294 页,《纲目》2117 页。"叶",《证类》无。

［36］《证类》451 页,《纲目》2312 页。此条《纲目》引文略异。

［37］《医心方》387 页。

［38］ ～ ［41］《医心方》388 页。

［42］《外台》798 页,《证类》467 页,《纲目》1740 页。此条《外台》引文略异。"代指",《证类》作"伐指"。

［43］《外台》798 页,《纲目》426 页。"白善",《纲目》作"白善土"。

［44］《外台》798 页,《医心方》195 页。"二七遍",《外台》作"七遍"。

［45］［46］《医心方》195 页。

［47］《外台》798 页,《医心方》195 页。此条,《医心方》作"灸病指头,七壮,立差"。

［48］《外台》798 页,《医心方》195 页。此条,《医心方》作"烧针令赤以灼之"。

［49］《证类》512 页,《纲目》1592 页。

［50］《医心方》195 页。

［51］《外台》642 页,《纲目》1813 页。

［52］［53］《医心方》385 页。

［54］《证类》317 页。

治痾癣疥漆疮诸恶疮方第三十九

小品治痾癣疥恶疮方

水银、矾石、蛇床子、黄连各二两。右四物捣筛，以腊月猪膏七合，并下水银搅万度，不见水银，膏成。傅疮，并小儿头疮良。龚庆宣加蔄茹一两，治诸疮，神验无比[1]。

姚氏治痾疥方

雄黄一两，黄连、松脂各二两，发灰如弹丸。右四味熔猪膏与松脂，合，熟捣，以薄疮上，则大良[2]。

又疗疮恶疮粉方

水银、胡粉（熬令黄）、黄连各二两。右三味为粉，下筛，粉疮。疮无汁者，唾和之[3]。

小儿身中恶疮

取笋汁日澡洗，以笋壳作散，傅之，效[4]。

治人体生恶疮，似火自烂

胡粉熬黑、黄连、黄檗各等分。右三味捣，下筛，粉之也[5]。

卒得恶疮方

苍耳、桃皮作屑，内疮中，佳[6]。

治头中恶疮方

胡粉、水银、白松脂各二两；腊月猪膏四两。右四味，先以猪膏合松脂煎，以水银、胡粉合研，以涂上，日再。胡洽云：疗小儿头面疮。又一方加黄连二两，亦治得秃疮[7]。

恶疮雄黄膏方

雄黄末、雌黄末、水银各一两，松脂二两，猪脂半斤，乱发如鸡子大。右六味合煎，去滓，内水银，傅疮，日再[8]。

效方，恶疮食肉雄黄散

雄黄六分，蔄茹、矾石各二分。右三味为散，末疮中，日二[9]。

治疮方，最去面上粉刺方

黄连八分，糯米、赤小豆各五分。吴茱萸一分，胡粉、水银各六分。右六味，捣黄连等，下筛，先于掌中，研水银，使极细，和药使相入，以生麻油总稀稠得所，洗疮拭干，傅之，但是疮即治，神验，不传^[10]。

甘家松脂膏，治热疮，尤咽脓，不瘥，无瘢方

松脂、白胶香、薰陆香各一两；甘草（切）一两，当归、蜡各一两半；猪脂、羊肾脂各半合许，生地黄汁半合。右九味，以松脂等末，内脂膏，地黄汁中，微火煎令黄，下蜡，绞去滓，涂布，贴疮极有验。甘家秘不传方。此是半剂^[11]。

地黄膏，治一切疮已溃者，及炙贴之无瘢，生肉去脓神秘方

松脂二两，薰陆香一两，羊肾脂如鸡子大，牛酥如鸡子大，地黄汁一升，蜡半鸡子大。右六味，先于地黄汁煎松脂及香，令消，即内羊脂、酥，并更用蜡一时相得，缓火煎。水尽膏成，去滓，涂帛，贴疮，日一二易。加故绯一片，乱发一鸡子许大，治年深者，十余日即瘥。生肉秘法^[12]。

妇人颊上疮，瘥后每年又发。甘家秘方，涂之永瘥

黄矾石二两，烧令汁尽；胡粉一两；水银一两半。右三味，捣，筛，矾石、胡粉更筛，先以片许猪脂于瓷器内，熟研水银令消尽，更加猪脂，并矾石、胡粉，和使黏稠，洗面疮以涂上。又别熬胡粉，令黄，涂膏讫，则薄此粉，数日即瘥，甘家用大验^[13]。

病疮，腰脚已下名为病，此皆有虫食之，虫死即瘥，此方立验

醋泔淀一碗，大麻子一盏，白沙、盐末各一抄。右四味和掩以傅疮，干更傅，先温泔净洗，拭干，傅一二度，即瘥。孔如针穴，皆虫食，大验^[14]。

效方治恶疮三十年不愈者

大黄、黄连、黄芩各一两。右三味为散。洗疮净，以粉之，日三，无不瘥。又黄檗等分亦佳^[15]。

葛氏治白秃方

杀猪即取肚，破去矢，及热以反拓头上，须臾，虫出著肚。若不尽，更作取，令无虫，即休^[16]。

又方：末藜芦，以腊月猪膏和涂之。五月漏芦草烧作灰，膏和使涂之，皆先用盐汤洗，乃傅^[17]。

又方：羊蹄草根，独根者，勿见风日及妇女、鸡、犬，以三年醋研和如泥，生布拭疮令去，以傅之^[18]。

姚方：以羊肉如作脯法，炙令香及热，以拓上，不过三四日瘥^[19]。

又方：先以皂角水洗，拭干，以少油麻捣烂傅，焦即瘥^[20]。

［附方］

《千金方》治遍身风痒生疮疥

以蒺藜子苗，煮汤洗之，立差。《千金翼方》同[21]。

又方：茵陈蒿，不计多少，煮浓汁，洗之立差[22]。

《千金翼方》疮癣初生或始痛痒

以姜黄傅之，妙[23]。

又方：嚼盐涂之，妙[24]。

又方：漏瘤疮湿，癣痒浸淫，日痛痒不可忍，搔之黄水出，差后复发。取羊蹄根，去土，细切，捣，以大醋和，净洗，傅上一时间，以冷水洗之，日一傅差，若为末傅之，妙[25]。

《外台秘要》治癣疮方

取蟾蜍烧灰末，以猪脂和傅之[26]。

又方：治干癣，积年生痂，搔之黄水出，每逢阴雨即痒。用班猫半两，微炒，为末，蜜调傅之[27]。

又治疥方

捣羊蹄根，和猪脂涂上，或著盐少许，佳[28]。

《斗门方》治疥癣

用藜芦细捣，为末，以生油调傅之[29]。

《王氏博济》治疥癣满身作疮不可治者

何首乌、艾，等分，以水煎令浓，于盆内洗之，甚能解生肌肉[30]。

《简要济众》治癣疮久不差

羊蹄根捣绞取汁，用调腻粉少许，如膏涂傅癣上，三五遍即差。如干，即猪脂调和傅之[31]。

《鬼遗方》治疥癣

松胶香研细，约酌入少轻粉，滚令匀，凡疥癣上先用油涂了擦末，一日便干，顽者三两度[32]。

《圣惠方》治癣湿痒

用楮叶半斤，细切，捣烂，傅癣上[33]。

《杨氏产乳》疗疮疥

烧竹叶为末，以鸡子白和之涂上，不过三四次，立差[34]。

《十全方》治疗疮

巴豆十粒，火炮过，黄色，去皮膜，右顺手研如面，入酥少许，腻粉少许，同研匀，爪破，以竹篦子点药，不得落眼里及外肾上，如熏之著外肾，以黄丹涂甚妙[35]。

《经验方》治五般疮癣

以韭根炒存性，旋捣末，以猪脂油调傅之，三度差[36]。

《千金方》疗漆疮

用汤渍芒消，令浓涂之，干即易之[37]。

谭氏治漆疮

汉椒汤洗之即愈[38]。

《千金翼》治漆疮

羊乳傅之[39]。

《集验方》治漆疮

取莲叶干者一斤，水一斗，煮取五升，洗疮上，日再，差[40]。

《斗门方》治漆咬

用韭叶研傅之。《食医心镜》同[41]。

《千金方》主大人、小儿风瘙瘾疹、心迷闷方

巴豆二两，捶破，以水七升，煮取三升，以帛染拭之[42]。

《外台秘要》涂风疹

取枳实，以醋渍令湿，火炙令热，适寒温用，熨上即消[43]。

《斗门方》治瘾疹

楝皮浓煎浴之[44]。

《梅师方》治一切疹

以水煮枳壳为煎涂之，干即又涂之[45]。

又方：以水煮芒消涂之[46]。

又，治风瘾疹方。

以水煮蜂房，取二升，入芒消，傅上，日五度即差[47]。

《圣惠方》治风瘙瘾疹，遍身痒成疮

用蚕沙一升，水二斗，煮取一斗二升，去滓，温热得所，以洗之，宜避风[48]。

《千金翼》疗丹瘾疹方

酪和盐热煮，以摩之，手下消[49]。

又，主大人、小儿风疹。

茱萸一升，酒五升，煮取一升，帛染拭之[50]。

《初虞世》治皮肤风热，遍身生瘾疹

牛蒡子、浮萍等分，以薄荷汤调下二钱，日二服[51]。

《经验后方》治肺毒疮，如大风疾，绿云散

以桑叶好者，净洗过，熟蒸一宿后，日干，为末，水调二钱匕服[52]。

《肘后方》治卒得浸淫疮，转有汁，多起心，早治之，续身周匝则杀人

以鸡冠血傅之，差[53]。

又方：疗大人、小儿卒得月蚀方。

于月望夕取兔矢，及内虾蟆腹中，合烧为灰末，以傅疮上，差[54]。

《集验方》疗月蚀疮

虎头骨二两，捣碎，同猪油一升，熬成膏黄，取涂疮上[55]。

《圣惠方》治反花疮

用马齿苋一斤，烧作灰，细研，猪脂调，傅之[56]。

又方：治诸疮胬肉，如蚁出数寸。

用硫黄一两，细研，胬肉上薄涂之，即便缩[57]。

《鬼遗方》治一切疮肉出

以乌梅烧作灰，研末，傅上，恶肉立尽，极妙[58]。

《简要济众方》傅疮药

黄药子四两，为末，以冷水调傅疮上，干即旋傅之[59]。

《兵部手集》治服丹石人有热疮，疼不可忍方

用纸环围肿处，中心填消石令满，匙抄水淋之，觉其不热，疼即止[60]。

治头疮及诸热疮

先用醋少许，和水净洗，去痂，再用温水洗，搵干，百草霜细研，入腻粉少许，生油调涂，立愈[61]。

治恶疮：唐人记其事云，江左尝有商人，左膊上有疮，如人面，亦无它苦。商人戏滴酒口中，其面亦赤色，以物食之，亦能食，食多则觉膊内肉胀起，或不食之，则一臂痹。有善医者教其历试诸药，金石草木之类悉试之，无苦。至贝母，其疮乃聚眉闭口。商人喜曰：此药可治也。因以小苇筒毁其口，灌之数日，成痂遂愈，然不知何疾也。谨按《本经》主金疮，此岂金疮之类与[62]。

【文献及校勘】

[1]《肘后方》100页。"龚庆宣",《肘后方》误作"袭庆宣"。

[2]《肘后方》101页。

[3]《肘后方》101页,《纲目》527页。

[4]《肘后方》101页。"日澡洗",《肘后方》原作"自澡洗",据文义改。

[5]《肘后方》101页。

[6]《证类》195页,《肘后方》101页。按,《肘后方》此篇题与文不相应,故另立新题。

[7] ~ [12]《肘后方》101页。

[13]《肘后方》102页,《纲目》681页。

[14] ~ [16]《肘后方》102页。

[17]《肘后方》102页,《纲目》1157页。

[18]《肘后方》102页,《纲目》1354页。"三年醋""拭疮令去",《纲目》作"陈醋""擦赤"。

[19]《外台》891页,《肘后方》102页,《证类》380页,《纲目》2727页。

[20]《肘后方》102页,《证类》341页,《纲目》2019页。按,《肘后方》谓此方治白秃,《证类》《纲目》谓此方治小儿恶疮。

[21] ~ [26]《肘后方》102页。

[27] ~ [42]《肘后方》103页。

[43] ~ [60]《肘后方》104页。

[61][62]《肘后方》105页。

[辑佚方]治瘑疮方

治瘑疮方

瘑疮常对在两脚,涂白犬血立愈[1]。

又方:杵桃叶,以苦酒和,傅皮亦得[2]。

又方:桃花、食盐等分,杵匀,醋和傅之[3]。

又方:以苦酒和黄灰涂之[4]。

又方:煮苦酒沸,以生韭一把内中,熟出,以薄疮上,即愈[5]。

又方:乱发、头垢分等,蜗牛壳二七枚合烧,末,腊月猪膏和傅之[6]。

[辑佚方]治疥疮方

治疥疮方

石灰二升,以汤五升浸取汁,先用白汤洗疮,拭干。乃以此法洗之,有效[7]。

又方:杵蟹傅之亦效[8]。

又方：麻油摩硫黄涂之[9]。

又方：猪膏煎芫花涂[10]。

又方：取楝根削去上皮，切，皂荚去皮子，等分。熟捣下筛，脂膏和，搔痒去痂以涂之。护风。勿使女人、小儿、鸡、犬见之[11]。

又方：酒渍苦参饮之[12]。

又方：煮薤叶洗亦佳，捣如泥傅之亦浔[13]。

又方：东行楝根，刮末，苦酒和涂。通身者，浓煮以浴，佳[14]。

[辑佚方] 治癣疮方

治癣疮方

独活根去土，捣之一把许，附子二枚炮捣，以好酒和涂之，三日乃发，欲敷药，先以皂荚汤洗，拭令干，然后敷药便愈[15]。

又方：以好苦酒于石上磨桂以涂之[16]。

又方：苦酒磨柿根涂之[17]。

又方：于蟾蜍烧末，以膏和涂之，立愈[18]。

又方：挼蓼叶涂之[19]。

治燥癣方

水银和胡粉，研令调以涂之[20]。

又方：胡粉熬令黄赤色，苦酒和涂之，干即易，差止[21]。

又方：以雄鸡冠血涂之[22]。

又方：以谷树汁涂之[23]。

又方：捣桃白皮，苦酒和敷之，佳[24]。

治湿癣方

刮疮令圻，火炙糜脂摩之，以蛇床子末和猪脂敷之。差止[25]。

又方：取茟母草，以刮癣上，取差止[26]。

治恶疮癣癞方

十年不差者，苦瓠一枚，煮汁搨之，日三度[27]。

[辑佚方] 治漆疮方

治卒得漆疮方

以鸡子黄涂之，干即易之，不过三五度[28]。

又方：煮柳叶汤，适寒温洗之，柳皮尤妙[29]。

又方：取生蟹黄涂之[30]。

又方：煮香薷以渍洗之[31]。

又方：浓煮鼠查茎叶洗之，亦可捣取汁以涂之[32]。

又方：嚼秫米以涂之[33]。

又方：以造酒小曲，捣末以粉之，干即以鸡子白和涂之，良[34]。

又方：挼慎火草若鸡肠草以涂之。漆姑草亦佳[35]。

又方：以羊乳汁涂之[36]。

又咒漆法：畏漆人见漆，便漆著之。唾之曰，漆奕丹阳漆，无弟无兄，漆自死。丹亡二七须鼠伤。三唾之，又咒三过止，则不复生疮也[37]。

治漆疮方

取莲叶干者一斤，以水一斗，煮取五升洗疮上。日再[38]。

又方：芒消五两，汤浸洗之[39]。

又方：矾石著汤中令消，以洗之[40]。

又方：贯众捣末以涂之，良。干以油和涂之[41]。

又方：捣韭根如泥涂之。煮薤叶洗之，佳[42]。

治漆疮瘑痒方

鸡肠草捣涂之[43]。

[辑佚方] 治卒得风瘑瘾疹风肿方

葛氏治卒得风瘑瘾疹，搔之生疮，汁出，初痒后痛，烦闷不可堪方

烧石令赤，以少水，中内盐数合，及热灼灼，以洗渍之[44]。

又方：剉桑皮二斗许，煮令浓，及热，以自洗浴[45]。

又方：以盐汤洗之，挼葵菜涂之[46]。

又方：以慎火合豉，捣以傅之[47]。

治手足心风肿方

椒、盐末等分，醋和傅之良[48]。

肘后枳实丸，治热风头面痒风疹如癫方

枳实六分（炙），天门冬（去心）、独活、蒺藜、防风、桔梗各五分，黄连、薏苡人各四分，菌桂一分半。右九味捣筛，蜜和，丸如梧子，饮服十五丸，日再。如能以酒和饮之，益佳。不限食之前后，以意加减。忌鲤鱼、生葱、猪肉、冷水[49]。

疗疬疡方

硫黄研，矾石研，水银别研入灶墨。右四味等分，捣，下筛，内碗子中，以葱叶中涕和研之，临卧以傅病上[50]。

［辑佚方］治卒得月蚀疮方

此疮多在两耳上及七孔边，随月生死，故名月蚀疮也。世言小儿夜指月所为，实多著小儿也[51]。

治大人小儿卒得月蚀疮方

虾蟆，取五月五日者，烧灰，以猪膏和涂之，差止[52]。

又方：于月望夕取兔矢，仍内虾蟆腹中，合烧为灰末，以傅疮上，差止[53]。

又方：烧蚯蚓矢令赤，末，以猪膏和傅之[54]。

又方：取蛇蜕皮烧末，和猪脂傅上。治小儿初生月蚀疮及恶疮[55]。

又方：取萝摩草捣末，涂之差[56]。

又方：水银二两，胡粉（熬），一两，黄连末二两，松脂（研），一两。右四味相和合研水银消，以涂疮，疮如干，以腊月猪脂和，先以盐汤洗拭，然后敷之[57]。

［辑佚方］治卒得浸淫疮方

治卒得浸淫疮，转广有汁，多起于心，不早治之，绕身周匝，则能杀人方

以鸡冠血涂之，良[58]。

又方：取牛粪新者，绞取汁以涂之。亦烧烟熏之[59]。

又方：胡燕窠，末，以水和涂之[60]。

又方：取鲫鱼长三寸者，以少豉合捣，涂之。亦治马鞍疮。若疮先起四肢，渐向头面者难治也。又取鲫鱼油煎，去鱼涂之[61]。

又方：熬秫米令黄黑，杵，以傅之[62]。

［辑佚方］治卒发足肿病方

葛氏治足忽得肿病，腓胫暴大如吹，头痛，寒热，筋急，不即治之至老不愈方[63]

随病痛所在，左右足对内踝直下白肉际，灸三壮即愈。后发，更灸故处[64]。

又陶氏初觉此病之始，股内间微有肿处，或大脉胀起，或胫中拘急，煎寒不决者

当检案其病处有赤脉血络，仍灸绝其经两三处，处二十一壮，末巴豆、虻虫少少杂艾为灸柱[65]。若以下至踝间，可依葛氏法，加其壮至五十，亦用药艾丸也，如此应差[66]。

若数日不止，便以小刀破足第四第五指间脉处，并踝下骨，解泄其恶血，血皆作赤色，去一斗五升，亦无苦，若在余处亦破之，而角嗽去恶血，都毕，傅此大黄膏，勿令得风水，乃令服白头翁酒，其经易治，且如此。若良久不差，更看大方[67]。

大黄膏方

大黄、附子、细辛、连翘、巴豆、水蛭（炙）一两，苦酒淹一宿，以腊月猪膏煎，三上三下，去滓，以傅之。亦可酒服如杏核[68]。

白头翁酒方

白头翁二两，甘草一两，牛膝二两，海藻二两，石斛一两，干地黄一两，土瓜根一两，附子三两，葛根一两，麻黄二两。十物以酒二斗渍五日，服一合，稍至三四合。又摩野葛膏亦佳[69]。

［辑佚方］治卒发手足逆胪尸脚皴裂冻疮方

葛氏治手足逆胪方

青琅玕，捣，以猪脂和涂之[70]。

葛氏治脚无冬夏恒坼裂者名尸脚，踏死尸所致。方

取鸡矢一升，水二升，煮数沸，渍洗之，半日乃出，数作差[71]。

治手足皲裂面出血痛方

以酒挼猪胰洗并服[72]。

葛氏治冬天手足皲裂血出及瘃冻方

取麦苗煮令浓，热灼灼尔，以洗渍之[73]。

葛氏治手足中寒雪冻肿创烂方

车膏，温令热，以灌之。烊腊杂蜜亦佳[74]。

又方：温咸菹汁之[75]。

又方：热煮小便以渍之[76]。

又方：烧黍、粟，若麦藁作灰，以水和，煮令热，穿器盛于筒中，滴创上，半日中为之[77]。

［辑佚方］治手足疣目胼胝方

治疣目方

月晦日夜，于厕前取故草二七茎，茎研二七过，粉疣目上讫。咒曰，今日月晦疣惊，或明日朝乃弃，勿反顾之[78]。

又方：取亡人枕若席物，以二七拭之。亡人近，弥易去也[79]。

又方：七月七日以大豆一合，拭疣目上三过讫。使病疣目人种豆，著南向屋东头第二溜中，豆生四叶，以热汤沃杀，疣目便去矣[80]。

治手足忽生疣目方

以盐傅疣上，令牛舐之，不过三度[81]。

又方：作艾柱如疣大，灸上三壮[82]。

又方：以流黄揩其上，二七过，佳[83]。

又方：蒴藋赤子，挼坏，刮疣目上，令赤，以涂之，即去[84]。

葛氏治手足忽发胼胝方

取粢米粉，铁铛熬令赤，以涂之，以众人唾和涂上厚一寸，即消[85]。

［辑佚方］治血瘤肉瘤方

治瘤方

人精一合，半合亦得，青竹筒盛，火上烧炮之，以器承取汁，密置器中，数傅瘤上，良[86]。

又方：皮肉中忽肿起，初如梅李，渐长大，不痒不痛，又不坚强，按之柔软，此血瘤也。不疗，乃至如盘，大则不可复消，而非杀人病尔，亦慎不可破。方乃有大疗，今如觉，但依瘿家疗，疗若不消，更引别大方[87]。

又方：凡肉瘤不得针灸，针灸则杀人，慎之[88]。

【文献及校勘】

[1]《证类》381页，《医心方》391页，《纲目》2717页。

[2]《证类》473页，《医心方》391页，《纲目》1748页。"傅皮亦得"，《医心方》作"疮上涂之"。

[3]《纲目》1747页。

[4] ~ [6]《医心方》391页。

[7]《外台》831页，《医心方》383页下13行。"二升""五升"，《医心方》作"二斗""五斗"。

[8]《证类》426页。

[9]《医心方》383页。

[10]《证类》389页，《医心方》383页，《纲目》2691页。

[11]《外台》832页。

[12]《医心方》383页。

[13]《证类》512页，《纲目》1592页。此条，《纲目》作"疥疮痛痒，煮薝叶捣烂涂之"。

[14]《医心方》383页。

[15]《外台》828页。

[16] ~ [19]《医心方》381页。

[20] ~ [22]《外台》830页，《医心方》382页。

[23]《外台》830页，《医心方》382页。"谷树汁"，《外台》作"谷汁"。

[24]《外台》830页，《医心方》382页。

[25]《外台》830页，《医心方》382页。"炙糜脂"，《外台》作"炙指"。据《医心方》改。

[26]《医心方》382页。

[27]《纲目》1695页。

[28]《外台》795页，《医心方》390页。按，《肘后方》此篇虽有标题（附在"治瘑癣诸恶疮方"中），但无与题相应的文。

[29]《外台》795页，《千金方》458页，《医心方》390页。此条，《千金方》作"治漆疮方：生柳叶三斤，以水一斗五升，细切，煮得七升，适寒洗之，日三"。

[30]《外台》795页，《医心方》390页。"蟹黄"，《医心方》作"蟹"。

[31]《外台》795页，《医心方》390页。

[32]《外台》795页，《纲目》1775页。此条，《纲目》作"山楂茎叶，煮汁洗漆疮"。"鼠查"即山楂。

[33]《外台》795页，《医心方》390页。

［34］《外台》795 页。

［35］《外台》795 页，《医心方》390 页。

［36］～［41］《外台》795 页。

［42］《外台》796 页，《医心方》390 页。"韭根"，《医心方》作"韭"。

［43］《纲目》1652 页。

［44］～［47］《医心方》97 页。

［48］《纲目》634 页、1850 页。

［49］《外台》423 页。

［50］《外台》425 页。

［51］《外台》797 页。

［52］《外台》797 页，《医心方》581 页。此条，《医心方》作"以五月五日虾蟆和膏傅之"。

［53］《外台》797 页，《证类》385 页，《医心方》389 页，《纲目》2890 页。

［54］《外台》797 页，《医心方》389 页。"猪膏"，《医心方》作"膏"。

［55］《证类》444 页。

［56］《外台》797 页，《医心方》389 页。此条，《医心方》作"取罗摩草汁涂"。

［57］《外台》797 页。

［58］《外台》796 页，《证类》399 页，《医心方》387 页，《纲目》2592 页。此条引《外台》文。"良"，《证类》作"差"，《纲目》作"日四五度"。

［59］《外台》796 页，《医心方》387 页。

［60］《外台》796 页，《证类》402 页，《医心方》387 页。此条引《外台》文，《证类》作"胡燕窠中土，水和傅之"。

［61］《外台》797 页。

［62］《证类》489 页，《纲目》1485 页。

［63］《医心方》192 页。"足肿病"，《诸病源候论》云："病者自膝已下至踝及指俱肿直也，皆由血气虚弱而邪伤之经络否涩而成，亦言江东诸山人多病肿。"从足肿病描述的症状来看，很像丝虫病象皮腿。

［64］～［69］《医心方》192 页。

［70］《医心方》194 页。"逆胪"，《诸病源候论》云："逆胪者，手足爪甲际皮剥起。"

［71］《医心方》193 页。"尸脚"，《诸病源候论》云："尸脚者，脚跟坼破也，亦是冬时触犯寒气所以如然。又言脚踏死尸所卧地，令脚破也。"

［72］《证类》389 页，《纲目》2702 页。此条引《证类》文，《纲目》作"手足皴裂，以酒挼猪胰，洗并傅之"。

［73］《医心方》194 页。

［74］～［77］《医心方》193 页。

［78］《外台》800 页下 17～20 行。"疣目"，一云是目上赘肿，一云是疣子似目。前说不可信，因手足亦有生"疣目"的。

［79］［80］《外台》801 页。

［81］《证类》107 页，《医心方》114 页，《纲目》634 页。"令牛舐之"，《纲目》作"以舌

舐之"。

[82] ～ [84]《医心方》114 页。

[85]《证类》490 页，《医心方》194 页，《纲目》1480 页、2957 页。"胐""粢米"，《证类》《纲目》作"疣""粱"。

[86]《证类》365 页，《纲目》2956 页。

[87]《外台》624 页。

[88]《千金方》442 页。

治卒得癞皮毛变黑方第四十

凡癞病皆起于恶风，及触犯忌害得之。初觉皮肤不仁，淫淫若痒如虫行，或眼前见物如垂丝，或隐疹赤黑气莽沆。此皆为疾之始，便急治之。

此疾乃有八九种，大都皆须断米谷鲑肴，专食胡麻、松、术最善。别有蛮夷酒、决疑丸诸大方数首。亦有符术。今只取小小单方[1]

苦参五斤，剉之，以好酒三斗渍四五日，稍稍饮之二三合，饮勿绝。亦治白癞[2]。

又方：干艾叶浓煮，以汁渍曲作酒如常法，饮之令醺醺。姚同[3]。

姚方：大蝮蛇一枚干者，并头尾全，勿令欠少。以酒渍之，大者一斗，小者五升，以糠火温令酒尽，稍稍取蛇一寸许，以腊月猪膏和，傅疮上。忌小麦热曲[4]。

又方：苦参二斤；露蜂房五两，炙。右二味切，以水三斗，法曲二斤，和药渍。经三宿，绞去滓，炊黍米二斗，酿准常法作酒，候酒熟压取。先食，一饮一鸡子。日三，稍稍增之，以差为度。亦治风痿、诸恶疮、鼠瘘。一方加猬皮更佳[5]。

[辑佚方]

葛氏治白癞、乌癞方

苦参根皮三斤，粗捣，以酒三斗渍二十一日，去滓。服一合，日三。若是癞疾，即应觉痹。禁杂食[6]。

又方：取马新蒿，一名马矢蒿，一名烂石草，捣末，服方寸匕，日三。百日如更赤起，一年都差平复[7]。

又方：捣好雌黄末，苦酒和，鸡羽染以涂疮上，干复涂之[8]。

葛氏治白癜风方

白癜风，一名白癞，或谓龙舐，此大难治。取苦瓠经冬干者，穿头，员如钱许，以物刺穰使遍，灌好醋满中，面封七日，以皂荚葛揩，使微伤，以瓠中汁涂之[9]。

治白癞头疮方

白炭烧红，投沸汤中，温洗取效[10]。

[附方]

《圣惠方》治大风癞疾，骨肉疽败，百节疼酸，眉鬓坠落，身体习习痒痛

以马先蒿细剉，炒为末，每空心及晚食前，温酒调下二钱匕[11]。

又方：治大风疾，令眉鬓再生。

用侧柏叶，九蒸九曝，捣罗为末，炼蜜和丸，如梧桐子大。日三服，夜一服，熟水下五丸、十丸，百日即生[12]。

又方：治大风，头面髭发脱落。

以桑柴灰，热汤淋取汁，洗面。以大豆水，研取浆，解泽灰味，弥佳。次用熟水，入绿豆、面濯之，取净，不过十度良，三日一沐头，一日一洗面[13]。

又方：治白癞。

用马鞭草不限多少，为末，每服食前用荆芥、薄荷汤调下一钱匕[14]。

《食疗》治癞

可取白蜜一斤，生姜二斤，捣取汁，先秤铜铛，令知斤两，即下蜜于铛中消之。又秤知斤两，下姜汁于蜜中，微火煎，令姜汁尽，秤蜜斤两，在即休药已成矣。患三十年癞者，平旦服枣许大一丸，一日三服，酒饮任下。忌生冷、醋、滑、臭物，功用甚多，活人众矣，不能一一具之[15]。

《外台秘要》治恶风疾

松脂，炼，投冷水中二十次，蜜丸。服二两，饥即服之，日三。鼻柱断离者，三百日差。断盐及房室[16]。

《抱朴子》云：赵瞿病癞历年，医不差，家乃赍粮，弃送于山穴中，瞿自怨不幸，悲叹涕泣。经月，有仙人经穴，见之哀之，具问其详，瞿知其异人也，叩头自陈乞命，于是仙人取囊中药赐之。教其服百余日，疮愈，颜色悦，肌肤润。仙人再过视之，瞿谢活命之恩，乞遗其方。仙人曰：此是松脂，彼中极多，汝可炼服之，长服身转轻，力百倍，登危涉险，终日不困，年百岁，齿不堕，发不白，夜卧常见有光大如镜[17]。

《感应神仙传》云：崔言者，职隶左亲骑军，一旦得疾，双眼昏，咫尺不辨人

235

物，眉发自落，鼻梁崩倒，肌肤有疮如癣，皆谓恶疾，势不可救，因为洋州骆谷子归寨使，遇一道流，自谷中出，不言名姓，授其方曰：皂角刺一二斤，为灰，蒸，久晒，研为末，食上浓煎大黄汤调一钱匕服。一旬鬓发再生，肌肤悦润，愈。眼目倍常明，得此方后，却入山，不知所之[18]。

《朝野佥载》云：商州有人患大风，家人恶之，山中为起茅屋，有乌蛇坠酒罂中，病人不知，饮酒即差。罂底尚有蛇骨，方知其由也。用道谨按：李肇国史补云，李丹之弟患风，或说蛇酒治风，乃求黑蛇，生置瓮中，酝以曲蘖数日，蛇声不绝，及熟香气酷烈，引满而饮之，斯须悉化为水，唯毛发存焉。《佥载》之说，恐不可轻用[19]。

【文献及校勘】

[1]《外台》810 页，《肘后方》105 页，《医心方》97 页。此条引《外台》文，《肘后方》作"初觉皮肤不仁，或淫淫苦痒如虫行，或眼前见物如垂丝，或瘾疹赤黑，此即急疗，蛮夷酒，佳善"。

[2]《外台》810 页，《肘后方》105 页。此条引《外台》文，《肘后方》作"疗白癞，苦参五斤，酒三斗，渍，饮勿绝，并取皮根，末，服，效验"。

[3]《外台》812 页，《肘后方》105 页，《医心方》97 页，《纲目》940 页。"干艾叶浓煮"，《肘后方》原作"艾千茎浓煮"，据《外台》《医心方》改。

[4]《外台》812 页，《肘后方》105 页，《证类》445 页，《纲目》2412 页。此条引《外台》文。"以糠火温令酒尽，稍稍取蛇一寸许"，《肘后方》作"以糠火温令下寻，取蛇一寸许"。

[5]《外台》811 页、812 页，《肘后方》105 页，《纲目》802 页。此条引《外台》文。"露蜂房五两""黍米二斗"，《肘后方》作"露蜂房二两""黍米二升"。

[6]《外台》810 页，《医心方》97 页。

[7]《外台》810 页，《医心方》98 页，《纲目》950 页。"马新蒿"，《纲目》作"马先蒿"。《纲目》谓此方治"大疯癞疾，骨肉疽败，眉须坠落，身体痒痛"。

[8]《医心方》98 页。

[9]《医心方》113 页。

[10]《纲目》419 页。

[11] ～ [14]《肘后方》105 页。

[15] ～ [19]《肘后方》106 页。

治卒得虫鼠诸瘘方第四十一

姚云：凡有肿，皆有相主，患者宜检本方，多发头两边，累累有核[1]。

姚方治鼠瘘肿核痛未成脓方

以柏叶傅著肿上，熬盐著叶上，熨令热气下，即消[2]。

葛氏治卒得鼠瘘，有瘰疬未发疮而速热者，速疗方

捣乌鸡足，若车前草，傅之[3]。

治鼠瘘若已有核脓血出者方

以热牛矢涂之，日三[4]。

又方：取白鲜皮煮汁，服一升，当吐鼠子，乃愈[5]。

又方：取猫狸一物，料理作羹如食法，空心进之[6]。鼠子死出，又当生吞，其功弥效[7]。

又方：死鼠一枚，中形者；乱发如鸡子一枚。右二物，以腊月猪膏令淹鼠、发煎之。令其鼠、发都尽消。膏成分作二分，一分稍稍涂疮。一分以酒服之，即愈矣。鼠子当从疮出，神良。秘不传[8]。

刘涓子治鼠瘘方

山龟壳（炙）、狸骨（炙）、甘草（炙）、桂心、干姜、雄黄。右六味等分，捣筛为散，饮服方寸匕，日三。蜜和内疮中，无不愈。先灸作疮，后与药，良[9]。

又方：柞木皮（切）五升，以酒一斗，合煎，熟出皮，煎汁令得二升。服之尽，有宿肉出，愈[10]。

瘘疮生肉膏

楝树白皮、鼠肉各二两，薤白三两，当归四两，生地黄五两。右五味，以腊月猪膏三升，煎薤白黄色，膏成。傅疮孔上，令生肉[11]。

葛氏治蚁瘘方

瘘若疮多而孔小，是蚁瘘。烧鲮鲤甲，猪膏和，傅[12]。

又方：烧蜘蛛二十七枚，傅，良[13]。

又瘘方：煎桃叶枝作煎，净洗疮了，内孔中，大验方[14]。

葛氏治瘘若著口里齿颊间者方

东行楝根，细剉。水煮取浓汁，含之数口，吐，勿咽[15]。

治内瘘方

槐白皮，捣丸，绵裹，内下部中，得效[16]。

治鼠瘘诸方

石南、生地黄、雌黄、茯苓、黄连各二两。右五味为散，傅疮，日再[17]。

又方：矾石三分，烧；班猫一分，去首足翅熬。右二味捣下筛，用醋浆服半匕。须臾瘘虫从小便出。删繁方[18]。

治鼠瘘恶疮方

苦参二斤，露蜂房二两，曲二斤，水三斗，渍二宿，去滓，入黍米二升，酿熟，稍饮，日三次[19]。

[**辑佚方**]

凡瘘病有鼠、蛇、蜂、蛙、蚓，类似而小异。皆从饮食中得其精气。入人肌体，变化成形。疮既穿溃，浸诸经脉，则亦杀人。而鼠、蚁最多，以其间近人故也[20]。

通治诸瘘方

以八月中多取班猫虫，即内苦酒中半日许，出暴干，使十取六七枚，著铜器中，微火上遥熬令熟，捣作屑。巴豆一粒，去皮熬之。又拔取黄犬背上毛二七枚，亦熬作屑，好朱以钱五分匕都合和，以苦酒顿服之。虫当尽出。若一服未效，先时可予作三两剂后。日服。远不过三两剂[21]。

又方：虎蓟根、猫蓟根、酸枣根、枳根各一把；杜衡一把；班猫一枚，一方云三分，去头足翅，熬。右六味捣蜜丸，日一服如枣一枚。以小丸著疮中[22]。

又方：瘘若先著下部边，或上出耳后颈项诸处者：苦参（切）五升，以苦酒一斗，渍三四日，宜服一升，亦加之。但多作，以知为度，不过三四度，必差[23]。

又方：槲木皮长一尺、阔六寸，去黑皮，细切。以水一斗，煮取五升，去滓，内白糖十挺，煎取一升，分三服。以铜器接吐出看视之[24]。

又方：新生儿矢，一百日以来，皆收置密器中。五十、六十日，取涂疮孔中[25]。

又方：鲤鱼肠切作五段，火上脱之，洗疮拭干，以肠封之，冷即易，自暮至旦，干止觉痒。开看虫出，差[26]。

又方：煎楸枝作煎，净洗疮子孔中，大效[27]。

又方：取地中潜行奚鼠一头，破腹去肠，干之，火炙令可成屑末，以腊月猪腊和，傅疮上[28]。

又方：烧蝼蛄作屑，猪膏和，傅之[29]。

又方：白犬骨烧末，以猪膏和，傅之[30]。

又方：取槲白皮，浓煮，取二升，服一升，当吐鼠子[31]。

又方：捣车前草以薄之[32]。

又方：巴豆去心皮以和艾作炷，灸疮上[33]。

又方：取小鼠子，剥去皮，灸令燥，捣末，以腊月猪膏和傅之[34]。

治蜂瘘方

治苦鼻内肉，外查瘤，脓水血出者，是蜂瘘。取蜂房火灸焦，末，酒服方寸匕。日一[35]。

又方：蜂房一枚，灸令黄赤色，为末，每用一钱，腊月猪脂匀调，傅疮上[36]。

治瘰疬方

颈下生疮，瘰疬如梅李，宜使消之。

海藻一斤，洗。以酒三斤，渍数日，稍稍饮之[37]。

又方：人参、甘草（灸）、干姜、白薇各四分。右四味捣筛，酒服方寸匕，日三[38]。

[附方]

《肘后方》治风瘘

露蜂房一枚，灸令黄赤色，为末，每用一钱，腊月猪脂匀调，傅疮上[39]。

《千金方》治鼠瘘

以鸡子一枚，米下熬半日，取出黄，熬令黑，先拭疮上，汁令干，以药内疮孔中，三度即差[40]。

《千金翼》治蚁瘘

取鲮鲤甲二七枚，末，猪膏和傅之[41]。

《圣惠方》治蝼蛄瘘

用槲叶烧灰，细研，以泔别浸槲叶，取洗疮拭之，内少许灰于疮中[42]。

又方：治一切瘘。

炼成松脂，末，填疮令满，日三四度用之[43]。

【文献及校勘】

[1][2]《肘后方》106页。

[3]《肘后方》107页。

[4]《证类》378页，《肘后方》107页，《纲目》2765页。"涂之"，《证类》作"傅之"。

〔5〕《证类》211 页（《本草图经》引），《肘后方》107 页，《纲目》803 页。"煮汁"，《肘后方》原脱"汁"字，据《证类》补。

〔6〕《证类》386 页，《肘后方》107 页，《纲目》2872 页。"猫狸"，《证类》作"猫"，《纲目》作"猫肉"。

〔7〕《肘后方》169 页。

〔8〕《外台》638 页，《肘后方》107 页。此条引《外台》文，《肘后方》文略异。"死鼠一枚，中形者"，《肘后方》作"取鼠中者一枚"。

〔9〕《外台》640 页，《肘后方》107 页。

〔10〕《外台》636 页，《肘后方》107 页。此条《外台》文略异。

〔11〕《外台》642 页，《肘后方》107 页。"生肉膏"，《肘后方》原作"坐肉膏"，据《外台》改。

〔12〕《证类》454 页，《肘后方》107 页，《医心方》373 页。"鲮鲤甲"，《肘后方》原作"鳢鲤甲"，据《证类》改。

〔13〕〔14〕《肘后方》107 页。

〔15〕《外台》642 页，《证类》344 页，《肘后方》107 页，《医心方》368 页，《纲目》2004 页。"浓汁"，《肘后方》作"清汁"，据《外台》《证类》改。"含之数口"，《肘后方》原脱"口"字，据《证类》补。

〔16〕《肘后方》107 页，《证类》293 页。此条引《证类》文。"内瘘"，《肘后方》作"肉瘘"。"得效"，《肘后方》作"傅效"。

〔17〕《外台》640 页，《肘后方》107 页，《纲目》2120 页。

〔18〕《外台》640 页，《肘后方》107 页。按，此方用药有剧毒，服时应注意。

〔19〕《纲目》802 页，商务本《肘后方》166 页，《外台》811 页。

〔20〕〔21〕《外台》641 页。

〔22〕《外台》641 页，《纲目》971 页。

〔23〕《外台》641 页、642 页，《纲目》801 页、802 页。

〔24〕《外台》642 页，《纲目》1813 页。

〔25〕〔26〕《外台》642 页。

〔27〕《证类》361 页，《纲目》1996 页。此条引《证类》文，《纲目》作"瘘疮，楸枝作煎，频洗取效"。

〔28〕～〔30〕《医心方》368 页。

〔31〕《医心方》369 页。

〔32〕～〔34〕《医心方》370 页。

〔35〕《外台》636 页，《证类》425 页，《医心方》371 页，《纲目》2230 页。"脓血水出""日一"，《证类》作"脓并出者""日三"。"蜂房"，《医心方》作"舩瓠蜂房"。

〔36〕《证类》425 页。

〔37〕《外台》632 页，《证类》222 页，《纲目》1376 页。

〔38〕《外台》632 页。

〔39〕～〔40〕《肘后方》107 页。

治卒阴肿痛卵㿗方第四十二

葛氏治男子阴卵卒肿痛方

灸足大指第二节下横文理正中央五壮，佳。姚云：足大指本三壮[1]。

又方：桃人去皮尖，熬，末，酒服弹丸许。姚云：不过三服[2]。

又方：灶中黄土，末，以鸡子黄和，傅之。蛇床子末，和鸡子黄，傅之。亦良[3]。

又方：取芜菁根捣傅之[4]。

又方：捣马鞭草傅之，并良。姚同[5]。

又方：鸡翮六枚，烧；蛇床子末，等分。右二味为末，以饮服少许。随卵左右，傅卵佳。姚方无蛇床子[6]。

治小儿阴疝，发时肿痛方

依仙翁前灸法，随左右灸足大指第二节下横文正中五壮。姚云：足大指本三壮[7]。

治阴疝随痛如刺方

但服生夜干汁取下，亦可服丸药下之。云作走马汤，亦在尸注中有[8]。

治阴丸卒缩入腹，急痛欲死，名阴疝

狼毒四两，炙；防葵一两；附子二两，炮。右三味捣筛，蜜和丸如梧子，酒服三丸，日三夜二[9]。

治阴茎中卒痛不可忍方

雄黄、矾石各二两，甘草一尺。右三味，水五升，煮取二升。渍。

姚云：疗阴肿大如斗者[10]。

葛氏治男子阴疮损烂

烂煮黄檗洗之。又用白蜜涂之[11]。

又方：黄连、黄檗各等分。右二味末之。先煮肥猪肉汤洗之，然后以药粉之[12]。

姚方：以蜜煎甘草末，涂之大良。比见有人患茎头肿，坎下疮欲断者，以猪肉汤渍洗之。并用前粉粉之。及依陶方即差。神验[13]。

治阴蚀欲尽者方

虾蟆、兔矢等分，末，勃疮上[14]。

治阴痒汁出方

嚼生大豆黄，涂之。亦治尿灰疮[15]。

姚氏治阴痒生疮方

嚼胡麻涂之[16]。

葛氏治阴囊下湿痒皮剥方

乌梅十四枚，钱四十文，盐三指撮。右三味，以苦酒一升，于铜器中浸九日，洗之，效[17]。

又方：煮槐皮、苦参、黄檗及香薷汁，洗之，并良[18]。

疗人阴生疮，脓出作臼方

高昌白矾一两，麻人等分。右二味捣，细研之，炼猪脂一合，于瓷器中和搅膏，取槐白皮切，作汤洗疮上，拭令干，即取膏傅上，及以楸叶贴上，不过三两度，永差[19]。

又阴疮有二种：一者作臼脓出，曰阴蚀疮；二者但亦作疮，名为热疮。若是热疮，即取黄檗一两、黄芩一两，切，作汤洗之。仍取黄连、黄檗作末，傅之[20]。

治妇人阴中疮方

末硫黄傅疮上。姚同[21]。

又烧杏人，捣以涂之[22]。

治女人阴中痛方

矾石二分，熬；甘草半分，炙；大黄一分。右三味捣筛，绵裹如枣大，导阴中，二十日即愈[23]。

治阴肿若有息肉突出方

乌喙五枚。以苦酒三升渍三日，以洗。一日夜三四度差[24]。

治阴若苦痒搔之痛闷

取猪肝炙热，内阴中，当有虫著肝[25]。

小儿秃方

取白头翁根，捣，傅一宿，或作疮，二十日愈[26]。

又灸颓法

但灸其上，又灸茎上，又灸白小腹脉上，及灸脚大指三中，灸一壮，又灸小指头，随颓左右著灸[27]。

姚氏方：取杨柳枝如足大指大，长三尺，二十枚，水煮令极热，以故纸（补骨脂）及毡掩肿处，取热柳枝，更取拄之。如此取得差，止[28]。

治卵颓方

熟捣桃人傅之。亦治妇人阴肿瘙痒，燥即易之[29]。

小品牡丹散，治颓偏大气胀方

牡丹、桂心、防风、铁精、豉（熬）等分。右五味捣筛，酒和方寸匕服之，小儿一刀圭。二十日愈。婴儿以乳汁和如大豆与之，大效[30]。

又不用药法，治颓必差方

令病人自把糯米饼子一枚，并皂荚刺一百个，就百姓间坐社处，先将皂荚刺分给社人社官，三老以下，各付一针，即出饼子示人。从头至尾，皆言从社官以下，乞针捶，社人问云：捶何物？病人云：捶人魁。周匝总遍讫，针并插尽，即时饼却到家，收掌于一处，饼干，颓不觉自散，永差，极神效[31]。

又方：雄黄、矾石（烧）各二分，麝香半分。右三味和末傅之，日三度[32]。

［辑佚方］

治男子阴卵卒肿痛方

烧牛矢，末，以苦酒和，傅之[33]。

又方：取鸡翅烧灰，饮服。其毛一孔生两毛者佳。肿在左取左翅，在右取右翅，双肿取两边翅[34]。

葛氏治阴茎头急肿生疮汁出方

浓煮黄檗汁，管中渍之[35]。

又方：浓煮水杨叶，管中温渍之[36]。

又方：当归三分，黄连三分，小豆一分，凡三物，捣，筛以粉上[37]。

又方：杏人、鸡子白和涂之[38]。

又方：烧豉三粒，末傅之[39]。

又方：以白蜜涂之[40]。

又方：烧牛矢末，和苦酒涂之[41]。

葛氏治卒阴痛如刺，汗出如雨

小蒜一升，韭根一斤，杨柳根一斤。右三物合烧，以酒灌之，及热，以气熏阴[42]。

又方：狼牙草根，煮，以洗渍之，日五六过[43]。

又方：煮地榆，以洗渍之。合甘草尤佳[44]。

治阴囊肿满恐死，夜即痛闷，不得眠睡方

釜月下土，以鸡子白和傅之，效[45]。

治阴囊生疮方

麻黄根三两；石硫黄三两，研；米粉五合。右三味捣，下筛，合研，安絮如常用粉法拓疮上，粉湿更拓之[46]。

治阴囊下湿痒皮剥方

又方：煮槐枝以洗之[47]。

又方：酸浆煮地榆根及黄檗汁洗皆良[48]。

又方：柏叶、盐各一升，合煎，以洗之，毕，取蒲黄傅之[49]。

又方：嚼大麻子傅之[50]。

又方：浓煮香菜（香薷）洗之[51]。

治阴中肿痛方

炙枳实以熨之[52]。

葛氏治妇人阴燥痛者方

煮甘草、地榆及热以洗之[53]。

又方：以盐汤洗之[54]。

治阴若苦痒，搔之痛闷

蛇床草节刺烧作灰，内阴中[55]。

葛氏治男阴萎女阴暗无复入道方

肉苁蓉、蛇床子、远志、续断、菟丝子各一两。捣末，酒服方寸匕。日三[56]。

葛氏云：若平常自强，就接便弱方

蛇床子、菟丝子末，酒服方寸匕，日三[57]。

葛氏云：欲令阴萎弱方

取水银、鹿茸、巴豆杂捣末，和，调以真糜脂，和，傅茎及囊，帛苞之。若脂强（硬），以小新麻油杂煎，此不异阉人[58]。

又方：炙三阴交穴，使阳道衰弱[59]。

治超跃举重，卒阳阴颓方

白术五分，地肤子十分，桂心一分。右三味捣末，以饮服一刀圭，日三[60]。

又方：狐阴一具，炙；海藻、牡丹皮各三分；桂心二分。右四味捣筛为散，蜜和为丸如梧子大。小儿服五丸，大人增之。忌胡荽、生葱[61]。

又方：炙两足大指外白肉际附中，令艾丸半在爪上，半在肉上，七壮[62]。

又方：以蒲度口，广倍之，申度以约小腹中大理，令中央正对脐，乃灸两头及中央三处，随年壮。善自养，勿言笑、劳动[63]。

徐平方治小儿腹痛大汗名寒疝方

浓煮梨叶汁，一服七合，儿小量[64]。

[附方]

《千金方》有人阴冷，渐渐冷气入阴囊，肿满恐死，日夜疼闷，不得眠

取生椒择之令净，以布帛裹著丸囊，令厚半寸，须臾，热气大通，日再易之，取消，差[65]。

又，《外台秘要》方煮大蓟根汁，服之立差[66]。

《梅师方》治卒外肾偏肿疼痛

大黄末，和醋涂之，干即易之[67]。

又方：桂心末，和水调方寸匕，涂之[68]。

又方：治卒外肾偏疼[69]。

皂荚和皮为末，水调傅之，良。

《初虞世方》治水癩偏大上下不定疼痛

牡蛎不限多少，盐泥固济，炭三斤，煅，令火尽，冷，取二两，干姜一两，炮。右为细末，用冷水调，稀稠得所，涂病处，小便利，即愈[70]。

《经验方》治丈夫本脏气伤，膀胱连小肠等气

金铃子一百个，温汤浸过，去皮；巴豆二百个，槌微破；麸二升。同于铜锅内炒，金铃子赤熟为度，放冷取出，去核，为末，每服三钱，非时热酒、醋汤调并得，其麸、巴豆不用也[71]。

《外台秘要》治膀胱气急，宜下气

芜荑，捣，和食盐末，二物等分，以绵裹如枣大，内下部，或下水恶汁并下气，佳[72]。

又，治阴下湿

吴茱萸一升，水三升，煮三沸，去滓，洗痒，差[73]。

又，治阴头生疮

以蜜煎甘草涂之，差[74]。

《千金方》治丈夫阴头痈，师所不能治

乌贼鱼骨，末粉傅之，良[75]。

245

又《千金翼方》鳖甲一枚，烧，令末，以鸡子白和傅之，良[76]。

【文献及校勘】

[1]《外台》714 页，《肘后方》108 页，《千金方》443 页，《医心方》168 页。"横文理"，《外台》作"横理文"。

[2]《外台》714 页，《肘后方》108 页。"三服"，《外台》作"三服即差"。

[3]《肘后方》108 页，《医心方》168 页。

[4]《外台》713 页，《肘后方》108 页，《医心方》168 页。"芜菁根"，《外台》作"蔓菁根"。"傅之"，《医心方》作"涂之"，《外台》作"薄之"。

[5]《外台》714 页，《肘后方》108 页。

[6]《外台》714 页，《肘后方》108 页，《纲目》2598 页。"以饮服少许"，《肘后方》原作"合服少"，据《外台》改。"傅卵佳"，《外台》作"取鸡羽"。

[7]《肘后方》108 页，《幼幼新书》24 页。

[8]《肘后方》108 页，《证类》253 页，《纲目》1207 页。

[9]《外台》714 页，《肘后方》108 页，《医心方》169 页，《纲目》1126 页。"防葵一两"，《肘后方》原作"防风二两"，据《外台》《医心方》改。"蜜和丸如梧子，酒服三丸，日三夜二"，《医心方》作"蜜丸，服如梧子，三丸，日夜三过"。

[10]《肘后方》108 页，《纲目》538 页。"疗阴肿大如斗者"，《肘后方》原脱"阴肿"二字，据《纲目》补。

[11]《外台》716 页，《肘后方》108 页，《证类》300 页，《医心方》166 页，《纲目》1981 页。

[12]《外台》716 页，《肘后方》108 页，《医心方》166 页。此条引《外台》文，《肘后方》文略异。

[13]《外台》716 页，《肘后方》108 页，《千金方》444 页。此条引《外台》文，《肘后方》文略异。

[14]《外台》968 页，《肘后方》108 页，《医心方》167 页，《纲目》2337 页、2890 页。"勃疮上"，《肘后方》作"傅之良"。

[15]《肘后方》108 页，《证类》486 页。"阴痒汁出"，《证类》作"阴痒汗出"。

[16]《证类》482 页，《肘后方》108 页，《纲目》1439 页，《外台》715 页。此条《纲目》作"胡麻，嚼烂，傅之，良"。

[17]《外台》715 页，《肘后方》108 页。

[18]《外台》715 页，《肘后方》108 页。此条引《外台》文，《肘后方》作"煮槐皮若黄檗汁及香叶汁，并良"。

[19]《外台》716 页，《肘后方》109 页，《纲目》676 页，《证类》85 页。此条引《外台》文，《肘后方》文略异。

[20]《肘后方》109 页，《纲目》1981 页。

[21]《外台》969 页，《肘后方》109 页，《证类》103 页，《医心方》475 页，《纲目》667 页。"阴中疮"，《肘后方》原脱"中"字，据《外台》补。

［22］《外台》969 页，《肘后方》109 页，《医心方》475 页。

［23］《外台》969 页，《肘后方》109 页，《医心方》475 页，《纲目》677 页。此条引《外台》文。"导阴中，二十日即愈"，《肘后方》作"以导之，取差"。

［24］《外台》714 页，《肘后方》109 页，《医心方》476 页。

［25］《证类》389 页，《肘后方》109 页，《医心方》476 页，《纲目》2696 页。

［26］《肘后方》109 页，《证类》270 页，《纲目》765 页。"二十日愈"，《纲目》作"半月愈"。

［27］《肘后方》107 页，《千金方》443 页。

［28］《外台》711 页，《证类》343 页，《肘后方》109 页。"姚氏方"，《证类》作"《集验》"。

［29］《证类》473 页，《肘后方》109 页，《纲目》1744 页。此条，《纲目》作"妇人阴痒，桃人杵烂，棉裹塞之"。"妇人阴肿癉痒"，《肘后方》原脱"癉痒"二字，据《证类》补。

［30］《外台》712 页，《肘后方》109 页，《千金方》442 页。"和如大豆"，《外台》作"和大豆"。

［31］《肘后方》109 页。

［32］商务本《肘后方》173 页，《医心方》475 页。

［33］《医心方》168 页。

［34］《外台》714 页，《纲目》2598 页。此条引《外台》文，《纲目》引文略异。

［35］ ～ ［42］《医心方》168 页。

［43］［44］《医心方》166 页。

［45］《外台》714 页。

［46］《外台》450 页。

［47］ ～ ［51］《医心方》169 页。

［52］《外台》969 页，《医心方》475 页。

［53］［54］《医心方》475 页。

［55］《医心方》474 页。

［56］［57］《医心方》654 页。

［58］［59］《医心方》655 页。

［60］《外台》712 页，《医心方》170 页。"桂心一分"，《医心方》作"桂心三分"。

［61］《外台》712 页，《幼幼新书》17 页。

［62］［63］《医心方》170 页。

［64］《幼幼新书》16 页。

［65］ ～ ［76］《肘后方》110 页。

补辑《肘后方》 卷之六

治目赤痛暗昧刺诸病方第四十三

华佗禁方

令病人自用手两指，擘所患眼，垂空咒之曰："疋疋，屋舍狭窄，不容宿客。"即出也[1]。

姚方目中冷泪出眦赤痒，乳汁煎方

黄连三分，蕤仁二分，干姜四分。右三味，以乳汁一升，渍一宿，微火煎取三合，去滓。取米大傅眦[2]。

治睛为所伤损破方

牛口涎日点二次，避风。黑睛破者亦差[3]。

[辑佚方]

治两眼热赤方

东壁上土，帛细罗，内如豆大两眦中，令泪出。三五度，即差，常用大效[4]。

治眼赤无新久皆差方

石盐枣核大，人乳一枣许，置故铜碗中，以古钱十文研之，使青稠著碗底，取熟艾急搏一鸡子许，掘地作小坑子，坐艾于坑中烧，使烟出，以铜碗覆上，以土拥四边，勿令烟出，量艾燃尽即止，刮取著碗青药，每以半豆许，于蛤蚌中和枣核大人乳汁，研细，以绵缠杖头，注入两眦，夜即仰卧著之。至五六度必差。无石盐，以白盐，无古钱，以青钱替之亦得[5]。

葛氏治目卒赤痛方

以盐汤洗之[6]。

又方：烧荆木出黄汁傅之[7]。

又方：竹叶、黄连各一两，钱二七枚。右三味，以水三升，煎取二合，绵染傅眦，日五六度。忌猪肉[8]。

又方：捣荠菜根，以汁洗之[9]。

又方：当灸耳轮上七壮[10]。

又方：鸡舌二七枚，黄连一两，大枣一枚。右三物切，以水一升，煮取三合，先以冷水洗，染帛，拭目，日三，大良[11]。

治目中风肿赤眼方

矾石二钱，熬末。以枣膏和如弹丸，以磨目上下，食顷止，日三[12]。

又方：取头垢著眦中亦得[13]。

又方：枸杞根白皮、伏鸡子壳。右二味等分，捣为末，著目上[14]。

又方：捣枸杞汁洗之，日六七度[15]。

治目卒痒且痛方

削干姜令圆滑，内眦中，有汁，拭姜复内之，未尽易之[16]。

治风痒赤方

黄连半两；丁香二七枚，碎；檗皮半两；蕤仁二十七枚；钱七文，古者。右五味，以水二升，煎取一升，去滓，绵缠杖点取著眼角，差止[17]。

治风目常苦痒泪出方

以盐注眦中，差止[18]。

又方：末黄连和乳汁傅眦中[19]。

又方：虎杖根，煮汁以洗目[20]。

治目泪出不止方

取黄连浸浓汁，渍绵干，拭目[21]。

又方：黄连四两，以水二升，煮取一升，绵半两，内中，曝，复内，尽汁，恒以拭目[22]。

葛氏治卒生翳方

灸手大指节上横理三壮，左目灸右，右目灸左[23]。

又方：烧贝齿，细研，筛，仰卧，令人以著翳上，日二三，一时拭去[24]。

葛氏治目热生淫肤赤白膜方

取生瓜牛一枚，去其厌，内朱于中，著火上，令沸，绵注，取以傅眦中[25]。

又方：取雀矢细直者，以人乳和，傅膜上，自消烂尽也[26]。

又方：捣枸杞汁，洗之，日五六[27]。

治目翳障白膜落方

雄雀矢、人乳和研以傅上，当渐渐消烂，良妙[28]。

治目卒痛，珠子脱出，及有青翳方

越燕矢、真丹、干姜各等分。右三味，末如粉，以少许著目中翳上，良妙[29]。

治目中生肉，稍长欲满目，及生珠管方

贝齿、真珠等分。右二味并研如粉，拌令和，以注肉上，日三四度，良[30]。

治目生弩肉及珠管方

贝母、真丹等分。右二味为末，点注，日三四度[31]。

治目生珠管方

以蜜涂目中，仰卧半日，乃可洗之。生蜜佳[32]。

又方：捣牛膝根叶，取汁，以洗目，亦入目中佳[33]。

陶氏治数十岁臟眼烂眦方

摘葫叶中心一把著铛中，水五升煮，用小板覆上，穿作孔，以目临上，疮当痛，食顷，出泪一升，便即差[34]。

治眼暗热病后失明方

以羊胆傅之，旦暮时各一傅之[35]。

治目卒无见方

黄土搅水中，澄清洗之[36]。

扁鹊明目，令发不落方

十月上巳日，取槐子内新罂中，封口三十日，洗去皮，初服一枚，再服二枚，至十日服十枚，满十日却从一起[37]。

葛氏治目膜膜不明方

决明子一分，蕤核仁一分，黄连二分，秦皮二分。右四物切，以水八合，煎取三合，沾绵洗目中[38]。

又方：三岁雄鸡冠血，数数傅之，自差[39]。

治积年失明不识人方

七月七日取蒺藜子，阴干，捣筛，食后服方寸匕[40]。

葛氏治目失明三十年不识人钟乳云母散方

钟乳四分，茯苓四分，远志四分，细辛四分，云母四分。右五物，捣，下筛为散，服半钱匕，稍增至一钱[41]。

治眼盲脑痛方

鲤鱼脑并胆等分，调以注目眦，日三，良[42]。

治雀目术方

令雀盲人至黄昏时，看雀宿处，打令惊起，雀飞乃咒曰："紫公！紫公！我还汝盲，汝还我明。"如此日日暝三过作之，眼即明，曾试有验[43]。

治目痛累年或三四十年方

取生螺一枚，洗之，内燥，抹螺口开，以黄连一枚，内螺口中，令其螺饮黄连汁，以绵注取汁著眦中[44]。

葛氏治目为杂物所中伤，有热痛而暗方

断生地肤注之，冬日煮干取汁注也[45]。

又方：以水和雀矢，以笔注之[46]。

又方：乳汁和胡粉，注，日五[47]。

又小品方：羊胆、鸡胆、鱼胆皆可用注之[48]。

治眯目甑带灰方

取少许甑带烧作灰，水服方寸匕，立出[49]

治目萃芒草砂石辈眯不出方

磨好书墨，以新笔点注目中瞳子上[50]。

又方：盐、豉各少许著水中，临目视之即出[51]。

葛氏治竹木刺目不出方

取鲍鱼头二枚，合绳贯，以人溺煮令烂，取汁灌目中，即出[52]。

［附方］

《范汪方》主目中泪出，不得开即刺痛方

以盐如大豆许，内目中，习习去盐，以冷水数洗目，差[53]。

《博济方》治风毒上攻，眼肿痒涩痛不可忍者，或上下睑皆赤烂，浮翳瘀肉侵睛，神效。驱风散

五倍子一两，蔓荆子一两半，同杵末，每服二钱，水二盏，铜、石器内煎及一盏，澄滓，热淋洗，留滓，二服又依前煎淋洗，大能明眼目，去涩痒[54]。

《简要济众》治肝虚目睛疼，冷泪不止，筋脉痛，及眼羞明怕日，补肝散

夏枯草半两，香附子一两，共为末，每服一钱，腊茶调下，无时[55]。

《圣惠方》治眼痒急赤涩

用犬胆汁注目中[56]。

又方：治风赤眼。

以地龙十条，炙干，为末，夜卧以冷茶调下二钱匕[57]。

又方：治伤寒热毒气攻眼，生白翳。

用乌贼鱼骨二两，不用大皮，杵末，入龙脑少许，更研令细，日三四度，取少许点之[58]。

又方：治久患内障眼。

车前子、干地黄、麦门冬等分，为末，蜜丸如梧桐子大，服屡效[59]。

治目方，用黄连多矣，而羊肝丸尤奇异

取黄连末一大两，白羊子肝一具，去膜，同于砂盆内研，令极细，众手拈为丸，如梧桐子。每食以暖浆水吞二七枚，连作五剂，差。但是诸眼目疾及障翳、青盲皆主之。禁食猪肉及冷水。刘禹锡云：有崔承元者，因官治一死罪囚出活之，因后数年以病自致死。一旦，崔为内障所苦，丧明，逾年后，半夜叹息独坐时，闻阶除间悉窣之声，崔问：为谁？曰：是昔所蒙活者囚，今故服恩至此。遂以此方告讫而没。崔依此合服，不数月眼复明，因传此方于世[60]。

又方：今医家洗眼汤。

以当归、芍药、黄连，等分，停细，以雪水或甜水煎浓汁，乘热洗，冷即再温洗，甚益眼目，但是风毒、赤目、花翳等；皆可用之。其说云：凡眼目之病，皆以血脉凝滞使然，故以行血药合黄连治之。血得热即行，故乘热洗之，用者无不神效[61]。

又方：治雀目，不计时月。

用苍术二两，捣罗为散，每服一钱，不计时候。以好羊子肝一个，用竹刀子批破，掺药在内，麻绳缠定，以粟米泔一大盏，煮熟为度。患人先熏眼，药气绝即吃之。《简要济众》治小儿雀目[62]。

《梅师方》治目暗，黄昏不见物者

以青羊肝，切，淡醋食之，煮亦佳[63]。

又方：治眼睛无故突一二寸者。

以新汲水灌渍睛中，数易水，睛自入[64]。

崔元亮《海上方》著此三名：一名西国草，一名毕楞伽，一名覆盆子。治眼暗不见物，冷泪浸淫不止及青盲天行目暗等

取西国草，曝干，捣令极烂，薄绵裹之，以饮男乳汁中浸，如人行八九里，久用点目中，即仰卧，不过三四月，视物如少年。禁酒、油、面[65]。

《千金方》点小儿黑花眼翳涩痛

用贝齿一两，烧作灰，研如面，入少龙脑，点之妙[66]。

又方：常服明目洞视。

胡麻一石，蒸之三十遍，末，酒服，每日一升[67]。

又方：古方明目黑发。

槐子于牛胆中渍，阴干百日，食后吞一枚，十日身轻，三十日白发黑，百日内通神[68]。

《孙真人食忌》主眼有翳

取芒消一大两，置铜器中，急火上炼之，放冷岩，以生绢细罗，点眼角中，每夜欲卧时，一度点妙[69]。

《经验方》退翳明目白龙散

马牙消，光净者，用厚纸裹，令按实，安在怀内著肉处，养一百二十日，取出研如粉，入少龙脑，同研细，不计年岁深远，眼内生翳膜，渐渐昏暗，远视不明，但瞳仁不破散并医得。每点用药末两来许，点目中[70]。

又方：治内外障眼。

苍术四两，米泔浸七日，逐日换水后，刮去黑皮，细切，入青盐一两，同炒黄色为度，去盐不用，木贼二两，以童子小便浸一宿，水淘，焙干，同捣为末。每日不计时候，但饮蔬菜内调下一钱匕服，甚验[71]。

《经验后方》治虚劳眼暗

采三月蔓菁花阴干，为末，以井花水每空心调下二钱匕，久服长生，可读夜书[72]。

《外台秘要》主目翳及胬肉

用矾石最白者，内一黍米大于翳上及胬肉上，即冷泪出，绵拭之，令恶汁尽，

其疾日日减，翳自消薄便差。矾石须真白好者，方可使用[73]。

又，补肝散治三十年失明。

蒺藜子，七月七日收，阴干，捣散，食后水服方寸匕[74]。

又，疗盲。

猪胆一枚，微火上煎之，可丸如黍米大，内眼中，食顷良[75]。

又方：治翳如重者。

取猪胆白皮，曝干，合作小绳子如粗钗股大小，烧作灰，待冷，便以灰点翳上，不过三五度，即差[76]。

又方：轻身益气明目。

芜菁子一升，水九升，煮令汁尽，日干，如此三度，捣末，水服方寸匕，日三[77]。

《斗门方》治火眼

用艾烧令烟起，以碗盖之，候烟上碗成煤取下，用温水调化，洗火眼即差，更入黄连，甚妙[78]。

《广利方》治眼筑损胬肉出

生杏人七枚，去皮细嚼，吐于掌中，及热以绵裹箸头，将点胬肉上，不过四五度，差[79]。

《药性论》云：空心用盐揩齿，少时吐水中，洗眼，夜见小字，良。

顾含养嫂失明，含尝药视膳，不冠不食，嫂目疾须用蚺蛇胆，含汁尽，求不得，有一童子以一合授含，含开乃蚺蛇胆也，童子出门化为青鸟而去，嫂目遂差[80]。

【文献及校勘】

[1]《肘后方》111 页。"咒"，商务本《肘后方》注云："咒，另本作'禁'。"

[2]《肘后方》111 页。

[3]《肘后方》111 页，《纲目》2726 页。"牛口涎"，《肘后方》原作"牛旋"，据《纲目》改。

[4]《外台》565 页，《纲目》429 页。此条引《外台》文，《纲目》作"目中翳膜，东壁土细末，日点之，泪出佳"。

[5]《外台》566 页。

[6]《外台》568 页。

[7]《外台》568 页，《证类》303 页，《纲目》2124 页。"傅之"，《纲目》作"点之"。

[8]《外台》568 页。

[9]～[11]《医心方》129 页。

[12]《外台》569 页，《证类》85 页。"赤眼"，《外台》作"弄眼"。

〔13〕〔14〕《外台》569 页。

〔15〕《外台》569 页，《证类》294 页，《纲目》2115 页。此条，《纲目》作"枸杞子捣汁，日点三五次，神验"。"六七度"，《证类》作"五七度"。

〔16〕《外台》568 页。

〔17〕《外台》569 页。

〔18〕《外台》569 页，《医心方》130 页、131 页。

〔19〕〔20〕《医心方》131 页。

〔21〕《证类》176 页，《纲目》777 页。此条引《证类》文，《纲目》作"黄连浸浓汁渍拭之"。

〔22〕《医心方》131 页。

〔23〕～〔25〕《医心方》127 页。

〔26〕〔27〕《医心方》128 页。

〔28〕《外台》574 页，《证类》401 页，《纲目》2630 页。"雄雀矢"，《证类》作"取雀矢细直者"。按，此方与注〔26〕之方同。

〔29〕《外台》579 页。

〔30〕《外台》576 页。

〔31〕《纲目》523 页、807 页。

〔32〕《证类》411 页，《纲目》2221 页。此条引《证类》文。"生蜜佳"，《纲目》作"日一次"。

〔33〕《医心方》128 页。

〔34〕《外台》580 页，《医心方》130 页。

〔35〕《证类》380 页，《纲目》2737 页。此条引《证类》文，《纲目》作"病后失明，羊胆点之，日二次。"

〔36〕《纲目》427 页。

〔37〕《外台》570 页，《证类》292 页（《本草图经》引）。"封口三十日"，《本草图经》作"封口三七日"。

〔38〕〔39〕《医心方》124 页。

〔40〕《外台》572 页。

〔41〕《医心方》124 页。

〔42〕《外台》573 页，《证类》420 页，《纲目》2426 页。此条，《证类》作"治雀目：鲤鱼胆及脑傅之，燥痛即明"，《纲目》作"鲤鱼胆点雀目，燥痛即明"。

〔43〕《千金方》108 页。此条末原有双行小字注云："《肘后方》云：删繁载支太医法。"

〔44〕《证类》456 页（陈藏器《本草拾遗》引）。

〔45〕《医心方》131 页。

〔46〕～〔48〕《医心方》132 页。

〔49〕《外台》578 页，《证类》278 页。此条引《外台》文，《证类》作"瓠带灰调饮之，即出"。

〔50〕〔51〕《外台》578 页，《医心方》132 页。

〔52〕《医心方》132 页。

〔53〕～〔60〕《肘后方》111 页。

［61］～［71］《肘后方》112 页。

［72］～［80］《肘后方》113 页。

治卒耳聋诸病方第四十四

葛氏耳卒聋

取鼠胆内耳内，不过三，愈。有人云：侧卧沥一胆尽，须臾胆汁从下边出。初出益聋，半日顷，乃差。治三十年老聋[1]。

又方：巴豆十四枚，捣，鹅脂半两，火熔，内巴豆，和取如小豆，绵裹内耳中，差。日一易。姚云：差三十年聋[2]。

若卒得风，觉耳中恍恍者

急取盐七升，甑蒸使热，以耳枕盐上，冷复易。亦治耳卒疼痛，蒸熨[3]。

又方：栝楼根削可入耳，以腊月猪脂煎之三沸。冷以塞耳中，取差，日三作，七日愈[4]。

姚氏耳痛有汁出方

熬杏人令赤黑，捣如膏，以绵裹塞耳，日三易，三日即愈[5]。

聤耳，耳中痛，脓血出方

取釜月下灰，吹满耳令深，日三易之。每换即以篦子去之，然后著药，取差为度[6]。

耳聋菖蒲根丸方

菖蒲一寸；巴豆一枚，去皮心。右二味合捣可丸，分作七丸，以绵裹塞耳中，日别一丸，取差[7]。

耳中脓血出方

附子末，以葱涕和灌耳中，取差。单葱涕亦佳，侧卧令入耳中[8]。

耳中常鸣方

生地黄截断塞耳。日十易之，以差。一云纸裹，微火中煨之，用良[9]。

小品治聤耳，出脓汁散方

黄连一两；矾石二两，烧；乌贼鱼骨一两。右三物为散，即如枣核大，绵裹塞耳，日再易。更加龙骨[10]。

耳聋巴豆丸

巴豆一枚，去心皮；班猫一枚，去翅足。右二物合捣筛，绵裹塞耳中，再易，甚验。云此来所用，则良[11]。

又方：菖蒲、磁石、通草、薰陆香、杏人（去皮，熬）、蓖麻子（去皮）、松脂等分。右七味捣筛，以蜡及鹅脂和丸，稍长作，以钗脚子穿中心为孔，先去耳中垢，然后内药，日再。初著痒及作声，月余即差[12]。

耳卒痛

蒸盐以软布裹熨之，取差，良[13]。

耳痛不可忍求死者

菖蒲、附子各一分。右二味，末，和乌麻油炼，点耳中，则立止[14]。

聤耳脓血出

车辖脂，塞耳中，脓血出尽，愈[15]。

[辑佚方]

葛氏方云：聋有五种：风聋者，掣痛；劳聋者，黄汁出；干聋者，耵聍生；虚聋者，萧萧作声；亭聋者，脓汁出[16]。

治之方

鲤鱼脑，以竹筒盛，蒸之炊下，热气以灌耳，绵塞莫动，半日乃拔塞。用胆亦良，蒸毕塞耳[17]。

又方：灸手掌后第二横文中央，随聋左右，依年壮[18]。

又方：伏翼血，内耳中甚良。脑中血尤妙[19]。

又方：鼠脑绵裹，内耳中良[20]。

又菖蒲散方

菖蒲二两；附子二两，炮。右二味捣筛，以苦酒和，丸如枣核许，绵裹，卧即塞耳中，夜一易之。十日有黄水出，便差[21]。

治二三十年耳聋方

巴豆（去皮，熬）、茱萸、干姜各等分。右三味捣末，以葱涕和，以绵裹塞耳，食顷，干去之，更和塞之。如此五日，当觉病去无苦。八九日便闻人语，取差止。常以发塞耳，慎避风[22]。

又方：柘根三十斤，剉之，以水煮，用酿酒如常法，久而服之，甚良[23]。

又方：栝楼根三十斤，细切之，以水煮用酿酒如常法。久久服之，甚良[24]。

又方：取故铁三十斤，以水七斗渍之三宿。取其水以酿七斗米，用曲如常法，酒熟，出酒一斗，取引针磁石一斤，研末，置酒中三宿，乃可饮之，取醉，以绵裹磁石塞两耳中，好覆衣衾卧，酒醒良久，去磁石，即闻人语声也，饮尽更为，以差为度，甚良[25]。

葛氏治耵聍塞耳而强坚，不可得挑出方

捣曲蚯蚓取汁，以灌耳中，不过数灌，摘之皆出[26]。

治聤耳，耳中痛，脓血出方

釜月下墨末，以猪膏和，绵裹内耳中。日再[27]。

又方：桃人熟捣，以故绯绢裹塞耳中，日三易。以差为度[28]。

又方：黄连、附子（炮）各等分。右二味捣末，以少许微微吹入耳中。每著药，先拭恶物，然后吹之[29]。

又方：捣桂，以鱼膏和，塞耳，不过三四[30]。

治耳卒肿出脓水方

矾石烧末，以苇管吹耳中，日三四过。或以绵裹塞耳孔内，取差[31]。

治耳肿风毒肿起出血方

取柳虫粪化水，取清汁，调白矾末少许，滴之[32]。

［附方］

《肘后方》疗耳卒肿出脓水方

矾石烧末，以笔管吹耳内，日三四度，或以绵裹塞耳中，立差[33]。

《经验方》治底耳方

用桑螵蛸一个，慢火炙，及八分熟，存性，细研，入麝香一字，为末，掺在耳内，每用半字，如神效。如有脓，先用绵包子拈去，次入掺药末入耳内[34]。

又方：治耳卒聋。

巴豆一粒，蜡裹，针刺令通透，用塞耳中[35]。

《梅师方》治耳久聋

松脂三两（炼），巴豆一两，相和，熟捣可丸，通过以薄绵裹，内耳孔中塞之，日一度易[36]。

《圣惠方》治肾气虚损耳聋

用鹿肾一对，去脂膜，切于豉汁中，入粳米二合，和煮粥，入五味之法调和，空腹令之作羹及酒并得[37]。

《杜壬方》治耳聋，因肾虚所致，十年内一服，愈

蝎，至小者四十九枚；生姜，如蝎大四十九片。二物铜器内炒至生姜干为度，

为末，都作一服，初夜温酒下，至二更尽，尽量饮酒至醉，不妨。次日耳中如笙簧，即效[38]。

《胜金方》治耳聋立效

以干地龙入盐，贮在葱尾内，为水点之[39]。

《千金方》治耳聋

以雄黄、硫黄等分，为末，绵裹塞耳中[40]。

又方：酒三升，渍，牡荆子一升，碎之，浸七日，去滓，任性服尽，三十年聋差[41]。

又方：以醇醋微火煎，附子削令尖，塞耳，效[42]。

《外台秘要》治聋

芥子捣碎，以人乳调和，绵裹塞耳，差[43]。

《杨氏产乳方》疗耳鸣无昼夜

乌头烧作灰，菖蒲，等分，为末，绵裹塞耳中，日再用，效[44]。

【文献及校勘】

[1]《证类》441页，《肘后方》113页，《纲目》2902页、2903页。此条引《肘后方》文。"耳内""半日顷"，《证类》作"耳中""半日须臾"。

[2]《肘后方》113页。

[3]《肘后方》114页，《证类》107页，《医心方》121页，《纲目》634页。"耳中恍恍"，《医心方》作"耳中吼吼者方"，《纲目》作"风病耳鸣"。

[4]《外台》592页，《证类》197页，《肘后方》114页，《纲目》1273页。"日三作，七日愈"，《肘后方》作"每日作，三七日愈"。

[5]《肘后方》114页，《医心方》122页。

[6]《外台》591页，《肘后方》114页，《医心方》122页，《纲目》448页。此条，《肘后方》作"月下灰吹满耳，令深入无苦，即自出"。

[7]《外台》587页，《肘后方》114页，《证类》144页，《纲目》1360页。此条引《外台》文，《肘后方》文略异，《纲目》注云："一方不用巴豆，用蓖麻人。"

[8]《外台》591页，《肘后方》114页，《纲目》1168页。

[9]《外台》590页，《肘后方》114页，《证类》150页，《医心方》121页，《纲目》1026页。此条，《肘后方》作"生地黄切，以塞耳，日十数易"，《医心方》作"生地黄切断，仍以塞之，日夜数十易，亦治聋"。

[10]《肘后方》114页，《医心方》122页。

[11]《肘后方》114页。

[12]《外台》587页，《肘后方》114页。"先去耳中垢""月余即差"，《肘后方》作"先去耳塞""月余总差殿中侯监效"。

[13]《外台》592 页，《肘后方》114 页，《医心方》122 页，《证类》107 页，《纲目》634 页。此条引《外台》文，《证类》《肘后方》作"耳卒痛：蒸盐熨之"。

[14]《外台》592 页，《肘后方》114 页。"和乌麻油炼"，《外台》作"以麻油和"。

[15]《外台》591 页，《肘后方》114 页，《千金方》130 页。此条引《肘后方》文，《外台》作"取车辖脂，绵裹，塞耳中差"，《千金方》作"车釭脂傅耳孔，虫自出"，并注云："《肘后方》以疗聤耳脓血。"

[16][17]《医心方》120 页。

[18]～[20]《医心方》121 页。

[21]《外台》587 页。

[22][23]《外台》589 页。

[24]《证类》197 页，《纲目》1273 页。

[25]《外台》589 页。

[26]《医心方》123 页。

[27]《外台》591 页。

[28]《外台》591 页，《医心方》122 页。

[29]《外台》591 页。

[30]《医心方》122 页。

[31]《外台》592 页，《千金方》129 页，《证类》85 页，《医心方》122 页。"苇管"，《证类》作"笔管"。"过""孔内""取"，《证类》作"度""中""立"。

[32]《纲目》2302 页。

[33][34]《肘后方》114 页。

[35]～[44]《肘后方》115 页。

治耳卒为百虫杂物所入方第四十五

葛氏治百虫入耳方

以好酒灌之，起行自出[1]。

又方：闭气，令人以芦吹一耳[2]。

又方：取桃叶火熨以塞耳，卷之入中[3]。

治蜈蚣入耳方

以木叶裹盐，炙令热，以掩耳上，即出，冷复易之。验[4]。

治蚰蜒入耳方

熬胡麻捣，以葛囊盛枕之，虫闻香则自出[5]。

治蚁入耳方

炙猪脂、香物，安耳孔边，即自出[6]。

神效方蚰蜒入耳

以牛酪满耳灌之，即出。当半消。若入腹，空腹食好酪一二升，即化为黄水，不尽更服，神效[7]。

又方：小鸡一只，去毛足，以油煎令黄，箸穿作孔，枕之[8]。

又方：取蚯蚓，内葱叶中，并化为水，滴入耳中，蚰蜒亦化为水矣[9]。

[辑佚方]

治百虫入耳方

苦酒渍椒灌之，即出[10]。

又方：温汤灌耳中[11]。

又方：捣蓝青汁以灌之[12]。

又方：捣生姜汁灌之，韭汁亦佳[13]。

又方：以两刀于耳前相敲作声，虫即出[14]。

又方：烧干鳝头屑，绵裹塞耳立出[15]。

又方：绵裹猪肪塞耳，须臾虫死，出著绵[16]。

又方：以草带钩向耳孔，即诸虫皆出，勿令钩罗耳孔中内，虫即死耳中[17]。

治蚰蜒入耳方

以水银如大豆许泻耳中，欹卧空耳，向下击铜器，叩齿十下，即出。蚰蜒呼为土蛄，似蜈蚣，黄色细长是也[18]。

治蚊入耳方

烧鲮鲤甲，末，以水和灌之，即出[19]。

治飞蛾入耳方

先大吸气，仍闭口掩鼻呼气，其虫随气一口出[20]。

又方：闭气，以苇管极吹之，即出[21]。

治蜈蚣入耳方

闭气，满即吐之，复闭准前，以出为度。或死耳中，徐徐以钩针出之。若积久不出者，取新豚肉炙，向耳中拓之，以出为度[22]。

[附方]

《胜金方》主百虫入耳不出

以鸡冠血滴入耳内，即出[23]。

又《千金方》，捣韭汁灌耳中，差[24]。

又方：治耳中有物不可出。

以麻绳剪令头散，傅好胶，著耳中物上粘之，令相著徐徐引之，令出[25]。

又《梅师方》取车钉脂涂耳孔中，自出[26]。

《续十全方》治虫入耳

秦椒末一钱，醋半盏，浸良久，少少灌耳，虫自出[27]。

《外台秘要》肘后治蚁入耳

烧鲮鲤甲末，以水调灌之，即出[28]。

刘禹锡《传信方》治蚰蜒入耳

以麻油作煎饼，枕卧，须臾，蚰蜒自出而差。李元淳尚书在河阳日，蚰蜒入耳，无计可为。半月后，脑中洪洪有声，脑闷不可彻至，以头自击门柱。奏疾状危极，因发御药以疗之，无差者，为受苦不念生存，忽有人献此方乃愈[29]。

《兵部手集》治蚰蜒入耳

小蒜汁理一切虫入耳皆同[30]。

钱相公《箧中方》治百节蚰蜒并蚁入耳

以苦醋注之，起行即出[31]。

《圣惠方》治飞蛾入耳

酱汁灌入耳即出。又击铜器于耳旁[32]。

《经验方》治水入耳

以薄荷汁点，立效[33]。

【文献及校勘】

[1]《肘后方》115 页。

[2]《肘后方》115 页，《医心方》123 页。

[3]《外台》592 页，《肘后方》115 页。此条引《外台》文，《肘后方》作"以桃叶塞两耳，立出"。

[4]《外台》593 页，《肘后方》115 页。"木叶"，《肘后方》作"树叶"。

[5]《外台》593 页，《肘后方》115 页，《医心方》123 页。此条引《外台》文。"虫闻香则自出"，《医心方》作"虫闻香觉出即差"。

［6］《肘后方》115 页，《医心方》123 页。此条引《肘后方》文。"炙猪脂"，《医心方》作"炙脂膏"。

［7］《外台》593 页，《肘后方》115 页。"神效"，《肘后方》作"手用神验无比，此方是近得"。

［8］《证类》399 页，《肘后方》116 页。

［9］《肘后方》116 页，《千金方》130 页。

［10］［11］《外台》592 页，《医心方》123 页。

［12］《外台》592 页。

［13］～［17］《医心方》123 页。

［18］《外台》593 页，《医心方》123 页。

［19］《外台》593 页，《纲目》1579 页，《证类》454 页。

［20］《外台》593 页。

［21］《外台》593 页，《医心方》124 页。此条引《外台》文，《医心方》作"以苇管吹之，立走出"。

［22］《外台》593 页，《医心方》123 页。此条引《外台》文，《医心方》作"取新熟豚肉，若（或）炙猪肉，以当耳孔中安之，即出"。

［23］～［33］《肘后方》116 页。

［辑佚方］治卒鼻衄鼻生息肉不通利方

治鼻中生息肉不通利方

矾石一两，烧；通草半两；真珠一两。右三味，末，以绵裹如枣核，内鼻中，日三易之。有加桂心、细辛各一两，同前捣末，和使用之[1]。

又方：陈瓜蒂捣末，以傅塞肉上，取差[2]。

又方：矾石（烧）、胡粉（熬）各等分。右二味，末之，以青羊脂和，涂塞肉上，以差[3]。

又方：细辛、瓜蒂各等分，末，以吹鼻中，须臾涕出，频吹之，即差[4]。

治老小鼻塞，常有清涕出方

杏人二分，附子二分，细辛一分。右三味，切，以苦酒拌，用猪脂五两，煎成膏，去滓，以点鼻中即通，又以摩囟上佳[5]。

治少小鼻衄小劳辄出方

楮树叶取汁饮三升，不止，四五次，良。此方久衄亦差[6]。

又方：桑耳无问多少，熬令焦，捣末，每衄发，辄以杏人大塞鼻，数度即可断[7]。

葛氏治鼻卒衄方

苦酒渍绵塞鼻孔[8]。

又方：釜底墨，末，以吹内鼻中[9]。

又方：水和粉如粥状，以书墨和服，多少任意，立愈[10]。

又方：以绵裹白马矢塞鼻，杂文马矢悉可用，若大甚者，绞马矢汁饮一二升。可用干新者，绞取汁用之[11]。

葛氏治大衄口耳皆血出不止方

蒲黄五合，以水一升和，一顿服[12]。

又方：铧铧以柱鼻下[13]。

又方：熬盐三指撮，以酒服之，不止，更服也[14]。

治鼻病酒齄方

（方详治面疱发秃身臭心昏鄙丑方第四十九之治面及鼻病酒齄方）

治鼻外齄瘤脓水血出方

（方详治卒得虫鼠诸瘘方第四十一之［辑佚方］治蜂瘘方）

【文献及校勘】

[1]《外台》595 页。

[2][3]《外台》595 页，《医心方》133 页。

[4]《外台》595 页。

[5]《外台》597 页。

[6]《证类》300 页。

[7]《证类》316 页，《纲目》1714 页，《幼幼新书》5 页。

[8] ～[14]《医心方》134 页。

［辑佚方］治沈唇诸病方

治沈唇常疮烂方

以五月五日鲤鱼血、墨和涂[1]。

治唇疮方

以头垢傅之，日三[2]。

又方：以东壁土傅之[3]。

又方：烧葵根傅之[4]。

治唇里忽生丸核稍大方

以刀锋决之，令血出，差[5]。

葛氏治冬月唇干裂血出者方

熬桃人，捣猪脂和涂之[6]。

葛氏治唇卒有伤缺破败处者方

刀锋细割开，取新杀獐鹿肉，以剿补之。患兔缺又然。禁大语、笑百日[7]。

【文献及校勘】

[1]《外台》611页。"沈唇"，一名紧唇，即唇生微肿湿烂疮。

[2]《外台》611页，《证类》364页，《医心方》135页，《纲目》2933页。此条引《外台》文，《纲目》作"小儿紧唇，头垢涂之"。

[3]《外台》611页，《医心方》135页。

[4]《医心方》135页。

[5]《外台》616页，《医心方》135页。此条，《医心方》作"以刀锋决去其脓血即愈"。

[6][7]《医心方》136页。

［辑佚方］治卒齿痛风齿龋齿方

治䘌齿方

细辛、当归、甘草（炙）、蛇床子各一两，青葙子三两。右五味，捣，以绵裹如大豆，著齿上，日三，勿咽汁，差止[1]。

治患历齿积久碎坏欲尽方

常以绵裹矾石含嚼之，吐汁也[2]。

治齿疼龈间出血极验方

以盐末每夜厚封齿龈上，有汁沥尽乃卧，其汁出时，仍叩齿勿住，不过十夜，疼血止，更久尤佳。长慎猪肉、油菜等[3]。

葛氏治齿间津液血出不止方

矾石一两，以水三升，煮取一升，先拭血，乃含之，嗽吐[4]。

治风齿疼颊肿方

独活酒煮热含之[5]。

又方：用莽草五两，水一斗，煮取五升，热含漱吐之，一日尽[6]。

治齿痛方

用三年咸醋[7]。

又方：马夜眼如米大，内孔中。或绵裹著虫孔中，内之，即差，永断根源[8]。

又方：胡麻五升，水一斗，煮取五升，含漱吐之。茎叶皆可用之。姚云神良。

不过二剂，肿痛即愈[9]。

又含嗽方：大醋一升，煮枸杞白皮一升，取半升含之，即差[10]。

又方：牛膝，末，着齿间含之[11]。

葛氏治齲齿方[12]

灸足外踝上三寸，随齿痛左右七壮[13]。

又方：鸡舌香置虫齿上咋之[14]。

又方：取李枝，削，取里白皮一把，以少水煮令十沸，小冷含之，不过三，当吐虫长六七分，皆黑头[15]。

又方：作竹针一枚，东向以钉柱，先咒曰："冬多风寒，夏多暖暑，某甲病齲，七星北斗，光鼓织女，教我断汝。"便琢针，琢针时并咒曰："琢之虫下，不得动作。"三咒，琢毕去，勿反顾，可千里遥治人，但得姓名耳，至秘至秘[16]。

葛氏治风齿、齿败口气臭方

罔草、细辛、白芷、当归、独活分等，水浓煮含之，吐去汁[17]。

葛氏治齿根动欲脱方

生地黄根，绵裹着齿上，咋咬咀，以汁渍齿根，日四五为之。能十日为之，长不复动[18]。

【文献及校勘】

[1]《外台》602页。

[2]《证类》85页，《医心方》142页，《纲目》673页。此条引《证类》文，《医心方》作"葛氏方治人病沥齿稍碎坏欲尽方。恒能以绵裹矾石，衔咋之，咽其汁"。

[3]《证类》107页，《纲目》633页。

[4]《医心方》143页。

[5]《证类》158页。

[6]《证类》346页，《纲目》1220页。

[7]《太平御览》1页。

[8]《证类》375页。

[9]《证类》482页，《纲目》1439页。

[10]《证类》495页，《纲目》1556页、2116页。此条，《纲目》引文有两处，一处引文同此条，另一处引文作"风虫牙痛，枸杞根白皮，煎醋漱之，虫即出，亦可煎水饮"。

[11]《证类》153页。

[12]《医心方》142页。

[13]～[16]《医心方》142页。

[17]《医心方》143页。

[18]《医心方》142 页。

[辑佚方] 治卒口舌诸病方

治口疮方

黄芩、芍药、黄檗、大青、羚羊角（屑）、苦竹叶各二两，升麻三两。右七味切，以水七升，煎取二升，去滓，内蜜二合，搅含，令吐，以差止[1]。

治小儿口疮方

黄葵花烧末傅之[2]。

治口中及舌生疮烂方

黄连一两，切，以水三升，煮取一升，稍稍含，令吐。忌猪肉、冷水[3]。

又方：黄连一分，末；矾石二两，烧去汗。右二味，同研，内口中，令布疮上[4]。

又方：黄连一分，杏人二十枚，甘草一寸。右三味，末，绵裹含之[5]。

葛氏治口表里皆有疮方

剉黄檗含之[6]。

又方：剉蔷薇根，浓煮汁，含漱之。冬用根，夏用枝叶[7]。

又方：取牛膝根酒渍，含漱之。无酒者，但亦取含之[8]。

又方：酒渍蘘荷根半日，含漱其汁[9]。

又方：含好醇苦酒即愈[10]。

葛氏治口吻疮方

烧栗柎敷之[11]。

葛氏治口中热干燥方

乌梅、枣膏分等，以蜜和丸，如枣含之[12]。

又方：生姜汁一合，甘草二分，杏人末二分，枣三十枚，蜜五合，微火上煎，丸如李核，含一枚，日四[13]。

葛氏治口臭方

蜀椒一升，桂心一尺，末，三指撮，以酒服之[14]。

又方：煎柏子含之[15]。

又方：豆蔻、细辛为末，含之[16]。

葛氏治卒失欠颌车蹉张口不得还方

令人两手牵其颐已，暂推之，急出大指，或咋伤也[17]。

葛氏治口中忽出血不止者方

灸额上入发际一寸，五十壮便愈[18]。

治舌上出血如钻孔者方

煎香薷汁，服一升，日三服尽[19]。

又方：小豆一升，杵碎，水三升和搅，取汁饮[20]。

又方：取豉二升，水三升，煮之沸，去滓，服一升。日三[21]。

又方：以戎盐傅之[22]。

葛氏治舌卒肿起如吹猪胞状，满口塞喉，气息欲不复通，须臾不治则煞人方

直以指撞决舌皮，若不尔，亦可以小钹刀决之，当近舌两边，又莫深伤之。令裁足以开其皮出血而已，不可当舌下中央，中央有大脉，中此脉，则血出不可止，煞人也。若决皮而不愈者，视舌下两边脉，复判破此脉，血出数升，乃烧铁令小赤，以灼疮数过，绝其血[23]。

又方：浓煮甘草汤，含少时，取釜底墨苦酒和厚涂舌上下，脱去更涂，须臾便消。若先决出汁竟与弥佳[24]。

葛氏治卒重舌方

末赤小豆，以苦酒涂和舌上[25]。

又方：乌贼鱼骨、蒲黄分等，末，敷舌上[26]。

又方：灸两足外踝各三壮[27]。

【文献及校勘】

[1]《外台》612 页。

[2]《纲目》1046 页。

[3]《外台》628 页，《纲目》778 页。

[4][5]《外台》628 页。

[6]《外台》628 页，《医心方》136 页。

[7]《外台》628 页，《证类》182 页。此条引《外台》文，《证类》作"治口疮，以蔷薇根避风，打去土，煮浓汁温含，冷易"。

[8]《外台》628 页，《证类》153 页，《纲目》1030 页。"但亦取含之"，《证类》作"空含亦佳"，《纲目》作"亦可煎饮"。

[9][10]《外台》628 页，《医心方》136 页。

[11]《医心方》139 页。

[12]《医心方》139 页、457 页。

[13]《医心方》139 页。

［14］［15］《医心方》140 页。

［16］《纲目》867 页。

［17］《医心方》140 页。

［18］《医心方》137 页。

［19］《外台》616 页，《证类》515 页，《纲目》911 页。

［20］《证类》487 页，《纲目》1511 页。

［21］《证类》493 页。

［22］《医心方》137 页。

［23］《医心方》140 页。

［24］《医心方》141 页。

［25］《医心方》141 页。"重舌"，舌本血脉胀起，变生如舌之状，因在舌本之下，故谓之重舌。

［26］［27］《医心方》141 页。

［辑佚方］治卒喉咽诸病方

治伤寒毒病攻喉咽肿痛方

切商陆炙令热，以布藉喉以熨布上，冷复易之[1]。

又方：真菌茹爪甲大，内口中，以牙小嚼汁以渍喉，当微觉异为佳也[2]。

治喉咽痛痒，声音不出方

以屦履鼻绳烧灰，水服之[3]。

治悬痈肿卒长数寸如指，随喉出入不得食方

开口捧头，以箸抑舌，及烧小铁于管中灼之令破。灼火毕，以盐随烙处涂之[4]。

又方：捣盐，绵缠箸头点盐敷，以揩之，日六七度[5]。

治喉咽卒痈肿，食饮不通方

吞薏苡人子二枚[6]。

又方：黄檗捣敷肿上，冷复易之。用苦酒和末佳[7]。

又方：用薤一把，捣，傅肿上，冷复易之。用苦酒和亦佳[8]。

又方：用白颈蚯蚓十四枚，捣，以涂喉外，立愈[9]。

又方：烧荆木取其汁，稍咽含之[10]。

又方：烧秤锤令赤，内二升苦酒（醋）中，沸止，取饮之[11]。

治喉痹者（喉里肿塞痹痛），水浆不得入，七八日即杀人，治之方

随病所近左右，以刀锋裁刺手大指爪甲后半分中，令血出，即愈[12]。

又方：随病左右，刺手小指爪甲下令出血，立愈。当先将缚令向聚血乃

刺之^[13]。

又方：巴豆一枚，开其口，以绵裹极坚，令有绳出外，以巴豆内鼻中，随肿左右，时时吸气，半日许即差。无巴豆，用杏人以塞耳如之^[14]。

又方：熬杏人熟捣，蜜丸如弹子，含咽其汁。亦可捣杏人末，帛裹含之^[15]。

又方：矾石一两，水三升渍，洗手足^[16]。

又方：生地黄汁二升，蜜二升，合，微火煎之，取二升，稍稍含之^[17]。

又方：剥葫塞耳、鼻孔，日再易之。有效^[18]。

又方：菖蒲根嚼，烧秤锤令赤，内一杯酒中，沸止饮之^[19]。

又方：射干一片含咽汁^[20]。

又方：射干、当归各三两。右二味切，以水三升，煮取一升，稍稍含之，吐去更含^[21]。

又方：升麻断含之，喉塞亦然^[22]。

又方：取芥子捣碎，以水及蜜和淬，傅喉下，燥辄易^[23]。

又方：桔梗三两，切，以水三升，煮取一升，顿服之。忌猪肉^[24]。

又敷用神效方

桔梗、甘草（炙）各一两。右二味，切，以水一升，煮取服，即消，有脓即出。忌猪肉、海藻、菘菜^[25]。

又方：取黄檗片，切，含之。又黄檗一斤，㕮咀，酒一斗，煮三沸，去滓，恣饮便愈^[26]。

又方：半夏末方寸匕。开鸡子头，去中黄白，盛醇苦酒，令小满，内半夏末，著中搅令和鸡子，著刀子镮令稳，置炭火上令沸，药成，置杯中，及暖稍咽之，但肿即减。忌羊肉、饧^[27]。

又治喉痹垂死者方

捣马蔺根一握，少以水绞取汁，稍稍咽之。口噤以物拗灌之。神良^[28]。

【文献及校勘】

[1]《肘后方》41页，《外台》85页、629页。《外台》卷2引文同此条，《外台》卷23引文作"章陆根，切，炙令热，隔布熨之，冷转易，立愈。姚云：苦酒热熬敷喉，亦治喉痹"。

[2]《肘后方》41页，《外台》85页。

[3]《纲目》2192页。

[4]《外台》629页。

[5]《外台》629页，《医心方》141页。"点盐敷，以揩之"，《医心方》作"注盐就，以揩之"。

273

[6]《外台》629 页，《医心方》146 页。"食饮不通方"，《外台》作"饮食不过方"。

[7]《证类》300 页，《纲目》1980 页。

[8]《外台》629 页，《医心方》146 页。"用蘸一把，捣，敷肿上"，《医心方》作"用韭一把，捣熬以薄肿上"。

[9]《太平御览》2 页。

[10]〔11〕《医心方》146 页。

[12]〔13〕《医心方》145 页。

[14]～〔17〕《外台》626 页。

[18]《外台》626 页，《纲目》1601 页。"日再易之"，《纲目》作"日二易之"。

[19]～〔21〕《外台》626 页。

[22]《外台》626 页，《证类》159 页。"断"，《证类》作"剉"。

[23]～〔25〕《外台》626 页。

[26]《证类》300 页，《纲目》1980 页。"煮三沸"，《纲目》作"煮二沸"。

[27]〔28〕《外台》627 页。

［辑佚方］治颈下卒结囊欲成瘿病方

治颈下卒结囊渐大欲成瘿方

海藻一斤，去咸；清酒二升。右二味，以绢袋盛海藻，酒渍，春夏二日，一服二合，稍稍含咽之，日三。酒尽更以酒二升渍，饮之如前，滓暴干，末，服方寸匕，日三。尽更作三剂，佳[1]。

又方：海藻、昆布。右二味，等分，末之。蜜丸。含如杏核大。含稍稍咽汁。日四五[2]。

又方：海藻（洗）、昆布（洗）各一斤。右二味，细切，好酒五升，浸七日。量力取数服。酒尽，以酒更浸两遍服[3]。

又方：马尾海藻（洗）三两，昆布（洗）三两，槟榔三两。右三味，末之。蜜丸如鸡子黄大，每日空腹含一丸，徐徐令津液，取汁咽之。忌盐[4]。

又隐居效验方：海藻五分，昆布（洗）、松萝各三分。右三味捣，蜜丸如杏核大，含咽津，日三夜二。大佳[5]。

又方：海藻七分，昆布（洗）六分，松萝四分，桂心四分，干姜四分，通草五分。右六味捣，筛，蜜丸如梧子。一服吞七丸，即住在颈下瘿处。欲至食时，即先饮少酒，下却丸子后，进食。禁醋、蒜、盐、酪、臭肉、仓米等。若瘿大者，加药令多，取差[6]。

又海藻方：海藻（洗）十分，昆布（洗）一两，松萝（洗）二两，桂心二两，海蛤（研）一两，通草一两，白蔹二两。右七味捣，下筛，酒服一钱匕。日三[7]。

又方：海藻五两，小麦一升。醇苦酒一升，渍小麦令释，漉出曝燥，复渍使苦酒尽，曝麦燥，捣筛。以海藻五两别捣，以和麦末，令调，酒服方寸匕，日三。禁盐、生鱼、生菜、猪肉[8]。

又方：小麦三升，昆布二升。以三年米醋三升，渍麦，曝干，干更浸，使醋尽，又曝干，捣筛为散。别捣昆布为散，每服取麦散二匕，昆布散一匕，旦饱食讫，清酒和服之。若不能饮酒者，以水和服亦得，服尽即差。多服弥善。无所禁。但不用举重，及悲啼烦恼等事[9]。

【文献及校勘】

[1]《外台》619 页，《证类》222 页，《医心方》365 页。

[2]《外台》619 页。

[3]《外台》620 页。

[4]《外台》620 页、621 页。

[5][6]《外台》620 页。

[7]《外台》621 页。

[8]《外台》619 页、620 页。

[9]《外台》620 页。

治卒食噎不下方第四十六

葛氏治卒食噎不下方

取少蜜含之即立下[1]。

又方：取老牛涎沫如枣核大，置水中饮之，终身不复患噎也[2]。

[辑佚方]

治卒噎不下方

鸬鹚喙。当噎时，以衔之则下[3]。

又方：取头垢如枣大，以粥若浆水和服之[4]。

又方：橘皮三两，生姜五两。右二味切，以水六升，煮取二升，再服之[5]。

又方：舂杵头糠置手巾角以拭齿，立下[6]。

又方：以针二七过刺水中，东向饮其水，良[7]。

又方：以羚羊角摩噎上[8]。

葛洪治噎方

与对食之人，当以手捉箸，问噎人曰：此何等物噎人？当答曰：箸。即复曰：咽下去即愈。

[附方]

《外台秘要》治噎

羚羊角屑一物，多少自在，末之，饮服方寸匕。亦可以角摩噎上，良[9]。

《食医心镜》治卒食噎

以陈皮一两，汤浸去穰，焙，为末，以水一大盏，煎取半盏，热服[10]。

《圣惠方》治膈气，咽喉噎塞，饮食不下

用碓觜上细糠，蜜丸弹子大，非时含一丸，咽津[11]。

《广五行记》云：永徽中，绛州僧病，噎不下食，告弟子，吾死之后，便可开吾胸喉，视有何物，言终而卒。弟子依言而开视，胸中得一物，形似鱼而有两头，遍体是肉鳞，弟子置器中，跳跃不止，戏以诸味皆随化尽。时夏中，蓝多作淀，有一僧以淀置器中，此虫遂绕器中走，须臾化为水[12]。

【文献及校勘】

[1]《外台》248 页，《肘后方》116 页。此条引《肘后方》文。"取少蜜含之，即立下"，《外台》作"取蜜含之则下"。

[2]《外台》248 页，《肘后方》116 页。此条引《肘后方》文。"不复患噎也"，《外台》作"不有噎"。

[3]《外台》246 页，《医心方》677 页。此条引《外台》文。"则下"，《医心方》作"即下"。

[4]《外台》247 页。

[5]《外台》247 页，《医心方》677 页。"生姜五两"，《外台》无此文。

[6]《外台》247 页。

[7][8]《医心方》677 页。

[9]《肘后方》116 页。

[10]～[12]《肘后方》117 页。

治卒诸杂物鲠不下方第四十七

食诸鱼骨鲠

以鱼骨插头上，则立下。陶云因謦咳则出[1]。

又方：小嚼薤白令柔，以绳系中央，持绳一端，吞薤到鲠处，引，鲠当随出[2]。

疗骨鲠

白雄鸡左右翮大毛各一枚烧末，水服一刀圭也，仍取所食余者骨，左右手反复掷背后，则下也[3]。

杂物鲠方

解衣带，目窥下部，不下，即出[4]。

又方：好蜜，以匕抄，稍稍咽之，令下[5]。

鱼骨鲠在喉中，众法不能去者方

取饴糖丸如鸡子黄大吞之，不去又吞，此用得效也[6]。

[**辑佚方**]

治食诸肉骨鲠方

烧鸡足末服方寸匕，酒下，立出[7]。

又方：烧鹰、燕、狸、虎头诸食肉者，服方寸匕[8]。

又方：生艾蒿数升，水酒共一斗，煮取三四升，稍稍饮之[9]。

治食诸鱼骨鲠

烧鱼骨，服少少[10]。

又方：以大刀环摩喉二七过[11]。

又方：鸬鹚羽烧末，水服半钱匕[12]。

又方：烧鱼网服之[13]。

治食诸鱼骨鲠，百日鲠者方

用绵二两，以火煎蜜，内一段绵，使热灼灼尔，从外缚鲠所在处，灼瓠以熨绵上。若故未出，复煮一段绵以代前，并以皂荚屑少少吹鼻中，使得嚏出矣。秘方不传。礼云鱼去乙，谓其头间有骨如乙字形者，鲠入不肯出故也[14]。

又方：取捕鱼竹笱须烧末饮之，鱼网亦佳[15]。

又方：取水一杯，合口向水，张口取水气，鲠当自下[16]。

治杂物鲠方

作竹篾，刮令弱滑，以绵缠，内喉中，至鲠处引之，鲠当随出[17]。

又方：刮东壁土，以酒和服[18]。

又方：蝼蛄炙燥，末，为屑，东流水服之即出[19]。

葛氏治饮食遇草芥诸物鲠方

随鲠所近边耳，令人吹[20]。

又方：末瞿麦，服方寸匕[21]。

又方：末皂荚屑少少吹内鼻中，使得嚏，鲠出。秘方[22]。

凡治病皆各以其类，岂宜以鸬鹚治肉骨，狸虎治鱼鲠耶。至于竹篾薤白嚼箸绵蜜事，乃可通为诸鲠用耳，又有咒术小小皆须师解，故不备载[23]。

[**附方**]

《斗门方》治骨鲠

用鹿角为末，含津咽下，妙[24]。

《外台秘要》疗鲠

取虎骨为末，水服方寸匕[25]。

又方：蝼蛄脑一物，吞。亦治刺不出，傅之刺即出[26]。

又方：口称鸬鹚则下[27]。

又《古今录验》疗鱼鲠骨横喉中六七日不出。

取鲤鱼鳞、皮，合烧作屑，以水服之则出，未出更服[28]。

《胜金方》治大人、小儿一切骨鲠或竹木签刺喉中不下方

于腊月中，取鳜鱼胆悬北檐下，令干，每鱼鲠即取一皂子许，以酒煎化，温温呷。若得逆便吐，骨即随顽涎出；若未吐，更吃温酒，但以吐为妙，酒即随性量力也；若未出，更煎一块子，无不出者。此药但是鲠物在脏腑中日久，痛黄瘦甚者，服之皆出。若卒求鳜鱼不得，鲎鱼、鲩鱼、鲫鱼俱可，腊月收之甚佳[29]。

孟诜云：从患卒瘂

取杏人三分，去皮、尖，熬，别杵，桂一分，和如泥，取李核，用绵裹，含细细咽之，日五夜三[30]。

【文献及校勘】

[1]《外台》250 页，《肘后方》117 页，《医心方》681 页。

[2]《外台》250 页，《肘后方》117 页，《证类》512 页，《纲目》1593 页。"引，鲠当随出"，《纲目》作"引之即出"。

[3]《外台》249 页，《肘后方》117 页，《医心方》682 页。"白雄鸡……一刀圭也"，《肘后方》无，据《外台》补。

[4]《肘后方》117 页，《医心方》683 页。

[5]《肘后方》117 页，《证类》411 页，《医心方》682 页。

[6]《外台》250 页，《肘后方》117 页，《证类》484 页，《纲目》1551 页。"此用得效也"，《肘后方》作"以渐大作丸，用得效"。

[7]《外台》249 页。

[8]《医心方》682 页。

[9]《外台》249 页。

[10]～[13]《医心方》681 页。

[14]《外台》249 页。

[15]《外台》249 页，《纲目》2212 页。此条引《外台》文，《纲目》作"旧笋须治鱼骨鲠烧灰，粥饮服方寸匕。

[16]《纲目》400 页。

[17]～[20]《医心方》682 页。

[21][22]《医心方》683 页。

[23]《外台》249 页。

[24]～[29]《肘后方》117 页。

[30]《肘后方》118 页。

治卒误吞诸物及患方第四十八

葛氏治误吞钗方

取薤曝令萎，蒸令熟，勿切，拿一大束，钗则便随出。生麦叶若繁缕皆可用，良效[1]。

治误吞钉及箭金针铁等物方

多食肥羊脂，及诸般肥肉等，自裹之，必得出[2]。

治误吞诸珠珰、铁而鲠方

烧弩铜牙令赤，内水中，饮其汁，立愈[3]。

治误吞钱方

捣火炭末，服方寸匕，则出。小品同[4]。

又方：服蜜三升，即出[5]。

姚氏治食中吞发，绕喉不出方

取梳头发烧作灰，服一钱匕[6]。

治误吞镮若指弨方

烧鹅羽数枚，末，饮之[7]。

吞钱

腊月米饧，顿服半并[8]。

又方：浓煎艾汁，服效[9]。

[辑佚方]

治误吞诸木竹钗辈方

取布刀故锯烧渍酒中，以女人大指甲二枚烧末，内酒中饮之[10]。

又方：若是桃枝竹钗，但数数多食白糖，自消去[11]。

又方：吞蝼蛄脑即出[12]。

治以银钗簪箸擿吐，因气吸误吞不出方

多食白糖，渐渐至一斤，当裹物自出[13]。

治误吞钩方

若绳犹在手中者，莫引之，但益以珠珰若薏子辈，就贯之，著绳稍稍令推至钩处，小小引之，则出[14]。

又方：以小羊喉以沓绳推至钩处，当退脱，小引则出[15]。

又方：但大戾头四向顾，小引之则出[16]。

又方：常思草头一把，二升水淘灌之，十余过而饮之[17]。

又方：取蝼蛄，摘去其身，但吞其头数枚[18]。

治误吞钱方

苍耳头一把，以水一升，浸水中十余度，饮水愈[19]。

治小儿误吞梅李方

以少许水灌小儿头，承其水与饮之，即出，良[20]。

[附方]

《圣惠方》治误吞银环子、钗子

以水银半两服之，再服即出[21]。

又方：治小儿误吞针。

用磁石如枣核大，磨令光，钻作窍，丝穿，令含，针自出[22]。

又方：治小儿误吞铜铁物在咽喉内不下。

用南烛根，烧，细研，熟水调一钱下之[23]。

钱相公《箧中方》疗误吞钱

以磁石枣许大一块，含之立出[24]。

又方：取艾蒿一把，细剉，用水五升，煎取一升，顿服便下[25]。

又《外台秘要》取饴糖一斤，渐渐尽食之，环及钗便出[26]。

又《杨氏产乳》葈耳头一把，以水一升，浸水中十余度，饮水，愈[27]。

《孙用和方》治误吞金银或钱在腹内不下方

石灰一杏核大，硫黄一皂子大，同研为末，酒调下，不计时候[28]。

姚氏方：治食中误吞发，绕喉不出

取已头乱发，烧作灰，服一钱匕，水调[29]。

陈藏器云：故锯，无毒。主误吞竹木入喉咽，出入不得者，烧令赤，渍酒中，及热饮并得[30]。

【文献及校勘】

[1]《外台》252 页，《肘后方》118 页，《证类》512 页，《医心方》683 页，《纲目》1593 页。此条引《外台》文。"生麦叶若藘缕"，《肘后方》作"生麦菜若节缕"，《医心方》作"生麦菜若薤蓟缕"。

[2]《外台》252 页，《肘后方》118 页，《证类》380 页，《医心方》683 页，《纲目》2729 页。此条引《肘后方》文，《外台》作"多食肥羊肉脂及诸肥肉，自裹出"，《医心方》作"但多食肥羊、肥牛肉诸肥，自裹之出"，《纲目》作"多食肥羊脂，久则自出"。又，此方标题中"针铁等物"，《证类》作"针钱等物"，《医心方》作"针箭铁辈物"。

[3]《外台》252 页，《肘后方》118 页，《医心方》684 页。"立愈"，《医心方》作"立出"。

[4]《外台》252 页，《肘后方》118 页，《医心方》684 页。"捣火炭末"，《肘后方》作"烧火炭末"。

[5]《肘后方》118 页，《证类》411 页，《医心方》684 页。此条引《肘后方》文。"服蜜三升"，《证类》作"炼蜜服二升"，《医心方》作"服蜜二升"。

281

［6］《外台》251 页，《肘后方》118 页。

［7］《肘后方》118 页，《证类》400 页。

［8］［9］《肘后方》118 页。

［10］《外台》251 页。

［11］《外台》251 页，《医心方》683 页。

［12］《医心方》683 页。

［13］《外台》251 页。

［14］《外台》251 页，《医心方》684 页。

［15］《外台》251 页。

［16］《外台》251 页，《医心方》684 页。

［17］《外台》251 页。

［18］《医心方》684 页。

［19］《纲目》994 页。此条，《证类》196 页标注出典为《杨氏产乳》。

［20］《外台》1022 页。

［21］～［28］《肘后方》118 页。

［29］［30］《肘后方》119 页。

治面疱发秃身臭心昏鄙丑方第四十九

葛氏治年少气充，面生疱疮

胡粉、水银、腊月猪脂。右三味和，熟研，令水银消散，向瞑以粉面，晓拭去，勿水洗，至瞑又涂之，三度即差。姚方同[1]。

又方：糜脂涂拭面上，日再[2]。

又方：以三岁苦酒渍鸡子三宿，当软，破，取涂之差[3]。

隐居效方治疱疮方

黄连、牡蛎各二两。右二物捣，筛，和水作泥，封疮上，浓汁粉之。神验[4]。

冬葵散方：冬葵子、冬瓜子、柏子人、茯苓各等分。右四味为散，食后，服方寸匕，日三服[5]。

治面及鼻病酒齄方

真珠、胡粉、水银等分。右三味，以猪膏研令相和，涂之，佳[6]。

又方：鸬鹚矢，以腊月猪膏和涂之。鹤矢亦佳。

治面多䵟黵，或似雀卵色者方

以苦酒渍术，常以拭面，稍稍自去[7]。

又方：新生鸡子一枚，穿去其黄，以朱末一两，内中漆固。别方云：蜡塞，以鸡伏著例。出取涂面，立去而白。又别方，出西王母枕中。陈朝张贵妃常用膏方，鸡子一枚，丹砂二两，末之，仍云：安白鸡腹下伏之。余同。鸡子令面皮急而光滑，丹砂发红色，不过五度，傅面，面白如玉，光润照人，大佳[8]。

治卒病余，面如米粉傅者

熬矾石，酒和涂之。姚云：不过三度[9]。

又方：白芨二分，杏人半分，鸡矢白一分。右三味，捣下，以蜜和之，杂水以拭面，良[10]。

治人头面患疠疡方

硫黄、矾石、雄黄。右三味，末，猪脂和涂之[11]。

又方：取生树木孔中蚰汁拭之，末桂和傅上，日再三[12]。

又方：取蛇蜕皮熟摩之数百度令热，乃弃皮置草中，勿顾[13]。

治人面体鼾，肤色粗陋，面血浊皮厚，容状丑恶方

细捣羧羊胫骨，鸡子白和，傅面，干。以白梁米泔汁洗之，三日如素，神效[14]。

又方：芜菁子二两，杏人一两，并捣，破栝楼去子囊，猪胰五具，醇酒和，夜傅之。寒月以为手面膏。别方云：老者少，黑者白。亦可加土瓜根一两，大枣七枚，日渐白悦。姚方，猪胰五具，神验[15]。

隐居效验方，面黑令白，去黯方

乌贼鱼骨、细辛、栝楼、干姜、蜀椒各三两。右五味切，以苦酒渍三日，以成炼牛髓二斤煎之，以酒气尽药成，作粉以涂面，丑人亦变鲜妙光华[16]。

又令面白如玉色方

羊脂、狗脂各一升，白芷半升，甘草一尺（炙），半夏半两，乌喙十四枚。右六味合煎，以白芷色黄去滓，以白器盛，涂面，二十日即变，兄弟不相识，何况余人乎[17]。

传效方治化面方

真珠屑（研）二两，光明砂（研）二两，冬瓜人一两，水银四两。右四味，以四五重帛练袋子贮之，于铜铛中，以醋浆水微火煮，一宿一日始堪用。取水银和面脂，熟研使消，乃合珠屑、砂、冬瓜子末合调，以傅面，取差为度[18]。

治人面无光润，黑鼾及皱，常傅面脂方

细辛、萎蕤、辛夷、芎䓖、白芷、黄耆、薯蓣、白附子各一两，栝楼、木兰皮各一分，猪脂炼成二升。右十一物切之，以绵裹，用少酒渍之，一宿，内猪脂煎

之，七上七下，别出一片白芷，内煎，候白芷黄色成，去滓，绞，用汁以傅面。千金不传，此膏亦治金疮，并吐血[19]。

治人䵟，令人面皮薄如莲华方

鹿角尖，取实白处，于平石上以磨之，稍浓取一大合；干姜一大两，捣，密绢筛，和鹿角汁，搅使调匀。每夜先以暖浆水洗面，软帛拭之，以白蜜涂面，以手摩，使蜜尽、手指不粘为候，然后涂药。平旦还以暖浆水洗。二三七日，颜色惊人。涂药不见风日，慎之[20]。

又面上暴生䵟方

生杏人去皮捣，以鸡子白和，如煎饼面，入夜洗面，干涂之。且以水洗之，立愈。姚方云：经宿拭去[21]。

面上砒磊子化面，仍令光润皮急方

土瓜根，捣末，以浆水和令调，入夜以浆水洗面，涂药，且洗却，即差。百日光华射人，夫妻不相识[22]。

葛氏服药取白方

取三树桃花，阴干，末之，食前，服方寸匕，日三。姚云：并细腰身[23]。

又方：白瓜子中人五分，白杨皮二分，桃花四分。右三味捣末，食后，服方寸匕，日三。欲白加瓜子，欲赤加桃花，三十日面白，五十日手足俱白。又一方有橘皮，无白杨皮[24]。

又方：女苑三分，铅丹一分。右二味，末，以醋浆服一刀圭，日三服，十日大便黑，十八、十九日如漆，二十一日全白，便止，过此太白。其年过三十，难复疗。服药忌五辛[25]。

又方：朱丹五两，桃花三两。右二味，末，井朝水，服方寸匕，日三服。十日知，二十日太白，小便当出黑汁[26]。

又方：白松脂十分；干地黄九分；干漆五分，熬；附子一分，炮；桂心二分。右五味，捣，下筛，蜜丸，未食服十丸，日三。诸虫悉出，便肥白[27]。

又方：干姜、桂、甘草等分。右三味，末之，且以生鸡子一枚，内一升酒中，搅温以服方寸匕。十日知，一月白光润[28]。

又方：去黑。

羊胆、猪胰、细辛（末）等分。右三味煎三沸，涂面靥，且以醋浆水洗之[29]。

又方：茯苓、白石脂等分。右二味，末，和蜜涂之，日三，除去[30]。

服一种药，一月即得肥白方

大豆黄炒，舂如作酱滓，取纯黄一大升，捣，筛，炼猪脂和令熟，丸，酒服二十丸，日再，渐加至三四十丸，服尽五升，不出一月，即大能食，肥白，试用之[31]。

治人须鬓秃落不生长方

麻子人二升，秦椒二合。右二味，置泔汁中一宿，去滓，日一沐，一月长二尺也[32]。

又方：蔓荆子三分；附子二枚，生用，并碎之。右二物，以酒七升和，内瓷器中，封闭经二七日，药成，先以灰汁净洗须发，痛，拭干，取乌鸡脂揩，一日三遍，凡经七日，然后以药涂，日三四遍，四十日长一尺，余处则勿涂[33]。

又方：桑白皮（剉）三二升，以水淹煮五六沸，去滓，以洗须鬓，数数为之，即自不落[34]。

又方：麻子人三升，白桐叶一把。右二味，以米泔煮五六沸；去滓，以洗之，数之则长[35]。

又方：东行桑根长三尺，中央当甑饭上蒸之；承取两头汁，以涂须鬓，则立愈[36]。

治须鬓黄方

烧梧桐灰，乳汁和，以涂肤及须鬓，佳[37]。

染发须白令黑方

醋浆煮豆，漆之，黑如漆色[38]。

又方：先洗须发令净，取石灰、胡粉等分，浆和温，夕卧涂讫，用油衣包裹，明日洗去，便黑，大佳[39]。

拔白毛，令黑毛生方

拔去白毛，以好白蜜敷拔处，即生黑毛。眉中无毛，以针挑伤，敷蜜，亦生眉毛。比见诸人以石子研丁香汁，拔白毛讫，急手以敷孔中，即生黑毛。此法神验[40]。

若头风白屑检风条中方、脂泽等方，在此篇末[41]。

姚方治黚

白蜜和茯苓，涂上，满七日，即愈[42]。

又治面胡粉刺方

捣生菟丝，绞取汁，涂之。不过三五上[43]。

又黑面方

牯羊胆、牛胆、醇酒三升，合煮三沸，以涂面，良[44]。

面上恶疮方

黄连、黄檗、胡粉各五两。右三味下筛，以粉面上疮。疮方并出本条中，患，宜检用之[45]。

葛氏治身体及腋下狐臭方

正旦以小便洗腋下却不臭。姚云：大神验[46]。

又方：烧好矾石末，绢囊盛之，常以粉腋下，不过十度[47]。或用马齿矾石，烧令汁尽，粉之，即差[48]。

又方：青木香二两，附子一两，石灰一两。右三味细末，著粉腋下，汗出因以粉之。姚方，有矾石半两烧[49]。

又方：炊甑饭及热丸，以拭腋下臭，仍与犬食之，七日一如此，即差[50]。

又方：煮鸡子两枚，熟去壳，及热各内腋下，冷弃之三路口，勿反顾，三为之，良[51]。

姚方取胡粉、牛脂合椒，以涂腋下，一宿即愈，可三两度作之，则永差[52]。

两腋下及足心手掌阴下股里，常如汗湿致臭方

胡粉、滑石、干商陆根各一两，甘草（炙）、干枸杞根、干畜根各半两。右药捣下筛，以苦酒和涂腋下。当微汁出，易衣复涂著药，不过三傅便愈。或更发复涂之。不可多傅，伤人腋。余处亦涂之[53]。

若股内阴下常汗湿且臭，或作疮者方

但以胡粉一物粉之，即差，常用大验[54]。

隐居效方治狐臭

青木香、藿香、鸡舌香、胡粉各二两。右四味为散，内腋下，绵裹之，常作，差[55]。

令人体香方

白芷、薰草、杜若、杜衡、藁本等分。右五味末之，蜜和，旦服如梧子三丸，暮服四丸，三十日足下悉香[56]。

又方：白芷、桂心各五分，细辛、杜衡、藁本、当归、芎䓖、瓜子人各二分，甘草（炙）二分。右九味，捣，下筛，食后，服方寸匕，日三。五日口香，二十日肉香[57]。

小品方：甘草（炙）、松树根及皮、大枣、甜瓜子。右四物分等，末，服方寸

匕，日三，二十日觉效，五十日身体并香，百日衣服床帏皆香。姚同[58]。

治人心孔昏塞、多忘、喜误方

七月七日，取蜘蛛网着领中，勿令人知，则永不忘也。姚方同[59]。

又方：丁酉日，密自至市买远志，著巾角中还，末服之，勿令人知。姚同[60]。

又方：丙午日，取鳖甲着衣带上，良[61]。

又方：取牛、马、猪、鸡心，干之，末，向日酒服方寸匕，日三，问一知十[62]。

孔子大圣智枕中方中，方已出在第九卷。姚同[63]。

又方：人参、茯苓、茯神各五分，远志七分，菖蒲二分。右五味，末，服方寸匕，日三，夜一服[64]。

又方：章陆花阴干一百日，捣末，暮，水服方寸匕。暮卧思念所欲知事，即于眠中醒悟[65]。

又方：上党人参半斤，七月七日麻勃一升，合捣蒸，使气尽遍，服一刀圭，暮卧，逆知未然之事[66]。

治人嗜眠喜睡方

马头骨烧作灰，末，服方寸匕，日三，夜一[67]。

又方：父鼠目一枚，烧作屑，鱼膏和，注目外眦，则不肯眠。兼取两目绛囊盛带之[68]。

又方：麻黄、术各五分，甘草三分。右三味，日中向南捣末。食后服一方寸匕，日三。姚方云：令人不忘[69]。

傅用方：头不光泽，蜡泽饰发方

青木香、白芷、零陵香、甘松香、泽兰各一分。右五味，用绵裹，酒渍再宿，内油里煎再宿，加蜡泽斟量硬软，即火急煎，著少许胡粉、胭脂讫，又缓火煎令粘极，去滓，作梃，以饰发，神良[70]。

作香泽涂发方

依蜡泽药，内渍油里煎，即用涂发，亦绵裹，煎之[71]。

作手脂法

猪胰一具，白芷一两，桃人（碎）一两，辛夷二分，细辛半分，冬瓜人二分，栝楼仁三分，黄瓜三分。右八味，以油一大升，煮白芷等二三沸。去滓，挼猪胰取尽，乃内冬瓜人、桃人末，合和之，膏成，以涂手掌，即光[72]。

荜豆香藻法

荜豆一升，芎䓖、白芍药、白附、水栝楼、薰陆、冬瓜人、桃人各二两。右八味，捣筛，和合。先用水洗手面，然后傅药粉饰之也[73]。

六味熏衣香方

沉香一片，麝香一两，苏合香蜜涂，微火炙少令变色，白胶香一两。捣沉香令破如大豆粒，丁香一两，亦别捣，令作三两段。捣余香讫，蜜和为炷。烧之，若薰衣著半两许。又方加藿香一两，佳[74]。

葛氏既有膏傅面染发等方，胡疏脂泽等法亦粉饰之所要云[75]。

发生方

蔓荆子三分，附子二枚，生用，并碎之。二物以酒七升和，内瓷器中封二七日，药成。先以灰汁净洗须发，痛，拭干。取乌鸡脂揩，一日三遍，凡经七日，然后以药涂，日三四遍，四十日长一尺，余处则勿涂[76]。

[辑佚方]

治年少气盛，面生疱疮方

麻黄三两；甘草二两，炙；杏人三两，去尖皮。右三味捣筛，酒下一钱匕，日三服[77]。

又方：黄连一斤；木兰皮十两；猪肚一具，治如食法。右三味㕮咀，二味内肚中，蒸于二斗米下，以熟切曝干，捣散，食前以水服方寸匕。日再[78]。

又方：黄连二两，蛇床子四合。右二味捣末，以面脂和涂面。日再，差[79]。

又方：鹰矢白二分，胡粉一分，蜜和，涂上，日二[80]。

又方：柳叶或皮水煮汁，入少盐，频洗之[81]。

治卒病余，面如米粉傅者

白蔹二分，生矾石一分，白石脂一分，杏人半分，捣末，鸡子白和，暮卧涂面，明旦井花水洗之[82]。

又方：十月霜初下，取以洗拭面，仍傅诸药为佳[83]。

治面及鼻病酒齄方

木兰皮一斤，渍酒，用三年者，百日出，曝干；栀子人一斤。右二味，合捣为散，食前，以浆水服方寸一匕，日三，良[84]。

又方：马蔺子花捣封之，佳[85]。

治面生痦癗如麻子中有粟核方

石灰以水渍之才淹，以米一把置上，令米释淘取，一一置痦癗上，当渐拭之，软乃爪出粟，以膏药傅之，即差[86]。

枳实丸，治热风头面痒风疹如癫方

枳实（炙）六分，天门冬（去心）、独活、防风、蒺藜人、桔梗各五分，菌桂一分半，薏苡人、黄连各四分。右九味，捣筛，蜜和，丸如梧子，饮服十五丸，日再。如能以酒和饮之，益佳。不限食之前后。以意加减。忌鲤鱼、生葱、猪肉、冷水[87]。

治人头面患疬疡方

硫黄（研）、矾石（研）、水银（别研入）、灶墨。右四味等分，捣，下筛，内碗子中，以葱叶中涕和研之，临卧以傅病上[88]。

葛氏方治面颈忽生白驳，状如癣，世名为疬疡，方

以新布揩令赤，苦酒摩巴豆涂之，勿广[89]。

治面多䵟䵴，或似雀卵色者方

以羖羊胆一枚，酒二升，合煮三沸，以涂拭之，日三度，差[90]。

又方：桃花、瓜子分等，捣以傅面[91]。

治人面体鳖，肤色粗陋，面血浊皮厚，容状丑恶方

末蘡米，酒和涂面厚粉上，勿令见风，三日即白[92]。

葛氏去黑痣方

桑灰、艾灰各三斗，水三石（担），淋取汁，重复淋三过止，以五色帛内中，合煎，令可丸，以傅上，则烂脱，乃以猪膏涂之[93]。

治须鬓黄方

腊月猪脂膏和羊矢灰、蒲灰等分，傅，黑也[94]。

治身体及腋下狐臭方

青木香一斤；石灰半斤，熬。右二味，常以粉身亦差，并捣末傅之[95]。

姚方治狐臭

胡粉、白灰、干姜等分。右三味合作末，粉之[96]。

治口臭方

正旦含井华水，吐弃厕下。数度即差也[97]。

又方：豆蔻、细辛为末，含之[98]。

治小儿头生白秃，发不生出方

椿、楸、桃叶心取汁，傅之大效[99]。

治人须鬓秃落不生长方

腊月猪矢烧末傅之[100]。

又方：生柏叶一斗，附子四枚，捣末，以猪肪三斤，合和为三十丸，布裹一丸，著沐汁中间，日一沐，发长不落[101]。

葛氏治发令长方

术一升，㕮之，水五升，煮以沐，不过三，即长[102]。

［附方］

《肘后方》姚氏疗黚

茯苓末，白蜜和涂上，满七日，即愈[103]。

又方：疗面多皯黚如雀卵色。

以羖羊胆一枚，酒二升，合煮三沸，以涂拭之，日三度，差[104]。

《千金方》治血黚面皯

取蔓菁子，烂研，入常用面脂中，良[105]。

崔元亮《海上方》灭瘢膏

以黄矾石烧令汁出，胡粉炒令黄，各八分，惟须细研，以腊月猪脂和，更研如泥，先取生布揩令痛，则用药涂五度。又取鹰矢白，燕窠中草，烧作灰，等分，和人乳涂之，其瘢自灭，肉平如故[106]。

又方：治面黚黑子。

取李核中仁，去皮细研，以鸡子白和如稀饧，涂。至晚，每以淡浆洗之后，涂胡粉，不过五六日，有神。慎风[107]。

《孙真人食忌》去黡子

取石灰炭上熬令热，插糯米于灰上，候米化，即取米点之[108]。

《外台秘要》救急去黑子方

夜以暖浆水洗面，以布揩黑子令赤痛，水研白檀香，取浓汁以涂之，旦又复以浆水洗面，仍以鹰粪粉黑子[109]。

又，令面生光方。

以蜜陀僧用乳煎涂面，佳。兼治鼾鼻皰[110]。

《圣惠方》治黚䵟斑点方

用蜜陀僧二两，细研，以人乳汁调，涂面，每夜用之[111]。

又方：治黑痣生于身面上。

用藜芦灰五两，水一大碗，淋灰汁于铜器中贮，以重汤煮令如黑膏，以针微拨破痣处点之，良。不过三遍，神验[112]。

又方：生眉毛。

用七月乌麻花，阴干，为末，生乌麻油浸，每夜傅之[113]。

《千金翼》老人令面光泽方

大猪蹄一具，洗净，理如食法，煮浆如胶，夜以涂面，晓以浆水洗面，皮急矣[114]。

《谭氏小儿方》疗豆疮瘢面靥

以蜜陀僧细研，水调，夜涂之，明旦洗去，平复矣[115]。

有治疬疡三方，具风条中[116]。

《千金方》治诸腋臭

伏龙肝，烧作泥傅之，立差[117]。

《外台秘要》治狐臭，若股内、阴下恒湿臭，或作疮

青木香，好醋浸，致腋下夹之，即愈[118]。

又，生狐臭。

以三年酽醋，和石灰傅之[119]。

《经验方》善治狐臭

用生姜涂腋下，绝根本[120]。

又方：乌髭鬓，驻颜色，壮筋骨，明耳目，除风气，润肌肤，久服令人轻健。

苍术，不计多少，用米泔水浸三两日，逐日换水，候满日即出，剖去黑皮，切作片子，暴干，用慢火炒令黄色，细捣末，每一斤末，用蒸过茯苓半斤，炼蜜为丸，如梧桐子大。空心，卧时温熟水下十五丸。别用术末六两，甘草末一两，拌和匀，作汤点之下术丸，妙。忌桃、李、雀、蛤及三白[121]。

《千金方》治发落不生令长

麻子一升，熬黑压油，以傅头长发，妙[122]。

又治发不生

以羊矢灰淋取汁洗之，三日一洗，不过十度即生[123]。

又治眉发髭落

石灰三升，以水拌匀，焰火炒令焦，以绢袋贮，使好酒一斗渍之，密封，冬十四日，春秋七日，取服一合，常令酒气相接。严云：百日即新髭发生，不落[124]。

《孙真人食忌》生发方

取侧柏叶阴干作末，和油涂之[125]。

又方：令发鬓乌黑。

醋煮大豆，黑者去豆，煎令稠，傅发[126]。

又方：治头秃。

芜菁子末，醋和傅之，日三[127]。

《梅师方》治年少发白

拔去白发，以白蜜涂毛孔中，即生黑者。发不生，取梧桐子捣汁涂上，必生黑者[128]。

《千金翼》疗发黄

熊脂涂发，梳之散头，入床底伏地一食顷，即出便尽黑，不过一升脂，验[129]。

《杨氏产乳》疗白秃疮及发中生癣

取熊白傅之[130]。

又，疗秃疮。

取虎膏涂之[131]。

《圣惠方》治白秃

以白鸽粪捣细，罗为散，先以醋米泔洗了傅之，立差[132]。

又，治头赤秃。

用白马蹄烧灰末，以腊月猪脂和傅之[133]。

《简要济众》治头疮

大笋壳叶烧灰，量疮大小，用灰调生油傅，入少腻粉，佳[134]。

【文献及校勘】

[1]《外台》879 页，《肘后方》119 页，《纲目》527 页。此条，《纲目》引文略异；《外台》析为二方，以"胡粉水银以腊月猪脂和傅之"为一方，另以"熟研水银向夜涂之，平明拭却，三四度差"为一方。

[2]《外台》879 页，《肘后方》119 页，《证类》390 页。此条引《外台》文，《肘后方》作"涂麋脂即差"。

［3］《外台》879 页，《肘后方》119 页，《医心方》109 页，《纲目》2609 页。

［4］《肘后方》119 页。

［5］《外台》879 页，《肘后方》119 页。此条引《外台》文。"冬瓜子""各等分""日三服"，《肘后方》作"瓜瓣""各一两""日三，酒下之"。

［6］《外台》880 页，《肘后方》119 页。

［7］《外台》876 页，《肘后方》119 页，《医心方》110 页，《证类》495 页，《纲目》736 页、1556 页。此条引《肘后方》文。"以苦酒渍术"，《外台》作"以苦酒渍白木"，《肘后方》作"苦酒煮术"，据《证类》《医心方》改。"稍稍自去"，《证类》作"即渐渐除之"。

［8］［9］《肘后方》119 页。

［10］《肘后方》119 页，《医心方》111 页，《纲目》1297 页。

［11］《肘后方》119 页。

［12］《外台》427 页，《肘后方》119 页，《医心方》111 页。此条，《外台》作"取木空中水洗之，捣桂屑唾和傅驳上，日三"。

［13］《肘后方》119 页，《纲目》2397 页。此条，《纲目》标注出典为《外台》。

［14］《肘后方》119 页，《纲目》2744 页。

［15］《肘后方》120 页，《纲目》2702 页。

［16］《外台》874 页，《肘后方》120 页。此条引《外台》文。"丑人亦变鲜妙光华"，《肘后方》作"丑人特异鲜好，神妙方"。

［17］《外台》874 页，《肘后方》120 页。"甘草一尺"，《肘后方》原作"甘草七尺"，据《外台》改。"以白芷色黄去滓"，《肘后方》无此文。据《外台》补。

［18］《外台》881 页，《肘后方》120 页。此条，《外台》引文略异。

［19］《肘后方》120 页，《外台》872 页。

［20］《外台》876 页，《肘后方》120 页。

［21］《肘后方》120 页，《外台》877 页。《外台》引此文时，标题作"文仲疗人面无光润"，但方子内容相同。按，文仲是唐代人，故此条可能是唐代人张文仲转引《肘后方》方。

［22］《外台》881 页，《肘后方》120 页，《证类》220 页（《本草图经》引），《纲目》1275 页。

［23］《外台》874 页，《肘后方》120 页。

［24］《肘后方》120 页，《纲目》1699 页。

［25］《肘后方》121 页，《纲目》1032 页。

［26］《肘后方》121 页。

［27］《肘后方》121 页，《医心方》599 页。"未食"，《肘后方》原脱，据《医心方》补。

［28］《肘后方》121 页。

［29］《外台》876 页，《肘后方》121 页。"猪胰"，《外台》作"猪头"。"平旦"，《肘后方》原作"屠旦"，据《外台》改。

［30］《外台》876 页，《肘后方》121 页。此条引《外台》文。"日三，除去"，《肘后方》作"日三度"。

［31］《肘后方》121 页。

［32］《肘后方》121 页，《千金方》247 页，《医心方》106 页。"须虋""二合""泔汁"，《医心

方》作"鬓发""二升""潘汁",《千金方》作"头发""三升""泔"。

[33]《肘后方》121 页,《千金方》249 页。

[34]《肘后方》121 页,《外台》891 页。

[35]《肘后方》121 页,《纲目》1998 页。

[36]《外台》889 页,《肘后方》121 页,《千金方》249 页。

[37]《肘后方》121 页,《医心方》106 页。此条引《肘后方》文,《医心方》作"烧梧桐作灰,乳汁和,以涂其肤及鬓发,即黑"。

[38]《外台》889 页,《肘后方》121 页。

[39]《肘后方》121 页,《医心方》105 页。"先洗须发""取石灰",《医心方》作"先沐头发""取白灰"。

[40]《外台》888 页,《肘后方》121 页,《医心方》105 页。"以好白蜜数拔处",《肘后方》作"以好白蜜任孔中"。

[41]《肘后方》122 页。

[42]《肘后方》122 页,《证类》297 页,《外台》876 页。

[43]《肘后方》122 页,《证类》152 页,《纲目》1238 页。"菟丝",《证类》作"菟丝子",《纲目》作"菟丝苗"。

[44]《肘后方》122 页,《纲目》2737 页。"以涂面,良",《纲目》作"夜夜涂之"。

[45]《肘后方》122 页。

[46]《外台》642 页,《肘后方》122 页,《医心方》115 页。此条标题引《肘后方》,但《医心方》及《外台》作"疗人体及腋下状如狐狸气,世谓之狐臭方"。

[47]《外台》643 页,《肘后方》122 页。"不过十度",《肘后方》原无此文,据《外台》补。

[48]《肘后方》122 页。

[49]《外台》643 页,《肘后方》122 页。"汗出因以粉之",《肘后方》原作"汁出即粉之",据《外台》改。

[50]《外台》642 页,《肘后方》122 页,《医心方》115 页。"即差",《医心方》作"即愈"。

[51]《外台》642 页,《肘后方》122 页,《纲目》2608 页。此条引《外台》文,《肘后方》文略异。

[52]《外台》644 页,《肘后方》122 页。此条,《外台》作"牛脂和胡粉三合,煎令可丸,涂腋下,一宿即愈"。

[53]《外台》646 页,《千金方》440 页,《肘后方》122 页。"干蔷根""当微汁出",《外台》作"干蔷薇根""当微汗出"。又,《千金方》注云:"《肘后方》作蔷根"。

[54]《外台》644 页,《肘后方》122 页。"一物",《肘后方》原作"一分",据《外台》改。

[55]《外台》644 页,《肘后方》122 页。

[56]《外台》647 页,《肘后方》122 页。此条引《外台》文。"三十日足下悉香",《肘后方》作"二十日足下悉香,云大神验"。

[57]《外台》647 页,《肘后方》122 页,《医心方》599 页。"甘草(炙)",《肘后方》无此药。"二十日肉香",《肘后方》作"一十日肉中皆香,神良"。

[58]《外台》647 页,《肘后方》122 页,《医心方》599 页。

［59］《肘后方》123 页，《幼幼新书》17 页，《医心方》601 页。"喜误方"，《医心方》作"善误方"。

［60］《证类》163 页，《肘后方》123 页，《幼幼新书》17 页，《纲目》749 页。"末服之"，《证类》作"为末服之"。

［61］《证类》426 页，《肘后方》123 页，《医心方》601 页，《纲目》2507 页。此条，《纲目》作"鳖爪，五月五日收藏衣领中，令人不忘"，《医心方》作"丙午日，取鳖爪著衣领带中"。

［62］《肘后方》123 页，《纲目》2770。"问"，《纲目》作"闻"。

［63］《肘后方》123 页。

［64］《肘后方》123 页，《幼幼新书》明刊本 17 页。

［65］《肘后方》123 页，《医心方》601 页。"章陆"，《医心方》作"常陆"，商务本《肘后方》注云："章，另本作商。""醒悟"，《医心方》作"自悟"。

［66］《肘后方》123 页，《幼幼新书》明抄本卷 6。"麻勃""使气"，《幼幼新书》作"麻谷""候气"。

［67］《证类》375 页，《肘后方》123 页。"末，服"，《证类》作"末，水服"。

［68］《证类》441 页，《肘后方》123 页，《医心方》287 页，《纲目》2904 页。"盛带之"，《肘后方》作"裹带"，据《证类》改。

［69］～［72］《肘后方》123 页。

［73］《肘后方》123 页。"薰陆"，商务本《肘后方》作"当陆"。注云："当"一本作商，另本作"薰"。

［74］～［76］《肘后方》124 页。

［77］～［79］《外台》879 页。

［80］《医心方》109 页。

［81］《纲目》2033 页。

［82］［83］《医心方》111 页。

［84］《外台》880 页。

［85］《外台》880 页，《证类》202 页，《纲目》985 页。"捣封"，《证类》作"杵傅"。

［86］《外台》882 页。

［87］《外台》423 页。

［88］《外台》425 页。

［89］《医心方》111 页。

［90］《外台》876 页，《证类》380 页。此条引《证类》文。"羖羊胆"，《外台》作"羚羊胆"。

［91］《医心方》110 页，《外台》877 页。

［92］《医心方》599 页。

［93］《医心方》114 页。

［94］《外台》889 页。

［95］《外台》643 页，《医心方》116 页。

［96］《外台》643 页。

［97］《纲目》401 页，《证类》130 页。此条，《证类》注出处为《嘉祐本草》。

[98]《纲目》867 页。

[99]《证类》345 页，《纲目》1988 页。此条，《纲目》标注出典为"时珍"。

[100]《证类》389 页，《纲目》2713 页。

[101]《医心方》106 页。

[102]《医心方》104 页。

[103] ～ [110]《肘后方》124 页。

[111] ～ [125]《肘后方》125 页。

[126] ～ [134]《肘后方》126 页。

[辑佚方] 治卒为竹木刺肉不出方

葛氏治诸竹木刺在肉中不出方

嚼白梅涂之[1]。

又方：捣乌梅，水和涂之刺上，立出[2]。

又方：嚼豉封之，立差[3]。

又方：用牛膝根茎合捣以敷之，即出，纵创合，其刺犹自出[4]。

又方：王不留行，末，服之，并敷上，即出[5]。

又方：白茅根烧，末，脂膏和涂之。亦主诸疮因风至肿[6]。

又方：取羊粪燥者烧灰，和脂涂之，刺若未出，重敷之[7]。

又方：鹿角烧灰末，以水和涂之，立出。久者不过一夕[8]。

又方：刮象牙屑，水和涂刺上，立出[9]。

又方：取蛴螬碎之，傅刺上，立出[10]。

又方：取鼠脑捣烂厚涂之，即出[11]。

治足大指角，忽为甲所入肉，便刺作疮，不可着履靴

矾石烧汁尽，捣末，着疮中，食恶肉，生好肉，细细割去甲角，旬日即差，此方神效[12]。

【文献及校勘】

[1]《外台》790 页。

[2]《外台》790 页，《医心方》404 页。"涂之刺上"，《医心方》作"涂上"。

[3]《外台》791 页，《医心方》404 页。"封之"，《医心方》作"涂之"。

[4]《外台》790 页，《医心方》403 页。"以敷之"，《医心方》"以薄之"。

[5]《外台》790 页。

[6]《外台》790 页，《证类》208 页、239 页，《纲目》812 页。

［7］《外台》790页。

［8］《外台》790页，《医心方》403页。"一夕"，《医心方》作"一宿"。

［9］《外台》791页。

［10］《证类》428页，《纲目》2299页。

［11］《纲目》2903页。

［12］《证类》85页，《纲目》676页。

［辑佚方］治毒箭伤及箭镞不出方

凡毒箭有三种，交广夷俚用焦铜作镞，次岭北用诸蛇虫毒螫物汁，著管中渍箭镞。此二种，才伤皮便洪肿沸烂而死，唯射猪犬，虽困犹得活，以其啖人粪故也。人若有中之，便即餐粪，或绞滤取汁饮之，并以涂疮上，须臾即定，不尔不可救也。又一种，是今之猎师射獐鹿，用射罔以涂箭镞，人中之，当时亦困顿，著宽处者不死。若近胸腹，亦宜急疗之，今葛氏方是射罔者耳[1]。

治卒被毒箭伤方

捣蓝青，绞取汁饮之，并薄疮上。若无蓝，取青布渍之，绞取汁饮之。亦以汁淋灌创中[2]。

又方：煮藕取汁饮之，多多益善[3]。

又方：多食生葛根自愈。或捣生葛绞取汁饮之，干者煮饮之[4]。

又方：食麻子数升愈。捣饮其汁亦佳[5]。

又方：干姜、盐等分。右二味捣末，敷创上，毒皆自出[6]。

又方：以盐满创中，灸盐上三十壮[7]。

又方：以雄黄末敷之愈[8]。

又方：服竹沥数合至一二升[9]。

治箭镞及诸刃刀在咽喉胸膈诸隐处不出方

白蔹二分，牡丹一分。右二味捣末，以温酒服方寸匕，日三服，刃自出[10]。

又方：杵杏人傅之[11]。

又方：杵鼠肝及脑傅之[12]。

又方：以蝼蛄脑涂之[13]。

治箭并金刃折在肉中不出方

白蔹三两；半夏三两，洗。右二味捣，下筛，以酒服方寸匕，日三。浅者十日出，深者二十日出，终不住肉中[14]。

又方：细刮象牙屑，以水和傅上，即出[15]。

葛氏治铁入骨不出方

取鹿角烧作灰，猪膏和傅之[16]。

【文献及校勘】

[1]《外台》789页。

[2]《外台》789页，《证类》174页，《医心方》402页，《纲目》1088页。此条引《外台》文。"取青布渍之，绞取汁饮之"，《医心方》作"可渍青布及绀䌽，绞饮汁"。又"亦以汁淋灌创中"，《证类》作"亦以治疮中"。

[3][4]《外台》789页。

[5]《外台》790页，《证类》483页，《纲目》1449页。此条引《外台》文，《证类》作"卒备毒箭，麻人数升，杵汁饮差"。

[6]《外台》789页。

[7]《外台》790页，《医心方》402页。

[8]《外台》790页。

[9]《医心方》402页。

[10]《外台》789页，《千金方》462页。

[11]《证类》474页，《医心方》403页，《纲目》1734页。"杵杏人傅之"，《医心方》作"捣杏人涂之"。

[12]《证类》441页，《纲目》2903页。

[13]《医心方》403页。

[14]《外台》789页。

[15]《证类》371页。

[16]《医心方》403页。

［辑佚方］治卒金创血出中风肠出方

论曰：金创者，无大小冬夏，及始初伤出血，便以石灰厚傅裹之，既止痛，又速愈。无石灰，灰亦可用。若创甚深，未宜速合者，内少滑石，令创不时合也[1]。

凡金创去血，其人若渴当忍之。常用干食并肥脂之物以止渴，慎勿咸食。若多饮粥辈，则血溢出杀人，不可救也。又忌嗔怒大言笑、思想、阴阳、行动、作劳。勿多食酸咸。饮酒热羹臛辈，皆使疮痛肿发，甚者即死。疮差后犹尔。出百日半年，乃稍复常耳[2]。

治金创大散方

用百草心，七月七日出，使四人出四方，各于五里内采一方草木茎叶，每种各半把，勿令漏脱一事，日正午时，细切，碓捣并石灰，极令烂熟，一石（担）草断一斗石灰，先凿大实中桑树，令可受药，取药内孔中，实筑令坚，仍以桑树皮蔽之，以麻捣石灰极密泥之，令不泄气，又以桑皮缠之使牢。至九月九日午时取出，阴干百日，药成捣之，日曝令干，更捣，绢筛，贮之。凡一切金创伤折出血，登时以药封裹治使牢，勿令动转，不过十日即差，不肿、不脓、不畏风。若伤后数日始得药，须暖水洗之令血出，即傅之。此药大验，平生无事，宜多合之，以备仓卒。金创之要，无出于此，虽突厥、质汗黄末，未能及之[3]。

凡金创伤天窗眉角脑户，臂里跳脉，髀内阴股，两乳上下心，鸠尾小肠，及五脏六腑输，此皆是死处，不可治也。又破脑出血而不能言语，戴眼直视，咽中沸声，口急唾出，两手妄举，亦皆死候，不可治。若脑出而无诸候者可治。又治卒无汗者，中风也。疮边自出黄汁者，中水也。并欲作痉候，可急治之。又痛不在疮处者，伤经也，亦死之兆。又血出不可止，前赤后黑，或白肌肉腐臭，寒冷坚急者，其疮难愈，亦死也[4]。

治金创膏散三种，宜预备合，以防急疾之要。

续断膏方

蜀续断、蛇衔、防风各三两。右三味切，以猪脂三斤，于东向露灶煎之，三下三上，膏成去滓。若深大疮者，但敷四边，未可使合。若浅小疮者，便通敷便相连，令止血住痛。亦可以酒服如杏子大[5]。

野葛蛇衔膏方

续断、蛇衔各二两；防风一两；野葛二两；当归、附子各一两半，去皮；黄芩、泽兰各一两；松脂、柏脂各三两；蔷薇根二两。右十一味哎咀，以猪脂二斤煎之，别以白芷一枚内中，候色黄即膏成。去滓，滤，以密器收贮之。以涂疮，无问大小，皆差，不生脓汁也[6]。

金创散方

桂心一两；干姜一两；蜀椒三两，汗；当归三两；芎䓖四两；甘草（炙）一两。右六味捣散，以酒服方寸匕，日三[7]。

治金创方

以蛇衔草捣敷之差[8]。

又方：狼牙草茎、叶熟捣，敷贴之，兼止血[9]。

又方：取烬草挼敷之[10]。

又方：葛根，五月五日掘，曝干，捣末，敷疮上，止血，止痛[11]。

又方：钓樟根（出江南），刮取屑敷疮上，有神验[12]。

又方：紫檀，末，以敷金疮。止痛，止血，生肌[13]。

又方：生青蒿，捣傅上，以帛裹创，血止，即愈[14]。

又方：用蔷薇灰末一方寸匕，日三服之[15]。

又方：烧故青布作灰，敷疮上，裹缚之，数日差。可解去[16]。

又方：割毡方一寸，烧灰，研以敷之，差[17]。

又方：烧牡蛎末敷之，佳。凡裹缚疮，用故布帛，不宽不急，如系衣带即好[18]。

又方：急以石灰裹之，既止痛，又速愈。无石灰，筛凡灰亦可用。疮若深未宜速合者，以滑石傅之[19]。

又方：杏人去皮尖，捣如泥，石灰等分，以猪脂和之。淹足合煎，令杏人黄，绞去滓，似涂疮上。日五六遍，愈[20]。

又方：取蟹黄及脑并足中肉熬末，内疮中。主金疮续筋[21]。

又方：山行伤刺，血出，卒无药，接葛根叶傅之[22]。

又方：急宜斫桑，取白汁，以厚涂之[23]。

又方：烧马矢傅创上[24]。

又方：即溺中良[25]。

葛氏治金创中筋交脉血出不可止，尔则血尽杀人方

急熬盐三指撮酒服之[26]。

葛氏治金创血内漏者方

服蒲黄二方寸匕，血立下[27]。

又方：煮小豆，服汁五升[28]。

又方：以器盛汤，令热熨腹，达内则消[29]。

又方：掘地作坎，以水泼坎中搅之，取浊汁饮二升许[30]。

葛氏治金创未愈以交接血漏惊出则杀人方

急以蒲黄粉之[31]。

又方：取所交妇人中裙带三寸烧末服之[32]。

治金创中风寒水露者，凡因疮而肿者，皆因中水及中风寒所作，其肿气入腹则杀人，不可轻也，治之方

取桑灰淋汁温之，以渍疮，冷复易，取愈，大良。姚云神验[33]。

又方：烧白茅为灰，以温汤和之，以厚封创口，干辄易之，不过四五[34]。

又方：生竹若桑枝两条，著塘火中，令极热，斫断炷疮口中，热气尽更易一枚。尽二枚，则疮当烂。乃取薤白捣，以绵裹，著热灰中，使极热去绵，以薤白薄疮上，布帛急裹之[35]。

又方：杵薤以傅上，炙热拓疮上，便愈[36]。

又方：烧黍穰或牛马干粪、桑条辈多烟之物，掘地作坎，于中烧之，以板掩坎上，穿板作小孔，以疮口当孔上熏之，令疮汁出尽乃止。又滴热蜡疮中，佳[37]。

又方：以盐数合著疮上，以火炙之。令热达疮中毕，以蜡内竹管，插热灰中令烊，以滴入疮中，即便愈。若无盐用薤白。单用蜡亦良[38]。

治金创中风方

蜀椒量疮大小，用面作馄饨，煻灰中炮令熟，及热，开一小口，当疮上掩之，即引风出，可多作，取差[39]。

又方：生葛根一斤，咬咀，以水一斗，煮取五升，去滓，取一升服。若干者捣末，温酒调三指撮。若口噤不开，但多服竹沥。又多服生葛根自愈。食亦妙[40]。

又方：煎盐令热，以匙抄沥取水，热泻疮上，冷更著，一日许勿住，取差，大效[41]。

葛氏治诸创因风致肿方

取栎木根，但剥取皮卅斤，剉，煮令熟，内盐一升，令温温热，以渍创，脓血当出，日日为之，则愈[42]。

葛氏治金创肠出欲燥而草土著肠者方

作薄大麦粥，使裁暖，以泼之，以新汲冷水噀之，肠则还入，草土辈当附在皮外也[43]。

葛氏治金创若肠已断者方

以桑皮细缝合，鸡热血涂之，乃令入[44]。

【文献及校勘】

［1］《千金方》460 页。

［2］《外台》784 页，《千金方》460 页。

［3］《外台》460 页。

［4］《外台》784 页、785 页。

［5］～［7］《外台》785 页。

［8］《外台》785 页，《证类》253 页，《纲目》1075 页。

［9］《外台》785 页，《纲目》1129 页。

［10］［11］《外台》785 页。

［12］［13］《外台》786 页。

［14］《证类》250 页（《本草图经》引），《纲目》945 页。

［15］《证类》182 页。《艺文类聚》"蔷薇"条引作"葛洪治金创方曰：用蔷薇炭末一方寸匕，日三服之"。

［16］［17］《外台》785 页。

［18］《外台》786 页，《纲目》2522 页。此条引《外台》文，《纲目》作"金疮出血，牡蛎粉傅之"。

［19］《证类》123 页，《医心方》398 页，《纲目》575 页。此条引《证类》文，《纲目》文略异。

［20］《外台》785 页。

［21］《证类》426 页。

［22］～［25］《医心方》398 页。

［26］《医心方》400 页。

［27］～［32］《医心方》401 页。

［33］《外台》789 页，《证类》316 页，《医心方》393 页。

［34］《医心方》393 页。

［35］《外台》788 页、789 页。

［36］《证类》512 页。

［37］［38］《外台》789 页。

［39］《外台》788 页，《证类》340 页。此条引《外台》文。"可多作，取差"，《证类》作"可作数枚以差，替换之妙"。

［40］《证类》196 页。

［41］《证类》107 页，《纲目》633 页。

［42］《医心方》393 页。

［43］《医心方》400 页，《千金方》462 页。此条引《医心方》文，《千金方》作"作大麦粥，取汁洗肠，推内之，常研米粥饮之，二十日稍稍作强糜，百日后，乃可差耳"。

［44］《医心方》400 页。

［辑佚方］治卒坠损腕折被打瘀血方

治卒从高坠下，瘀血胀心，面青，短气欲死方

取胡粉一钱匕，和水服之，即差[1]。

又方：大豆或小豆，煮令熟，饮汁数升，和酒服之，弥佳[2]。

又方：生干地黄二两，熬末，以酒服之[3]。

又方：生地黄，捣取汁，服一升或二升，尤佳[4]。

又方：乌鸦翅羽二七枚，烧末，酒和服之，即当吐血也。如得左羽尤佳[5]。

治从高坠下，若为重物所顿榨得瘀血方

豆豉三升，蒲黄三合。先以沸汤二升渍豆豉，食顷，绞去滓，内蒲黄，搅调，顿服之，不过三四服，神良[6]。

又方：乌梅五升，去核，以饴糖五升煮，稍稍食之，自消[7]。

又方：茅莲连根叶，捣绞，取汁一二升服之，不过三四服，愈。冬用根[8]。

又方：刮琥珀屑，酒服方寸匕，取蒲黄二三匕，日四五服，良[9]。

又方：末鹿角，酒服三方寸匕，日三[10]。

又方：取败蒲荐烧灰，以酒服方寸匕[11]。

葛氏治卒为重物所填榨欲死方

末半夏如大豆者，以内其两鼻孔中，此即五绝法[12]。

治马坠及一切筋骨损方

大黄一两，切，浸，汤成下；桃人四十九枚，去皮尖；乱发如鸡子大，烧灰用；败蒲一握三寸；甘草如中指节，炙，剉；绯帛如手大，烧灰；久用炊单布一尺，烧灰。右七味，以童子小便量多少，煎汤成，内酒一大盏，次下大黄，去滓，分温三服。先剉败蒲席半领，煎汤浴，衣被盖复，斯须通利数行，痛楚立差，利及浴水赤，勿怪，即瘀血也[13]。

治忽落马坠车，及坠屋坑崖腕伤，身体头面四肢内外切痛，烦躁叫唤不得卧方

急觅鼠矢，无问多少，烧，捣末，以猪膏和，涂封痛处，急裹之。仍取好大黄如鸡子大，以乱发裹上，如鸭子大，以人所裁白越布衫领巾间余布以裹发外，乃令火烧，烟断捣末，屑薄，以酒服，日再三。无越布，余布可强用。常当预备此物为要[14]。

治忽被压榨堕坠舟船车辇马踏牛触，胸腹破陷，四肢摧折，气闷欲死方

以乌鸡一只，合毛杵一千二百杵，好苦酒一升相和得所，以新布拓病上，取药涂布，以干易，觉寒振欲吐，不可辄去药。须臾，复上一鸡。少则再作[15]。

葛氏治为人所玉摆拂（两手击也），举身顷仆垂死者方

取鼠李皮，削去上黑，切，酒渍半日，绞去滓，饮一二升[16]。

葛氏治腕蹶倒有损痛处气急面青者方

干地黄半斤，酒一斗，渍，火温，稍稍饮汁，一日令尽之[17]。

又方：捣生地黄汁二升，酒二升，合煮三沸，分四五服[18]。

又方：干地黄六两，当归五两，水七升，煮取三升，分三服。若烦闷，用生地黄一斤代干者[19]。

治腕折四肢骨破碎及筋伤蹉跌方

烂捣生地黄熬之，以裹折伤处，以竹片夹裹之，令遍病上，急缚勿令转动，一日可十易，三日即差[20]。

又方：活鼠，破其背，取血及热以薄之，立愈[21]。

又方：取生栝楼根捣之，以涂损上，以重布裹之，热除，痛止[22]。

又方：捣大豆末，合猪膏和涂之，干即易之[23]。

又方：寒食蒸饼，不限多少，末，酒服之验[24]。

又方：葱白细研，和蜜，厚封损处，立差。主脑骨破及骨折[25]。

治凡腕折、折骨诸疮肿者，慎不可当风卧湿，及多自扇。若中风则发痉口噤杀人。若已中此，觉颈项强、身中急束者，急服此方

竹沥三二升，饮之。若口已噤者，可以物拗开内之，令下。禁冷饮食及饮酒。竹沥卒烧难得多，可合束十许枚，并烧中央，两头承其汁，投之可活[26]。

治被打有瘀血方

大黄二两；桃人去尖皮，熬；虻虫去足翅，熬，各二十一枚。右三味捣，蜜丸四丸，即内酒一升，煎取七合服之[27]。

又方：大黄三两；桃人三十枚，去皮尖。右二味切，以水五升，煮取三升，分三服，当下脓血，不尽更作。主瘀血久不除变成脓者[28]。

又方：大黄二两，干地黄四两。右二味捣散为丸，以酒服三十丸，日再。为散服亦妙。治被打击，有瘀血在腹内久不消，时时发动[29]。

又方：刮青竹皮二升；乱发如鸡子大四枚，烧灰；延胡索二两。右三味捣散，以一合，酒一升，煎三沸，顿服，日三四。治为人所打，举身尽有瘀血[30]。

又方：铁一斤，酒二升，煮取一升，服之。

又烧令赤，投酒服之。治被打若久宿血在诸骨节，及胁肋外不去者[31]。

又方：白马蹄烧令烟断，捣末，以酒服方寸匕，日三夜一。主治被打腹中瘀血。亦治妇人瘀血消化为水[32]。

又方：桔梗末，熟水下刀圭。治被打击瘀血在肠内久不消，时发动者[33]。

又方：蒲黄一升，当归二两，末，酒服方寸匕，日三[34]。

葛氏治血聚皮肤间不消散者方

取猪肥肉炙令热，以搨上[35]。

又方：马矢水煮薄上[36]。

【文献及校勘】

[1]《外台》777 页，《证类》127 页，《纲目》475 页、476 页。此条引《外台》文。"瘀血胀心"，《证类》作"瘀血抢心"。

[2]《外台》777 页、780 页，《千金方》455 页，《医心方》406 页。

[3]《外台》777 页、779 页，《千金方》456 页，《医心方》406 页。此条，《医心方》作"地黄干生无在，随宜用服取消"。

[4]《外台》777 页。

[5]《外台》777 页，《证类》404 页（《本草图经》引），《纲目》2662 页。"二七枚"，《证类》《纲目》作"七枚"。

[6]《外台》778 页，《医心方》406 页。"顿服之"，《医心方》作"尽服"。

[7]《外台》778 页。

[8]《外台》778 页，《医心方》406 页。"茅莲根叶"，《医心方》作"茅蓟莲根叶"。

[9]《外台》778 页。

[10]《外台》778 页，《千金方》455 页，《医心方》406 页。

[11]《外台》778 页。

[12]《医心方》406 页。

[13]《金匮》60 页，《千金方》457 页。

[14]《外台》779 页，《千金方》454 页，《医心方》406 页。林亿校《千金方》注云："《肘后方》云：'又裹骨破碎'。"

[15]《证类》399 页，《纲目》2587 页。

[16] ～ [19]《医心方》404 页。

[20]《外台》781 页，《千金方》455 页，《证类》149 页、150 页（《本草图经》引），《医心方》405 页。此条《医心方》引文略异。林亿校《千金方》注云："《肘后方》云：'《小品方》烂捣，熬之，以裹伤处，以竹编夹，裹令遍缚，令急，勿令转动，一日可十易，日三，差。若血聚在折处，以刀子破去血'。"

[21]《医心方》405 页。

[22]《外台》781 页，《证类》197 页，《纲目》1273 页。

[23]《外台》781 页。

[24]《证类》492 页，《纲目》1543 页。此条引《证类》文。"不限多少"，《纲目》作"每服二钱"。

[25]《证类》511 页，《纲目》1585 页。此条引《证类》文，《纲目》作"蜜和葱白捣匀，厚封，立效"。

[26]《外台》780 页，《医心方》405 页。"凡腕折"，《外台》作"凡脱折"。"以物拗开"，《医心方》作"以物强开发"。

[27]《外台》782 页。

[28]《外台》782 页、783 页，《医心方》405 页。"以水五升"，《医心方》作"酒水各五升"。

[29]《外台》782 页，《医心方》405 页。

[30]《外台》782 页，《医心方》404 页。"延胡索二两"，《医心方》作"又内蒲黄三两"。

[31]《外台》783 页,《证类》115 页,《纲目》488 页。

[32]《外台》783 页。

[33]《证类》249 页,《纲目》717 页。

[34]《医心方》405 页。

[35]《医心方》404 页,《千金方》454 页。

[36]《医心方》404 页。

[辑佚方] 治卒为汤火所灼成疮方

治汤火所灼未成疮者方

黍米、女曲等分。右二味各异熬,令黑如炭,捣下,以鸡子白和涂之,良[1]。

又方:取菰蒋根洗去土,烧灰,以鸡子黄和涂之[2]。

又方:柳白皮,细切,和猪膏煎,以涂之[3]。

又方:柏白皮,以腊猪脂煎油,涂疮上[4]。

又方:取暖灰以水和沓沓尔以敷之。亦以灰汁洗之[5]。

又方:石灰细筛,水和涂之。干即易[6]。

又方:以苦酒和雄黄涂之[7]。

又方:以豆酱汁涂之[8]。

又方:以小便渍洗之[9]。

又方:末石膏涂之,立愈[10]。

治汤火灼已成疮者方

柳皮烧灰,以粉涂之[11]。

又方:猪膏和米粉涂之,日五六过,良[12]。

又方:以人精和鹰矢白,日傅上,痕自落[13]。

凡此上三方既令不痛,又使速愈,又无瘢痕,已试有效[14]。

又方:以白蜜涂疮上,取竹幕贴之,日三[15]。

又方:破鸡子取白涂之[16]。

又方:馒头饼烧末,油调涂傅之[17]。

又方:取兔腹下白毛,烧胶,以涂毛上,贴疮,立差。待毛落即差[18]。

又方:以好酒洗渍之[19]。

又方:煮大豆,煎其汁,以傅之[20]。

治汤火烂疮方

取石膏捣末,以敷之,立愈[21]。

治汤火灼疮方：年久石灰细筛，水和涂之，干即易[22]。

治为沸汤煎膏所烧火烂疮方

丹参，细切，以羊脂煎成膏，敷疮上[23]。

又方：生胡麻，熟捣如泥，以厚涂疮上[24]。

治火疮败坏方

桃白皮，切，以腊月猪膏合淹相得，煮四五沸，色变去滓，傅疮上[25]。

【文献及校勘】

[1]《外台》793 页，《证类》490 页，《纲目》1476 页。此条引《外台》文，《证类》作"黍米、女曲等分，各熬令焦，杵下，以鸡子白傅之"，《纲目》作"黍米、女曲等分，各炒焦研末，鸡子白调涂之。煮粥亦可"。

[2]《外台》793 页。

[3]《外台》793 页，《证类》343 页，《纲目》2034 页。此条引《外台》文，《证类》作"取柳白皮细切，以猪脂煎取汁傅之"，《纲目》作"以柳根白皮，煎猪脂，频傅之"。

[4]《外台》793 页，《纲目》1917 页。

[5]《外台》793 页，《医心方》396 页。此条，《医心方》作"取冷灰，以水和沓沓尔，以渍之"。"沓沓"，《外台》作"习习"。

[6]《证类》123 页。

[7]《外台》794 页。

[8]《外台》794 页，《证类》497 页，《医心方》396 页。"豆酱汁"，《医心方》作"豆酱"。

[9]《外台》793 页。

[10]《医心方》396 页。

[11]《外台》794 页，《证类》343 页，《纲目》2034 页。此条引《证类》文。"以粉涂之"，《纲目》作"涂之"，《外台》作"如粉敷之"。

[12]《外台》794 页，《医心方》396 页。

[13]《证类》365 页。

[14]《外台》794 页，《医心方》396 页。

[15]《外台》794 页，《证类》411 页，《医心方》396 页，《纲目》2219 页。"竹幕"，《纲目》作"竹膜"，《证类》作"竹中白膜"。

[16]《外台》794 页，《医心方》396 页。

[17]《纲目》1543 页。

[18]《证类》385 页，《纲目》2890 页。此条，《纲目》作"兔腹下白毛贴之，候毛落即差"。

[19][20]《医心方》396 页。

[21]《外台》794 页。

[22]《证类》123 页，《纲目》575 页。此条，《纲目》作"年久石灰傅之。或加油调"。

[23]《外台》794 页，《证类》184 页，《纲目》760 页。此条引《外台》文，《证类》《纲目》

作"丹参八两，剉，以水微调，取羊脂二斤，煎三上三下，以涂疮上"。

[24]《外台》794 页。

[25]《千金方》459 页。

［辑佚方］治灸疮方

凡灸不依明堂脉穴，或是恶日神，恶时杀，病人年神人神所犯，天地昏暗，日月无光。久积阴沉。及灸日食毒物方毕，或灸触犯房室等，其灸疮洪肿，发作疼痛，病人加甚，灸者疾本不痊，增其火毒，日夜楚痛，遇其凡愚，取次乱灸，此皆因火毒伤脏即死矣[1]。

葛氏治灸创及诸小疮中水风寒肿急痛方

灶中黄土，水和煮令热，渍之[2]。

又方：但以火灸之令热，热则止，日六七大良，差[3]。

治灸疮脓不差方

乌贼骨末一两，白蜜一两。右二味相和以涂之[4]。

又方：石灰一两，末，细绢筛。以猪脂和相得，微火上煎数沸。先以暖汤洗疮讫，以布裹灰熨疮上三过。便以药贴疮上[5]。

又方：捣薤白以敷之[6]。

治灸疮薤白膏，生肌肉止痛方

薤白二两，当归二两，白芷一两。右三味㕮咀，以羊髓一斤煎，白芷色黄药成。去滓，以敷疮上。日二[7]。

又方：薤白一握，当归一两，柏白皮三两。右三味切，以猪脂一升煎，三上三下，以薤白黄，绞去滓，以涂疮上。亦治风水中疮、火疮[8]。

葛氏治火疮灸疮终不肯燥方

细末乌贼鱼骨粉之[9]。

又方：桑薪灰水和敷之[10]。

【文献及校勘】

[1]《外台》792 页。

[2]《外台》792 页，《医心方》397 页。此条引《医心方》文，《外台》作"治灸疮痛肿急方。灶中黄土捣末，以水和煮令热，以渍之"。

[3]《医心方》397 页。

[4]～[8]《外台》792 页。

［9］［10］《医心方》397 页。

［辑佚方］治蛔虫蛲虫白虫方

三虫者，谓长虫、赤虫、蛲虫也。乃有九种。而蛲虫及寸白，人多病之。寸白从食牛肉，饮白酒所成，相连一尺则杀人。服药下之，须结裹溃然出尽，乃佳。若断者，相生未已，更宜速除之。蛲虫多是小儿患之，大人亦有其病，令人心痛。清朝口吐汁烦躁则是也。其余各种种不利，人人胃中无不有者，宜服九虫丸以除之[1]。

治三虫方

茱萸根，取东引指大者，长一尺；栝楼四两，切。右二味，细剉茱萸根，以酒一升渍之一宿，但绞去滓，宿勿食，且空腹先吃脯，然后顿服之。小儿分三服。亦治寸白虫[2]。

又方：吴茱萸四两；干漆二两，熬；葫芦四两，炙。右三味为末，依前，先嚼脯，以粥清服方寸匕，日一服[3]。

又方：捣桃叶，绞取汁，饮一升[4]。

又方：真珠一两，研；乱发如鸡子。烧末。右二味内苦酒中，且空腹顿服之。令尽[5]。

又方：吴茱萸细根一把，熟捣；大麻子三升，熬捣末。右二味以酒三升渍取汁，且顿服之；至巳时，与好食令饱；须臾虫出。不差，明旦更合服之。不差，三日服[6]。

葛氏治卒大腹中已多虫，宜速理之方

桑根白皮，切，三升，以水七升，煮取二升，宿勿食，空腹顿服之[7]。

治蛔虫或攻心痛如刺，口中吐清水方

楝木根，取有子者，剉，以水煮，取浓赤黑汁，用米煮作糜，宿勿食，且取肥香脯一片先吃，令虫闻香举头，稍从一口为度，始少进，渐加服一匕，服至半升，便下蛔虫[8]。

又方：龙胆根多少任用，以水煮浓汁，去滓，宿不食，平旦服一二升，不过再服，下蛔虫也[9]。

又方：葫芦一两，末，以羊肉作臛和服之，虫不觉出之。亦主蛲虫出[10]。

又方：取萹蓄煮汁令浓，饮之，即差[11]。

又方：以鸡子一枚，开头去黄，以好漆少许内中相和，仰头吞之，虫悉

出矣[12]。

治蛲虫方

好漆、白蜜、醇酒各一升。右三味合铜器上，微火上煎之，令可丸，丸如桃核大一枚，宿勿食，空腹温酒下，虫不下，再服之[13]。

又葛氏治蛲虫攻心如刺，吐清汁方

生艾捣汁。宿不食，平旦嚼脯一片，令虫闻香后，饮汁一升，当下蛲虫。治蛲虫攻心如刺，吐清汁[14]。

陶氏疗虫方

蒺藜子，取七月七日阴干，烧作灰，先食服方寸匕，一服，三日止[15]。

又方：好盐末二两，醇酒半升。右二味，于铜器中煮，令数沸，宿勿食，清旦，温，空肚顿服之[16]。

治白虫方

淳漆三合，猪血三合。右二味相和，微火上煎之，不著手成。宿勿食，空腹，且先吃肥香脯一片，服如大豆许一百丸，日中虫悉出。亦主蛔虫[17]。

又方：多食榧子亦佳[18]。

又方：猪脂血。熟煮，宿勿食，明旦饱食之，虫当下[19]。

又方：槟榔三十枚，以浓煮猪肉汁，煎取三升服之，虫尽出[20]。

【文献及校勘】

[1]《外台》723 页，《幼幼新书》1 页。

[2]《外台》723 页。

[3]《外台》724 页。

[4]《外台》723 页，《医心方》176 页。

[5]《外台》723 页，《千金方》336 页。

[6]《千金方》336 页。

[7]《千金方》337 页。

[8]《外台》719 页。

[9]《外台》719 页，《医心方》176 页。此条引《外台》文。"任用""平旦""再服"，《医心方》作"任意""清朝""二服"。

[10]《外台》719 页。

[11]《证类》268 页。

[12]《外台》719 页。

[13]《外台》722 页。

[14]《外台》722 页，《证类》218 页，《医心方》176 页，《纲目》938 页。"下蛲虫"，《证类》

《医心方》作"下蛔虫"。

[15]《外台》722 页、723 页。

[16]《外台》723 页。

[17]《外台》720 页。

[18]《千金方》336 页,《医心方》176 页。

[19][20]《外台》720 页,《医心方》176 页。

补辑《肘后方》 卷之七

邪药应轻上气，入身药，为以养天气，身为破命，无注毒，聚应议者，主养生，本应愈诸，应地下病者疾上，多经者以本，过欲下毒中本病药，可补羸，久黄臣服服不服，不欲平

治为熊虎爪牙所伤毒痛方第五十

葛氏方

烧青布以熏疮口，毒即出。仍煮葛根汁令浓，以洗疮，日十度。并捣葛根为散，煮葛汁以服方寸匕，日五，甚者夜二[1]。

又方：嚼粟涂之。姚同[2]。

又方：煮生铁令有味以洗疮。姚同[3]。

凡猛兽毒虫，皆受人禁气。今人将入山草中，自宜先作禁以防之。可不俟备而后疗也。其经术云：到山下先闭气三十五息，所在山神将虎来到吾前，乃存吾肺中。有白帝出，收取虎两目，塞吾下部中，乃吐肺气，上自通冠一山林之上，于是良久。又闭气三十五息，两手捻都监目作三步，步皆以右足在前，乃止。祝曰：李耳，李耳，图汝非李耳耶！汝盗黄帝之犬，黄帝叫我问汝，汝答之。云何毕，便行。一山虎走不可得见。若卒逢之者，目正而立，大张左手五指，侧之极势。跳手上下三度，于跳中大唤咄曰："虎，北斗君使汝去"。虎即走。止宿亦先四向如此。又烧牛羊角，虎亦不敢近人[4]。

又方：雄黄、硫黄、紫石。右三物捣末，以绛囊盛之，带以防用[5]。

[辑佚方]

葛氏方治熊虎创方

削楠木，煮，以洗创，日十过[6]。

［附方］

《梅师方》治虎伤人疮

但饮酒常令大醉，当吐毛出[7]。

【文献及校勘】

［1］《外台》1118 页，《肘后方》127 页，《医心方》409 页。"甚者夜二"，《肘后方》作"夜一则佳"，《医心方》作"甚者一夕一服"。"日十度"，《肘后方》无此文。

［2］《外台》1118 页，《肘后方》127 页，《证类》464 页。"涂之"，《证类》作"敷之"。

［3］《外台》1118 页，《肘后方》127 页，《证类》115 页，《纲目》488 页。

［4］《外台》1118 页，《肘后方》127 页。"今人将入山草中，自宜先作禁以防之，可不俟备而后疗也"，《肘后方》原作"将入山草，宜先禁之"。据《外台》改。

［5］《外台》1118 页，《肘后方》127 页。此条引《外台》文，《肘后方》作"捣雄黄紫石，绛囊贮而带之"。

［6］《医心方》409 页。

［7］《肘后方》127 页。

治卒为猘犬所咬毒方第五十一

治猘犬咬人方

先嗍去恶血，乃须灸疮中十壮，明日以去，日灸一壮，满百日乃止。姚云，忌酒[1]。

又方：捣地榆根，绞取汁涂疮，无生者，可取干者以水煮汁饮之，过百日乃止。日末服方寸匕，日三兼敷疮上[2]。

又方：刮狼牙或虎牙骨末，服方寸匕。已发狂如猘犬者，服此药即愈[3]。

又方：仍杀所咬犬，取脑敷之，后不复发[4]。

又方：捣薤绞取汁敷之，又服一升，日三，须疮差乃止。亦治已差复发者[5]。

又方：末矾石，内疮中裹之，止疮不坏，速愈。神妙[6]。

又方：头发、猬皮烧作灰末等分，和水饮一杯。若已目赤口噤者，可折齿灌之[7]。

又方：捣地黄汁饮之，并涂疮上，过百日止[8]。

又方：末干姜，常服，并以内疮中[9]。

凡狂犬咋人，七日辄应一发。过三七日不发则免也，要过百日，乃为大免

每至七日，辄当捣薤汁，饮二三升。又当终身禁食犬肉、蚕蛹；若食此，发则不可救之。疮未差之间，亦忌食生鱼诸肥腻肉及诸冷食。但于饭下蒸生鱼，及就腻器中食便发，不宜饮酒，能过一年乃佳[10]。

若重发者方

生食蟾蜍脍绝良验。姚同。亦可烧炙食之。不必令其人知。初得啮便为之，则后不发。姚剥作脍，吞蒜齑下[11]。

又方：捣姜根汁饮之，即差[12]。

又方：服蔓菁汁，亦佳[13]。

又凡犬咬人方

取灶中热灰以粉上毕，裹缚之[14]。

又方：火炙蜡，以灌疮中，姚同[15]。

又方：以头垢少许内疮中[16]。以热牛矢涂之佳。姚同[17]。

又方：捼蓼以敷疮上，冬月煮洗之[18]。

又方：干姜末服二方寸匕[19]。姜汁服半升亦良[20]。

又方：但依猘犬法弥佳，烧蟾蜍及末矾石敷之，尤佳[21]。

得犬啮者难治。凡犬食马肉生狂，犬寻常忽鼻头燥，眼赤不食，避人藏身，皆欲发狂

便宜枸杞汁煮糜饲之，即不狂。若不肯食糜，以盐伺鼻便忽涂其鼻，既舐之，则欲食矣。神验[22]。

[**辑佚方**]

猘犬咬人，治之方

以豆酱清涂疮，日三四，差[23]。

又方：以沸汤和灰，以涂疮上。又苦酒和涂之[24]。

又众疗不差，毒攻人烦乱，哝已作犬声者方

髑髅骨烧灰，末，以东流水和服方寸匕，以活止[25]。

猘犬咬人若重发者方

捣芦根，饮汁，即差[26]。

又方：薤白，捣，饮汁，良[27]。

[附方]

《梅师方》治狂狗咬人

取桃白皮一握，水三升，煎取一升，服[28]。

《食疗》治犬伤人

杵生杏人，封之，差[29]。

【文献及校勘】

[1]《外台》1135 页，《肘后方》127 页。

[2]《外台》1135 页，《肘后方》127 页，《证类》220 页。此条引《外台》文，《肘后方》与《证类》之文皆互不相同，但大意一致。

[3]《外台》1135 页，《肘后方》127 页，《纲目》2819 页。此条引《外台》文，《肘后方》及《纲目》文略异，《纲目》标注此条出典为《小品方》。

[4]《肘后方》127 页，《纲目》2717 页、2718 页，《证类》381 页。

[5]《外台》1135 页，《肘后方》127 页，《证类》512 页，《纲目》1593 页。此条引《外台》文，《肘后方》作"捣蘘汁敷之，又饮一升，日三，疮乃差"，《纲目》作"蘘，杵汁敷，又饮一升，日三，差"。

[6]《肘后方》127 页，《证类》85 页，《医心方》407 页，《纲目》676 页。《证类》《医心方》及《纲目》之文皆互不相同，但内容是一致的。"末矾石"，《证类》作"掺矾石末"，《纲目》作"矾末"。"止疮""神妙"，《医心方》作"止痛""最良"。

[7]《外台》1135 页，《肘后方》127 页。此文引《外台》文。"可折齿灌之"，《肘后方》作"折齿下之，姚云二物等分"。

[8]《外台》1135 页，《肘后方》127 页，《证类》150 页。此条引《外台》文。"过百日止"，《肘后方》作"过百度止"。

[9]《肘后方》127 页，《医心方》407 页，《纲目》1628 页。此条引《肘后方》文，《纲目》作"虎狼伤人，干姜末敷之"。

[10]《外台》1135 页、1136 页，《肘后方》127 页。此条引《外台》文，《肘后方》文略异，但意思大概一致。

[11]《外台》1136 页，《肘后方》128 页，《纲目》2338 页。此条，《外台》引文略异。

[12]《外台》1136 页，《肘后方》128 页。此条，《外台》作"捣生姜汁一升以来，服之，差"。

[13]《肘后方》128 页，《证类》502 页，《纲目》1613 页。此条，《纲目》作"用蔓菁根，捣汁，服之，佳"。

[14]《外台》1134 页，《肘后方》128 页，《医心方》408 页。此条引《外台》文，《肘后方》作"取灶中热灰以粉疮，敷之，姚同"。

[15]《肘后方》128 页，《纲目》2224 页，《证类》412 页，《医心方》408 页。

[16]《肘后方》128 页，《证类》364 页，《医心方》408 页。

[17]《肘后方》128 页,《证类》364 页,《医心方》408 页。

[18]《肘后方》128 页,《纲目》1093 页,《医心方》408 页。"冬月煮洗之",《肘后方》原脱,据《医心方》补。

[19]《外台》1134 页,《肘后方》128 页,《证类》194 页,《医心方》408 页。

[20]《外台》1134 页,《肘后方》128 页,《医心方》408 页。

[21]《肘后方》128 页。

[22]《肘后方》128 页,《证类》294 页。

[23]《外台》1135 页,《医心方》407 页。"豆酱清",《医心方》作"豆酱"。"日三四,差",《医心方》作"日三四,过"。

[24]《医心方》408 页。

[25]《外台》1135 页。

[26][27]《医心方》407 页。

[28][29]《肘后方》128 页。

治卒毒及狐溺刺所毒方第五十二

马咬及踏人作疮有毒,肿热疼痛方

割鸡冠血,点所啮疮中,日三。若父马用雌鸡,母马用雄鸡[1]。

又方:炙疮中及肿上即差[2]。

若疮久不差者

取马鞭梢三尺,鼠矢二七枚,烧末,以猪膏和涂之,立愈[3]。

又方:取妇人月经敷最良,姚云神效[4]。

人体上先有疮而乘马,马汗若(或)马毛入疮中,或但为马气所蒸,皆致肿痛烦热,入腹则杀人

烧马鞭皮,以猪膏和敷之[5]。

又方:大饮醇酒,取醉,即愈[6]。

又剥死马马骨伤人手,毒攻欲死方

取死马腹中矢以涂之,即差。姚同[7]。

又方:以手内女人阴中,即愈。有胎者不可,令胎坠[8]。

狐溺棘刺人肿痛欲死方[9]

破鸡拓之,即差[10]。

又方:以热桑灰汁渍,冷复易,取愈[11]。

又方:以热蜡灌疮中,又烟熏之,令汁出便愈[12]。

此狐所尿之木，犹如蛇祇也。此下有鱼骨伤人^[13]。

[辑佚方]

治人体上先有疮而乘马，马汗若（或）马毛入疮中，或但为马气所蒸，皆致肿痛烦热，入腹则杀人方

以水渍疮，数易水渍之^[14]。

又方：以石灰敷上^[15]。

治马骨所刺，及马血入旧疮中毒痛欲死方

以热桑灰汁，更番渍之。常日为之，冷即易，数日乃愈。若痛止而肿不消者，炙石令热以熨之，炙疮上亦佳^[16]。

又方：捣麻子，以水绞取汁，饮一升，日三服^[17]。

又方：酒渍马目毒公，少少饮之^[18]。

葛氏治卒得蠼螋疮方，此疮常绕人腰胁甚急痛

盐三升，以水一斗，煮取六升，及热，以绵浸汤中，搨疮上^[19]。

又方：烧鹿角，苦酒和涂之^[20]。

又方：楝皮及枝烧作灰敷之^[21]。

又方：末赤小豆，苦酒和涂，若燥者，猪膏和涂^[22]。

又方：胡粉涂之^[23]。

又方：末蚯蚓矢敷之^[24]。

[附方]

《图经》云治恶刺及狐尿刺

捣取蒲公草根、茎白汁涂之，惟多涂立差止。此方出孙思邈《千金方》，其序云：余以正观五年七月十五日夜，以左手中指背触著庭木，至晓遂患痛，不可忍，经十日，痛日深，疮日高大，色如熟小豆色，尝闻长者之论有此方，遂依治之，手下即愈，痛亦除，疮亦即差，未十日而平复。杨炎《南行方》亦著其效云^[25]。

效方：治狐尿刺螫痛

杏人细研，煮一两沸，承热以浸螫处，数数易之^[26]。

《外台秘要》治剥马被骨刺破，中毒欲死

取剥马腹中粪及尿洗，以粪傅之，大验，绞粪汁饮之，效^[27]。

《圣惠方》治马咬人，毒入心

马齿苋汤食之，差[28]。

《灵苑方》治马汗入疮，肿痛渐甚，宜急疗之，迟则毒深难理

以生乌头末傅疮口，良久有黄水出，立愈[29]。

《王氏博济》治驴涎马汗毒所伤，神效

白矾，飞过；黄丹，炒令紫色。各等分，相滚合调，贴患处[30]。

【文献及校勘】

[1]《外台》1137 页，《肘后方》128 页，《证类》399 页，《医心方》408 页，《纲目》2593 页。"父马""母马"，《肘后方》作"驳马""草马"，《医心方》作"父马""草马"。"点所啮疮中"，《医心方》作"沥著疮中"。此条标题中"马咬"，《外台》作"马咋"，《肘后方》作"马嚼"，《证类》作"马咬"，从《证类》为正。

[2]《外台》1137 页，《肘后方》128 页，《医心方》408 页。

[3]《外台》1137 页，《肘后方》128 页。此条引《外台》文。"三尺"，《肘后方》作"长二寸"。

[4]《外台》1137 页，《肘后方》128 页，《医心方》408 页。

[5]《外台》1138 页，《肘后方》128 页，《千金方》453 页。"猪膏"，《肘后方》原无"猪"字，据《外台》补。

[6]《外台》1138 页，《肘后方》128 页，《证类》488 页，《医心方》409 页，《纲目》1560 页。"大饮"，《肘后方》作"多饮"，《外台》《医心方》作"大饮"，从《外台》为正。

[7]《外台》1137 页，《肘后方》128 页。

[8]《肘后方》128 页。

[9]《外台》791 页，《肘后方》129 页。"狐溺棘"，《外台》标题作"狐尿棘"。《千金翼》云："凡诸螳螂之类，盛暑之时，多有孕育，游诸物上，必有精汁，其汁干，久则有毒，人手触之，不疑之间，则成疾，故曰狐尿刺，日夜惨痛，不识眠睡。"

[10]《肘后方》129 页，《证类》399 页，《医心方》410 页，《纲目》2587 页。此条，《医心方》作"破鸡子以搏之良"。

[11]《外台》791 页，《肘后方》129 页，《医心方》410 页，《纲目》2071 页。"取愈"，《外台》作"永差"。

[12]《外台》791 页，《肘后方》129 页，《证类》412 页，《纲目》2224 页。

[13]《肘后方》129 页。"蛇祇也。此下有鱼骨伤人"，《外台》作"蛇螫也"。

[14][15]《外台》1138 页。

[16]《外台》1137 页，《医心方》409 页。此条引《外台》文。"桑灰汁"，《医心方》作"灰汁"。"若痛止"，《医心方》作"若疮上"。"不消者"，《外台》原作"不消煮"，据《医心方》改。

[17]《外台》1137 页，《医心方》409 页。"麻子"，《外台》作"脉子"。

[18]《外台》1137 页。

[19]～[24]《医心方》392 页。

治卒青蝰蝮虺众蛇所螫方第五十三

葛氏治竹中青蝰螫人方

青蝰蛇正绿色，喜缘木及竹上，与竹木色一种，人卒不觉。若人入林中行，脱能落头背上，然自不甚啮人，啮人必死，那可屡肆其毒。此蛇大者不过四五尺，世人皆呼为青条蛇，其尾二三寸色异者，名熇尾蛇，最烈，治之方[1]。

雄黄、麝香、干姜等分。右三味捣筛，以射罔和之，著小竹管，带之行。中之急，便用敷疮。兼治众蛇虺之毒。神良[2]。

又方：破乌鸡冠血及热以搶疮上[3]。

葛氏治毒蛇螫人方

急掘地作坎，埋所螫处，坚筑其上，毒则入土中，须臾痛缓，乃出，徐徐以药治之[4]。

徐玉治蛇毒方

用捣地榆根，绞取汁，饮，兼以渍疮[5]。

又方：捣小蒜绞之，饮其汁，以渣封疮上[6]。

又方：取猪耳中垢著伤疮中，当黄汁出差。牛耳中垢亦可用之，良[7]。

又方：嚼盐唾疮上讫，灸三壮，复嚼盐唾上[8]。

又方：捣薤敷之[9]。

又方：烧蜈蚣末，敷疮上良[10]。

又方：蜡及蜜等分，于铛中消令和，以无节竹筒著疮上，以蜡蜜灌竹筒，令下入疮中差。无蜜，唯蜡用之亦得[11]。

又方：急尿疮中，乃拔刀向日闭气三步，以刀掘地作小坎，以热汤沃坎中，取泥作三丸如梧子大，服之，取少泥涂疮上[12]。

又方：桂心、栝楼。右二味等分为末，用小竹筒密塞之，以带行。卒为蝮蛇所螫，即敷之。此药治诸蛇毒，塞不密，则气歇不中用[13]。

一切蛇毒

灸啮处三五壮，则毒不能行[14]。

蛇毒

捣鬼针草，敷上，即定[15]。

又方：荆叶，袋贮，薄疮肿上[16]。

又方：捣射罔涂肿上，血出乃差[17]。

又方：以合口椒并叶，捣，傅之，无不止[18]。

又方：切菜刀，烧赤，烙之[19]。

[辑佚方]

葛氏治蝮蛇螫人方

细末雄黄，以内疮中，三四傅之[20]。

治虺蛇众蛇螫人方

以头垢敷疮中[21]。

又方：以两刀于水中相摩良久，饮其汁，痛即止[22]。

又方：捣葎草以敷之，立愈。神良[23]。

又方：取常思叶捣取汁，饮一升，以滓敷疮上。又以鬼目叶薄之，止痛[24]。

又方：捣生蓼，绞取汁，饮少少，以滓薄之[25]。

又方：挼青蓝薄之[26]。

又方：嚼干姜，敷疮上[27]。

又方：取紫苋菜捣，饮汁一升。滓以少水和，涂疮上。又捣冬瓜根以敷之[28]。

治蛇啮毒肿方

干姜末敷之，燥复易之[29]。

又方：猪矢熬令焦末，蓝一把，水三升，煮取二升，投矢搅和以洗之，差[30]。

敷蛇毒方

东关有草，状如苎，茎方节赤，敷蛇毒如摘，却亦名蛇罔草，二草总能主蛇，未知何者的是。又有鼠罔草，如菖蒲，出山石上，取根药鼠立死尔[31]。

[附方]

《梅师方》治蛇虺螫人

以独头蒜、酸草，捣绞，傅所咬处[32]。

《广利方》治蛇咬方

取黑豆叶，剉，杵，傅之，日三易，良[33]。

《广利方》治毒蛇啮方

菰蒋草根灰，取以封之。其草似燕尾也[34]。

《兵部手集》主蛇蝎蜘蛛毒

鸡卵轻敲一小孔，合咬处，立差[35]。

刘禹锡《传信方》治蛇咬蝎螫

烧刀子头令赤，以白矾置刀上，看成汁，便热滴咬处，立差。此极神验，得力者数十人。贞元三十二年，有两僧流向南到邓州，俱为蛇啮，令用此法，救之。傅药了便发，更无他苦[36]。

【文献及校勘】

[1]《外台》1121页，《肘后方》129页，《证类》443页（《本草图经》引），《纲目》2409页。此条引《外台》文，《肘后方》作"蛇，绿色，喜缘树及竹上，大者不过四五尺，皆呼为青条蛇，人中立死"。此条标题中"青蝰"，《肘后方》作"青峰"，《外台》《证类》并作"青蝰"。"最烈"，《证类》作"最毒"。

[2]《外台》1121页，《肘后方》129页，《证类》443页（《本草图经》引）。《外台》方中无"麝香"。

[3]《外台》1121页，《肘后方》129页，《医心方》413页。此条引《医心方》文，《肘后方》作"破乌鸡热敷之"。

[4]《外台》1122页，《肘后方》129页。"急掘地作坎，埋所螫处"，《肘后方》作"急掘作坑，以埋疮处"。"徐徐以药治之"，《肘后方》无此文。

[5]《肘后方》129页，《证类》220页，《纲目》758页。

[6]《外台》1122页，《肘后方》129页，《千金方》449页，《证类》518页，《医心方》412页，《纲目》1596页。此条引《外台》文。《肘后方》作"捣小蒜，饮汁，以滓傅疮上"。"捣"，《证类》作"杵"。"封"，《肘后方》《证类》作"傅"，《千金方》《医心方》作"薄"。

[7]《外台》1122页，《肘后方》130页，《千金方》449页。此条引《外台》文。"当黄汁出差"《肘后方》无此文。

[8]《外台》1122页，《肘后方》130页，《医心方》413页。此条引《外台》文。"唾疮上讫""复嚼盐唾上"《肘后方》作"唾上讫""复嚼盐，唾之疮上。"

[9]《肘后方》130页，《医心方》412页，《纲目》1593页。《纲目》作"毒蛇螫伤，薤白捣傅，徐玉方"。

[10]《外台》1122页，《肘后方》130页，《证类》443页（《本草图经》引）。

[11]《外台》1122页，《肘后方》130页，《纲目》2224页。此条引《外台》文，《肘后方》及《纲目》之文不相同，但内容一致。

[12]《外台》1122页，《肘后方》130页。此条引《外台》文。"取少泥涂疮上"，《肘后方》作"并以少泥，泥之疮上，佳"。

[13]《外台》1121页，《肘后方》130页。此条引《外台》文。"密塞"，商务本《肘后方》作

"蜜塞"，注云："蜜，另本作密。""所螫"，《肘后方》无此二字。

[14]《外台》1120 页，《肘后方》130 页，《证类》443 页，《医心方》413 页，《纲目》2409 页。此条引《外台》文，《肘后方》作"急灸疮三五壮，则众毒不能行"，《医心方》作"灸创中三壮，毒即不行也。卒无艾，刮竹皮及纸皆可以丸。又了无此者，便以火烬就热烧创"。

[15]《外台》1123 页，《肘后方》130 页。

[16]《肘后方》130 页，《证类》303 页，《纲目》2123 页。

[17]《外台》1120 页，《肘后方》130 页。

[18]《肘后方》130 页，《证类》340 页，《纲目》1855 页。

[19]《肘后方》130 页。

[20]《医心方》413 页。

[21][22]《外台》1122 页。

[23]《外台》1122 页，《医心方》411 页。

[24]《外台》1123 页。

[25] ～ [27]《医心方》411 页。

[28]《外台》1123 页。

[29][30]《外台》1120 页。

[31]《证类》260 页。

[32] ～ [36]《肘后方》130 页。

治蛇疮败蛇骨刺人入口绕身诸方第五十四

葛氏：凡蛇疮未愈，禁热食，食便发。治之依初螫人法[1]。

治蛇螫人，九窍皆出血方

取虻虫初食牛马血腹满者二七枚，烧服之[2]。

此上蛇疮败及红肿法方。

蛇螫人，牙折入肉中，痛不可堪方

取虾蟆肝以傅之，立出[3]。

又方：先密取荇叶，当其上穿，勿令人见，以再覆疮口上，一时著叶当上穿，穿即折牙出也[4]。

蛇骨刺人毒痛方

以铁精粉如大豆者，以管吹疮内。姚同[5]。

又方：烧死鼠，捣，傅之疮上[6]。

蛇螫人，疮已合，而余毒在肉中，淫淫痛痒方

取大小蒜各一升，合捣，以热汤淋取汁，灌疮中。姚同[7]。

蛇卒绕人不解方

以热汤淋即解。亦可令就尿之[8]。

蛇入人口中不出方

艾灸蛇尾即出，若无火，以刀周匝割蛇尾，截令皮断。乃将皮倒脱即出。小品同之[9]。

七八月中，诸蛇毒旺，不得泄，皆啮草木，即枯死，名为蛇虻。此物伤人，甚于蛇螫。即依蛇之螫法治之[10]。

［辑佚方］

葛氏治蛇螫人若（或）通身洪肿者方

取糠四五斗，著大瓮中，以水沃之，令上未满五升许。又以好酒泼之，以置火上，令沸，气出，熏创口，使毒出则消[11]。

治蛇创败经月不愈方

先以盐汤洗去创中败肉，见血止，取千金钑草，捣，筛，以傅之，则愈[12]。

［附方］

《广利方》治蛇咬疮

暖酒淋洗疮上，日三易[13]。

《圣惠方》治蛇入口并入七孔中

割母猪尾、头，沥血滴口中，即出[14]。

【文献及校勘】

[1]《肘后方》130页。

[2]《肘后方》130页，《证类》433页，《纲目》2331页。"二七枚"，《证类》作"三七枚"。

[3]《肘后方》131页，《医心方》414页，《纲目》2342页。

[4]《肘后方》131页，《纲目》1372页。此条，《纲目》作"勿令人知，私以苻叶覆其上，穿以物包之，一时折牙自出也"。

[5]《肘后方》131页，《证类》114页，《医心方》414页，《纲目》492页。此条引《证类》文。"铁精粉"，《肘后方》《医心方》并作"铁粉"。"吹疮内"，《医心方》作"吹内创中"。

[6]《肘后方》131页，《证类》441页，《医心方》414页，《纲目》2901页。"捣，傅之疮上"，《医心方》作"捣末傅创中"，《证类》作"傅之"。

[7]《外台》1120页，《肘后方》131页，《千金方》449页，《医心方》411页。此条，《千金

方》作"治蝮蛇螫，服小蒜汁，滓，薄上"。

[8]《肘后方》131 页，《医心方》413 页，《纲目》2944 页。此条，《纲目》作"蛇缠人足，就尿之，便解"。"尿之"，《医心方》作"溺之亦解"。

[9]《肘后方》131 页，《千金方》449 页，《医心方》413 页。

[10]《肘后方》131 页。

[11]《医心方》412 页。

[12]《医心方》411 页。

[13][14]《肘后方》131 页。

治卒入山草禁辟众蛇药术方第五十五

辟众蛇方

同前。姚氏仙人入山草法。辟蛇之药虽多，唯以武都雄黄为上。带一块，古称五两于肘间，则诸蛇毒物莫之敢犯。他人中者，便摩以治之[1]。

又带五蛄黄丸，良，以丸有蜈蚣故也。人入山伐船，有大赤足蜈蚣置管中系腰。又有鸯龟啖蛇，带其尾亦好，鸮日噉弥佳。禁法中亦有单行轻易者，今疏其数然，条皆须受而后行。不尔到山，车口住立，存五蛇，一头乃闭气以物屈刺之，因左回两步，思作蜈蚣数千以衣身，便行无所畏也[2]

中蛇毒，勿渡水，渡水则痛，甚于初螫[3]。亦当先存想作大蜈蚣，前已随后渡。若乘船渡，不作法，杀人[4]。

入山并不得呼作蛇，皆唤为蛇。中之者，弥宜勿误[5]。

辟蛇法

到处烧殺羊角，令烟出，蛇则去矣[6]。

［辑佚方］

恶蛇之类甚多，而毒有差距。时四五月中，青蝰、苍虺、白颈、大蜴。六月中，竹狩、文蝮、黑甲、赤目、黄口、反钩、白蜓、三角。此皆蛇毒之猛烈者，中人不即治多死。第一有禁，第二则药。今凡俗知禁者少。纵寻按师术，已致困毙，惟宜勤事诸药。但或经行草路，何由皆赍方书，则应储具所制之药，并佩带之自随。天下小物能使人空致性命者，莫此之甚，可不防慎之乎[7]。

入山草辟众蛇方

干姜、生麝香、雄黄。右三味等分捣，以小绛囊盛，男左女右带佩，则蛇逆走避

327

人，不敢近也。人为蛇所中，便以治之，如无麝香，以射罔和带之。治诸毒良[8]。

又方：用八角附子，粗捣之，作三角绛绢囊盛，以带头上，蛇不敢近人[9]。

［附方］

《广利方》治诸蛇毒螫人欲死兼辟蛇

干姜、雄黄，等分，同研，用小绢袋贮，扎臂上，男左女右，蛇闻药气逆避人，螫毒傅之[10]。

【文献及校勘】

[1]《外台》1119 页，《肘后方》131 页，《证类》443 页（《本草图经》引）。"带一块，古称五两于肘间"，《肘后方》作"带一块石，称五两于肘间"。

[2]《外台》1119 页，《肘后方》131 页，《证类》443 页（《本草图经》引）。此条引《外台》文，《肘后方》作"又带五蛄黄丸，良，丸有蜈蚣，故方在于备急中，此下有禁法云，不受而行，是无验"。

[3] ～ [5]《肘后方》131 页。

[6]《外台》1119 页，《肘后方》131 页。"羖羊角"，《外台》作"羚羊角"。"令烟出，蛇则去矣"，《肘后方》原作"令烟出地，则去矣"，据《外台》改。

[7]《外台》1118 页。

[8]《外台》1119 页，《医心方》610 页。

[9]《医心方》610 页。

[10]《肘后方》131 页。

治卒蜈蚣蜘蛛所螫方第五十六

葛氏方

割鸡冠取血涂之，差[1]。

又方：嚼盐涂之效。又以盐拭疮上，蜈蚣未远不得去[2]。

又方：盐热渍之[3]。

又方：嚼大蒜，若小蒜或桑树白汁，以涂之。亦以麻履底土，揩之，良[4]。

又方：挼蓝汁以渍之即差。蜈蚣不甚啮人，其毒亦微，殊轻于蜂，当时小痛易歇脱，若为所中，幸可依此治之，药家皆用赤足者，今赤足者螫人，乃痛于黄足者，是其毒烈故也[5]。

蜘蛛毒

取生铁衣，以醋研，取汁涂之，差[6]。

又方：以乌麻油和胡粉如泥涂之，干则易之，取差止[7]。

又方：取羊桃叶，捣敷之，立愈[8]。

[辑佚方]

疗蜈蚣螫人方

头垢少许，以苦酒涂之[9]。

又方：挼蛇衔草封之，佳[10]。

又方：马齿苋汁涂之[11]。

[附方]

蚯蚓、蝼蛄、蚕咬，蠼螋尿及恶虫咬人附。

《梅师方》治蜈蚣咬人痛不止

独头蒜摩傅螫处，痛止[12]。

又《经验后方》

烧鸡矢，酒和傅之，佳。又，取鸡矢，和醋傅之[13]。

《圣惠方》治蜈蚣咬方

用蜗牛擦取汁，滴入咬处[14]。

《兵部手集》治蜘蛛咬，遍身成疮

取上好春酒饮醉，使人翻不得，一向卧，恐酒毒腐人，须臾，虫于肉中小如米自出[15]。

又《谭氏小儿方》

以葱一枝，去尖、头，作孔，将蚯蚓入葱叶中，紧捏两头，勿泄气，频摇动，即化为水，点咬处，差[16]。

刘禹锡《传信方》治虫豸伤咬

取大蓝汁一碗，入雄黄、麝香，二物随意看多少，细研，投蓝汁中，以点咬处。若是毒者，即并细服其汁，神异之极也。昔张员外在剑南为张延赏判官，忽被斑蜘蛛咬项上，一宿，咬处有两道赤色，细和箸，绕项上，从胸前下至心；经两宿，头面肿疼如数升碗大，肚渐肿，几至不救，张相素重荐，因出家资五百千，并荐家财又数百千，募能疗者。忽一人应召，云可治。张相初甚不信，欲验其方，遂令目前合药。其人云：不惜方，当疗人性命耳。遂取大蓝汁一瓷碗，取蜘蛛投之蓝汁，良久方出得汁中，甚困不能动。又别捣蓝汁，加麝香末，更取蜘蛛投之，至汁而死。又更取蓝汁、麝香，复加雄黄和之，更取一蜘蛛投汁中，随化为水。张相及诸人甚异之，遂令点于咬处，两日内悉平愈，但咬处作小疮，痂落如旧[17]。

《经验方》治蜘蛛咬，遍身生丝

羊乳一升饮之。贞元十年，崔员外从质云：目击有人被蜘蛛咬，腹大如孕妇，其家弃之，乞食于道，有僧遇之，教饮羊乳，未几日而平[18]。

又方：治蚯蚓咬，浓作盐汤浸身数遍，差。浙西军将张韶，为此虫所咬，其形大如风，眉须皆落，每又蚯蚓鸣于体。有僧教以此方，愈[19]。

又方：治蚯蚓虫咬，其形大如风，眉须皆落，以石灰水浸身亦良[20]。

《圣惠方》主蛐蟮咬人方

以鸡矢傅之[21]。

又方：治蝼蛄咬人，用石灰，醋和涂之[22]。

《广利方》治蚕咬人

麝香，细研，蜜调涂之，差[23]。

《千金方》治蠼螋尿疮

楝树枝、皮，烧灰，和猪膏傅之[24]。

又方：杵豉傅之[25]。

又方：以醋和粉傅之[26]。

又方：治蠼螋虫尿人影，著处便令人体病疮，其状如粟粒，累累一聚，惨痛，身中忽有处燥痛如芒刺，亦如刺虫所螫，后细疮累作丛，如茱萸子状也，四畔赤，中央有白脓如黍粟，亦令人皮急，举身恶寒壮热，极者连起竟腰胁胸也。治之法，初得磨犀角涂之，止[27]。

《博物志》治蠼螋虫溺人影，亦随所著作疮

以鸡肠草汁傅之，良[28]。

《外台秘要》治蠼螋尿疮，绕身匝即死

以燕窠中土、猪脂、苦酒和傅之[29]。

又方：治蠼螋尿疮，烧鹿角末，以苦酒调涂之[30]。

钱相公方：疗蠼螋尿疮，黄水出，嚼梨叶傅之，干即易[31]。

《胜金方》治蠼螋尿人成疮，初如糁粟，渐大成豆，更大如火烙浆疱，疼痛至甚，宜速用草茶并蜡茶俱可。以生油调傅上，其痛药至立止，妙[32]。

《圣惠方》治恶虫咬人

用紫草油涂之[33]。

又方：以酥和盐傅之[34]。

【文献及校勘】

[1]《外台》1124 页，《肘后方》132 页。

[2]《外台》1124 页，《肘后方》132 页，《医心方》414 页。此条引《外台》文，《肘后方》作"以盐缄疮上即愈，云蜈蚣去远者即不复得"。

[3]《肘后方》132 页。

[4]《外台》1124 页，《肘后方》132 页，《医心方》414 页，《纲目》1596 页。此条，《医心方》作"破大蒜以揩之"，《纲目》作"蜈蚣咬疮，嚼小蒜涂之，良"。

[5]《外台》1125 页，《肘后方》132 页，《医心方》414 页。此条引《外台》文，《肘后方》作"蜈蚣甚啮人，其毒殊轻于蜂，当时小痛而易歇"，《医心方》作"蜈蚣自不甚啮人，其毒亦微，殊轻于蜂，今赤足螫人，乃痛于黄足，是毒烈故也，亦是雄故也"。

[6][7]《外台》1123 页，《肘后方》132 页。

[8]《外台》1124 页，《肘后方》132 页。

[9]《医心方》414 页。

[10]《外台》1124 页，《证类》253 页。"蛇衔"，《外台》误作"蛇卫"。"封之，佳"，《证类》作"傅之"。

[11]《纲目》1658 页。

[12]～[18]《肘后方》132 页。

[19]～[34]133 页。

治卒为蛅所螫方第五十七

为蛅所螫

以玉壶丸及五蛄丸，涂其上，并得。其方在备急丸散方中[1]。

又方：取屋溜下土，水和，傅之[2]。

［辑佚方］

此蛅字作蚕字，所谓"蜂蚕作于怀袖，贲育为之惊恐"，言其小而有毒，起乎不意也。世人呼蝘蜓为蛅子，而未尝中人，乃言不可螫人，雷鸣乃放，想亦当极有毒，书家呼蝘蜓为守宫。本草云：守宫即是蜥蜴。如东方朔言，则两种物矣。今蜥蜴及蛇、医母并不螫人。蜥蜴有五色具者，亦云是龙，不可杀之，令人震死。今又有一小乌虫子，尾有翘，世人呼为甲虫，而尾似车缓两尾，复言此虫是蚤，未详其正矣[3]。

治蚤螫人方

捣常思草，绞取汁以洗疮[4]。

又方：灸创中十壮[5]。

又方：灸屋瓦，若（或）瓦器令热，以熨之[6]。

【文献及校勘】

[1]《肘后方》133页。

[2]《肘后方》134页，《纲目》439页。此条，《纲目》作"蝎蚤螫叮，蝎有雌雄，雄者痛在一处，以井底泥封之，干则易。雌者痛牵诸处，以瓦沟下泥封之。若无雨以新汲水，从屋上淋下取泥"。

[3]《外台》1129页。

[4]《外台》1129页，《医心方》415页。"洗疮"，《医心方》作"洗之"。

[5][6]《医心方》415页。

治卒蜂所螫方第五十八

蜂螫人

取人溺新者洗之，差[1]。

又方：斫谷木取白汁涂之，桑汁亦良[2]。

又方：刮齿垢涂之[3]。

又方：破蜘蛛涂之[4]。

又方：煮蜂房洗之，又烧灰末，以膏和涂之[5]。

又方：烧牛角灰，苦酒和涂之[6]。

又方：断葫揩之[7]。

又方：捣青蒿封之，亦可嚼用之[8]。

［辑佚方］

治蜂螫人

挼蓝青尖叶者涂之[9]。

［附方］

《千金方》治蜂螫人

用露蜂房末、猪膏，和傅之。《杨氏产乳》蜂房煎汤洗亦得[10]。

又《外台秘要》挼薄荷贴之，差[11]。

又《圣惠方》以酥傅之，愈[12]。

《沈存中笔谈》云：处士刘汤隐居王屋山，尝于斋中见一大蜂窜为蛛网丝缚之，为蜂所螫坠地，俄顷蛛鼓腹欲裂，徐徐行入草，啮芋梗微破，以疮就啮处磨之。良久，腹渐消，轻燥如故。自后人有为蜂螫者，挼芋梗傅之则愈[13]。

【文献及校勘】

［1］《外台》1124 页，《肘后方》134 页，《医心方》414 页，《纲目》2944 页。此条引《外台》文，《肘后方》作"取人尿洗之"。

［2］《外台》1124 页，《肘后方》226 页，《医心方》414 页。此条引《外台》文，《肘后方》作"谷树桑树白汁涂之，并佳"。

［3］《外台》1124 页，《肘后方》134 页，《医心方》414 页。

［4］《肘后方》134 页。

［5］《外台》1124 页，《肘后方》134 页，《千金方》450 页，《医心方》414 页。此条引《外台》文，《肘后方》作"又煮蜂房涂之"。

［6］《肘后方》134 页，《纲目》2760 页。此条，《纲目》作"牛角䚡烧灰，醋和敷之"。

［7］《肘后方》134 页。按，自注［3］到注［8］，《外台》分别列为六方，《肘后方》并为一方。

［8］《外台》1124 页，《肘后方》134 页，《证类》250 页，《纲目》945 页。此条引《外台》文，《肘后方》作"嚼青蒿傅之"，《证类》作"嚼青蒿傅疮上，即差"。

［9］《医心方》414 页。

［10］ ～［13］《肘后方》134 页。

治卒蝎所螫方第五十九

蝎螫人

温汤渍之[1]。

又方：挼马苋菜封之，差[2]。

又方：嚼大蒜涂之，佳[3]。

又方：嚼干姜涂之[4]。

又姚方：以冷水渍螫处，即不痛，水微暖，便痛，即易水。又以冷水渍故布，拓之，数易[5]。

又新效方：蜀葵花、石榴花、艾心，右三味等分，并以五月五日午时取，阴干，合捣，和水涂之螫处，立定。花取未开者[6]。

又方：捼鬼针草，取汁敷之，即差[7]。

又方：黄丹醋调涂之[8]。

又方：生乌头末，唾和涂之良。嚼干姜涂之[9]。

又方：以射罔封之。温酒，渍之，即愈[10]。

［辑佚方］

葛洪方曰：蝎，中国屋中多有，江东即无也。其毒应微。今石榴树多有蛇虫云云。又云：蝎前为螫，后为虿[11]。

治蝎螫人方

蝎有雌雄，雄者止痛在一处，雌者痛牵诸处。若是雄者，用井底泥敷之，温则易。雌者用当屋及沟下泥涂之，若不值天雨，可用新汲水从屋上淋下，于下取泥敷之[12]。

［附方］

《孙真人食忌》主蝎螫

以矾石一两，醋半升，煎之，投矾末于醋中，浸螫处[13]。

又《胜金方》乌头末少许，头醋调傅之[14]。

又《钱相公箧中方》取半夏以水研涂之，立止[15]。

又《食医心镜》以醋磨附子傅之[16]。

又《经验方》以驴耳垢傅之，差。崔给事传[17]。

《广利方》治蝎螫人痛不止方

楮树白汁，涂之立差[18]。

【文献及校勘】

[1]《外台》1126页，《肘后方》134页，《医心方》415页。"温汤渍之"，《外台》作"温汤浸之"。

[2]《外台》1126 页，《肘后方》134 页，《医心方》415 页。"封之，差"，《医心方》作"涂之"。

[3]《肘后方》134 页，《医心方》415 页。

[4]《外台》1126 页，《肘后方》134 页，《证类》194 页，《医心方》415 页。"涂之"，《外台》作"涂之，差"，其他各本无"差"字。

[5]《外台》1125 页，《肘后方》134 页。按，自注 [2] 到注 [5]，《外台》分列为四方，《肘后方》并作一条。

[6]《外台》1126 页，《肘后方》134 页，《纲目》1044 页。"花取未开者"，《肘后方》作"二花未定"。

[7]《外台》1126 页，《肘后方》134 页。此条引《外台》文，《肘后方》作"又鬼针草，接汁傅之，立差"。

[8]《肘后方》134 页，《证类》126 页，《纲目》479 页。此条引《证类》文，《肘后方》作"黄丹，醋涂之"，《纲目》作"醋调黄丹涂之"。

[9]《外台》1126 页，《肘后方》134 页。

[10]《肘后方》134 页，《外台》1125 页。按，自注 [6] 到注 [10]，《外台》分列为诸方，《肘后方》并为一条。

[11]《太平御览》4 页，《医心方》415 页，《纲目》2282 页。

[12]《纲目》439 页，《外台》1125 页。

[13] ～ [18]《肘后方》134 页。

治中蛊毒方第六十

葛氏治蛊毒下血方

羖羊皮方三寸，得败鼓亦好；蘘荷叶二两；苦参二两；黄连二两；当归二两。右五味，水七升，煮二升，分三服。一方加犀角、升麻各三两。无蘘荷根，用茜根四两代之，佳[1]。

人有养畜蛊以病人，其诊法：中蛊状，令人心腹切痛，如有物啮，或吐下血，不即疗之，食人五脏尽即死矣。欲知是蛊与非，当令病人唾水，沉者是，浮者非也。小品、姚并同[2]。

欲知蛊主姓名方

取鼓皮一片，烧灰末以饮服，病人须臾自当呼蛊主姓名，可语令知，便即去，病愈矣。

亦有以蛇涎合作蛊毒，著饮食中，使人得瘕病。此一种积年乃死，治之各自有药，江南山间人有此，不可不信之[3]。

又方：以蘘荷叶密著病人卧席下，亦能令呼蛊主姓名也[4]。

治是中毒吐血或下血皆如烂肝方

茜草根、襄荷根各三两。右二味咬咀，以水四升，煮取二升，去滓适寒温顿服，即愈。又当自呼蛊主姓名。茜草即染绛草也。小品并姚方同也[5]。

又方：巴豆一枚去心皮，熬；豉三粒；釜底墨方寸匕。右三味捣，分作三丸，饮下一丸，须臾当下蛊毒，不下，更服一丸[6]。

又方：盐一升，醇苦酒和，一服立吐，即愈。小品同。支方苦酒一升，煮令消，服，愈[7]。

又方：蚯蚓十四枚。以苦酒三升渍之，蚓死，但服其汁，已知者，皆可活[8]。

又方：苦瓠一枚，水二升，煮取一升，服，立即吐，愈。小品同。支方用苦酒一升，煮令消服。神验[9]。

又方：皂荚三挺，长一尺者，炙去皮子，以酒五升，渍一宿，去滓，分三服。《小品》同[10]。

治饮中蛊毒令人腹内坚痛，面目青黄淋露骨立，病变无常方

炉中取铁精，细研，别捣乌鸡肝和之，丸如梧子大，以酒服三丸，日三服，甚者不过十日愈，微者便愈[11]。

又方：猪肝一具，蜜一升，共煎之，令熟，分为二十服，秘方。小品同。支方分作丸，亦得[12]。

又方：取桑木心剉一斛，于釜中以水淹之，令上有三寸，煮取二斗，澄取清，又微火煎得五升，宿勿食，旦服五合，则吐蛊毒。小品、姚同之[13]。

又方：雄黄（研）、丹砂（研）、藜芦（炙）各一两。右三味捣筛为散，旦以井花水服一刀圭，当吐蛊毒。忌生血物狸肉[14]。

又方：隐葱草汁，饮一二升。此草桔梗苗，人皆食之[15]。

治蛊已食下部，肛尽肠穿者方

取长股虾蟆青背一枚，鸡骨、支方一分，烧为灰，合，内下部令深入。小品同。支方屡用大验，姚方亦同[16]。

又方：以猪胆汁内下部中，以绵深导内塞之[17]。

又方：五蛊黄丸最为治蛊之要，其方在备急条中[18]。

复有自然飞蛊，状如鬼气者，难治

此诸种得真犀、麝香、雄黄为良药。人带此于身，亦预防之[19]。

姚氏治中蛊下血如鸡肝，出石余，四脏悉坏，唯心未毁，或鼻破待死方

末桔梗，酒服一匕，日一二，葛氏方也[20]。

支太医有十数传用方

取马兜铃根，捣末，水服方寸匕，随吐则出，极神验。此物苗似葛蔓缘柴生，子似橘子[21]。

凡畏已中蛊，欲服甘草汁，宜生煮服之，当吐痰出。

若平生预服防蛊毒者，宜熟炙煮服，即内消不令吐痰，神验[22]。

又方：甘草炙，每含咽汁，若因食中蛊反毒，即自吐出，极良。常含咽之，永不虑药及蛊毒也[23]。

治蛊诸方

又有解百毒散，在后药毒条中[24]。

又方：桑白汁一合，服之，须臾吐利蛊出[25]。

席辩刺史传效二方云，并试用神验

班猫虫四枚，去足翅，炙；桃皮五月五日采取，去黑皮阴干；大戟。右三物分别捣筛，取班猫一分，桃皮、大戟各二分，合和枣核大，以米清饮服之讫，吐出蛊，一服不差，十日更一服，差。此蛊洪州最多，老媪解治一人，得缣二十疋，秘方不可传。其子孙犯法，黄花公若于则为都督，因以得之流传，老媪不复得缣。席云：已差十余人也[26]。

又方：殁羊皮方寸匕，蘘荷根四两，苦参、黄连各二两，当归、犀角、升麻各三两。右七物，以水九升，煮取三升，分三服，蛊即出。席云：曾与一人服，应时吐蜂儿数升，即差。此是姚大夫方[27]。

[**附方**]

《千金翼方》疗蛊毒

以槲木北阴白皮一大握，长五寸，以水三升，煮取一升，空腹分服，即吐蛊出也[28]。

又，治蛊毒下血，猬皮烧末，水服方寸匕，当吐蛊毒[29]。

《外台秘要》救急治蛊

以白鸽毛、粪，烧灰，饮和服之[30]。

《杨氏产乳》疗中蛊毒

生玳瑁，以水磨，如浓饮，服一盏，自解[31]。

《圣惠方》治小儿中蛊，下血欲死

捣青蓝汁，频频服半合[32]。

【文献及校勘】

[1]《肘后方》134 页，《千金方》438 页。《千金方》引文略异，方中各药用量也不同。

[2]《外台》762 页，《肘后方》135 页，《证类》395 页。此条引《外台》文。"中蛊状"，《肘后方》无"状"字。"尽即死矣"，《肘后方》作"则死矣"。

[3]《外台》762 页，《肘后方》135 页，《证类》395 页，《医心方》421 页。"亦有以蛇涎合作蛊毒"，《肘后方》作"亦有以蛇、蜒合作蛊毒"，《证类》作"亦有以虫蛇合作蛊药"。

[4]《外台》762 页，《肘后方》135 页，《医心方》422 页。此条引《外台》文。"蘘荷叶"，《外台》作"蘘荷"。"亦能令呼蛊主姓名也"，《肘后方》作"其病人即自呼蛊主姓名也"，《医心方》作"亦即呼蛊主姓名"。

[5]《肘后方》135 页，《外台》764 页，《千金方》438 页，《医心方》422 页。

[6]《外台》764 页，《肘后方》135 页。此条引《外台》文。"饮下一丸，须臾当下蛊毒"，《肘后方》作"一丸当下毒"。

[7]《外台》765 页，《肘后方》135 页。《外台》作"盐一升，醇苦酒一升煮，令消和，一服，立吐蛊毒出，已用良验"。

[8]《肘后方》135 页，《证类》445 页，《纲目》2358 页。

[9]《外台》765 页，《肘后方》135 页，《千金方》438 页，《证类》517 页，《纲目》1695 页。《外台》作"苦瓠一枚，以水二升，煮取一升，分服，当吐蛊如虾蟆、科蚪之类。苦瓠毒，可临时量用之"。"以水二升"，林亿校《千金方》注云："《肘后方》云：'用苦酒一升煮。'"

[10]《外台》763 页，《肘后方》135 页。"长一尺者"，《肘后方》原脱，据《外台》补。

[11]《外台》770 页，《肘后方》135 页，《千金方》438 页，《纲目》492 页。此条引《外台》文。"便愈"，《肘后方》作"便愈，别有铁精方"。

[12]《肘后方》135 页，《纲目》2696 页。此条《纲目》引文标注出典为"支太医秘方"。

[13]《外台》765 页，《肘后方》135 页，《证类》316 页，《纲目》2070 页、1758 页。"桑木心"，《外台》《证类》及《纲目》2070 页作"桑木心"，《肘后方》及《纲目》1758 页作"枣木心"。按桑、枣古抄本字形相近，易舛误。《纲目》在桑条和枣条同引此文。

[14]《外台》765 页，《肘后方》135 页，《医心方》422 页。此条引《外台》文。《肘后方》引文略异。"当吐蛊毒"，《肘后方》作"当下，吐蛊虫出"。

[15]《肘后方》135 页，《纲目》713 页，《外台》765 页。"此草桔梗苗"，《纲目》作"隐忍草，苗似桔梗"。

[16]《肘后方》135 页，《医心方》422 页。"肚尽"，《肘后方》作"肛尽"，据文义改。

[17]《外台》764 页，《肘后方》136 页。此条，《外台》作"治中蛊胡洽方，以猪胆导下部，至良"。

[18]《肘后方》136 页。

[19]《肘后方》136 页，《外台》765 页。"难治"，《肘后方》脱"治"，据《外台》补。

[20]《肘后方》136 页，《外台》767 页。

[21]《肘后方》136 页，《外台》768 页，《纲目》1252 页。

[22]《肘后方》136 页，《证类》148 页。"当吐痰出"，《肘后方》作"当吐疾出"，据《证

类》改。

[23]《肘后方》136 页。"每含咽汁"，《肘后方》作"每合咽汁"，据文义改。

[24]〔25〕《肘后方》136 页。

[26]《外台》763 页，《肘后方》136 页，《千金方》438 页，《纲目》2270 页。林亿校《千金方》注云："《肘后方》云：'服枣核大不差，十日更一服。'"

[27]《肘后方》136 页，《千金方》438 页。

[28]～[30]《肘后方》136 页。

[31]〔32〕《肘后方》137 页。

治卒中溪毒方第六十一

姚氏中水毒秘方

取水萍曝干，以酒服方寸匕，差止。又云：中水病，手足指冷即是。若暖非也。其冷或一寸，极或竟指，示过肘膝一寸浅，至于肘膝为剧[1]。

葛氏云，水毒中人，一名中水，一名中溪，一名中洒，一名水病，似射工而无物，其诊法：初得之，恶寒，头微痛，目眶疼，心中烦懊，四肢振焮，腰背骨节皆强，筋急，两膝疼，或翕翕而热，但欲睡，旦醒暮剧，手足逆冷至肘膝，二三日则腹中生虫，食人下部，肛中有疮，不痛不痒，不令人觉，视之乃知耳。不即治，过六七日下部脓溃，虫上食五脏，热甚烦，毒注下不禁，八九日良医所不能治之。觉得之，急当早视下部，若有疮正赤如截肉者，为阳毒，最急。若疮如蟗鱼齿者，为阴毒，犹小缓，要皆杀人，不过二十日也。

欲知是中水毒，当作数斗汤，以小蒜五升哎咀，投汤中，莫令大热，热即无力，去滓，消息适寒温以浴，若身体发赤斑文者是也。其无者非也，当作他病治之[2]。

病中水毒方

取梅若桃叶捣，绞取汁三升许，分为二服。或干以少水解，绞取汁饮之，极佳。姚云小儿不能饮，以汁傅乳头，与之[3]。

又方：取常思草捣，绞汁三升饮之妙，并以绵裹导下部中，日三差[4]。

又方：捣蓝青汁，以少水和，涂头面遍身令匝[5]。

又方：取梨叶一把，熟捣，以酒一杯和，绞服之，不过三[6]。

又方：取蛇莓草根，右一味捣作末服之，亦可投水捣，绞汁饮一二升，并导下部生虫者。夏月常行，多赍此屑。欲入水浴，先以少屑投水上流，便无所畏。又辟射工。家中虽以器盛水浴，亦常以此屑投水中，大佳[7]。

今东间诸山州县人，无不病溪毒，每春月多得，亦如京都伤寒之状，呼为溪温，未必皆是射工辈尔，亦尽患疮痢，但寒热烦痛不解，便致死耳。方家治此，用药与伤寒温疾颇相似。

今复疏其单治方于此[8]

取五加根烧末，以酒若浆服方寸匕[9]。

又方：密取蓼捣汁，饮一二合，又以涂身令周匝[10]。

又方：取牛膝茎一把，水、酒共一杯，渍，绞取汁饮之，日三。雄牛膝，茎紫色者是也[11]。

又方：荆叶捣汁，饮之，佳[12]。

治溪毒若下部生疮已决洞者方

取秫米一升，盐五升，水一石，煮作糜，坐中，即差[13]。

又方：取桃皮叶，熟捣，水渍令浓，去滓，著盆中坐渍之，有虫出[14]。

又方：皂荚烧末，绵裹导之，亦佳[15]。

又方：末牡丹屑，以饮服方寸匕，日三[16]。

［辑佚方］

治中水毒方

取蓼一把捣，以酒一升和，绞服之，不过三服[17]。

治溪毒单方

射工虫口边有角，人得带之，辟溪毒[18]。

又方：东向三两步，即以手左一搅取水，将蒜一把熟捣，以酒渍之，去滓，可饮两杯，当吐，得吐便差。此方甚效[19]。

【文献及校勘】

[1]《肘后方》137 页。

[2]《肘后方》137 页，《外台》1131 页，《医心方》420 页，《纲目》1596 页、2366 页，《证类》518 页。此条引《外台》文，《肘后方》文略异。"一名中水"，《肘后方》无此四字。"一名中洒"，《证类》《纲目》作"一名中湿"。又"目眶疼""四肢振㑊""腹中生虫"，《肘后方》作"目注疼""四肢振渐""腹生虫"。

[3]《外台》1131 页，《肘后方》137 页，《医心方》420 页，《纲目》1740 页。此条引《外台》文，《肘后方》文相对简略一些。

[4]《外台》1131 页，《肘后方》137 页，《医心方》420 页，《纲目》993 页。此条引《外台》文，《肘后方》文略异。

[5]《外台》1131 页，《肘后方》137 页，《医心方》420 页，《纲目》1088 页，《证类》174 页。"涂头面遍身"，《证类》作"傅头面身上"，《肘后方》作"涂头面身体"。

[6]《肘后方》137 页。

[7]《外台》1132 页，《肘后方》137 页，《纲目》1246 页、727 页，《证类》205 页。"蛇莓草根"，《纲目》两处引此方：一处作"蛇莓根"（1246 页），一处作"知母"（727 页）；《外台》作"大莓连根"；《证类》作"知母根叶"。

[8]《外台》1132 页，《肘后方》137 页，《纲目》1030 页。此条引《外台》文，《肘后方》文略小异。

[9]《外台》1132 页，《肘后方》137 页。此条引《外台》文。"服方寸匕"，《肘后方》作"水饮之"。

[10]《肘后方》137 页。

[11]《肘后方》138 页，《纲目》1030 页。

[12]《外台》1132 页，商务本《肘后方》138 页。此条引《外台》文，商务本《肘后方》作"荆叶汁，佳，千金不传，秘之（注云：另本无秘之二字）"。

[13]《外台》1132 页，《肘后方》138 页。"即差"，《外台》作"即愈"。

[14]《外台》1132 页，《肘后方》138 页，《证类》473 页。此条，《外台》作"取桃叶、艾叶，捣熟，以水渍之，纵取浓汁，去滓，著盘中坐，有白虫出，差"。

[15]《外台》1132 页，《肘后方》138 页，《纲目》2019 页。

[16]《外台》1132 页，《肘后方》138 页，《纲目》854 页，《证类》227 页。按，注 [14] [15]《外台》分列为二条，《肘后方》并为一条。

[17]《外台》1131 页，《医心方》420 页。"绞服之，不过三"，《医心方》作"绞饮汁"。

[18]《证类》457 页。

[19]《外台》1132 页。

治卒中射工水弩毒方第六十二

江南有此射工毒虫，一名短狐，一名蜮。常在山间水中，人行及入水中，此虫口中有横骨，状如角弩，即以气射人影则病[1]。

初得时，或如伤寒，或似中恶，或口不能语，或身体苦强，或恶寒壮热，四肢拘急，头痛，且可暮剧，困者三日则齿间出血，不治即死。其中人有四种。初觉即遍身视之。其一种：正如黑子，而皮绕四边突赤，以衣被犯之，如芒刺状。其一种：作疮，疮久则穿陷。其一种：突起如石之有棱。其一种：如火灼人肉，熛起作疮，此种最急。并皆杀人。居溪旁湿地，天大雨时，或逐行潦，流入人家而射人[2]。又当养鹅，鹅见射工毒虫即食之。船行将纯白鹅亦辟之。白鸭亦善[3]。带好生金、犀角、麝香并佳[4]。

中射工毒，若见身中有此四种疮处，便急治之

急周绕遍，去此疮边一寸，辄灸一处百壮，疮上亦百壮，大良[5]。

又方：取赤苋合茎叶捣，绞取汁，服一升，日再三服，以滓傅之。姚云服七合，日四五服[6]。

又方：胡蒜，切以拓疮上，灸蒜上十壮，差[7]。

又方：白鸡矢白者二七枚，以水汤和，涂疮上[8]。

又方：鼠妇虫、豉各七合，巴豆三枚，去心。右三味捣，合猪脂和，但以此药涂之[9]。

又方：取水上浮走豉母虫一枚，置口中，便差。云此虫正黑，如大豆浮水上相游者[10]。

又方：取皂荚一挺，长一尺二寸者，捶碎，以苦酒一升煎如饧，去滓，傅之痛处，差[11]。

又方：取马齿苋，捣饮汁一升，滓傅疮上，日四五遍，则良验[12]。

又方：升麻、乌翣根各二两。右二味，水三升，煮取一升，尽服之，滓傅疮上，不差，更作。姚同，更加犀角二两[13]。

射工毒虫正黑，状如大蜚，生啮发，而形有雌雄，雄者口边有两横角，角能屈伸，有一长角，横在口前，弩檐临其角端，曲如上弩，以气为矢，因水势以射人，人中之便不能语。冬月并在土中蛰，其上雪不凝，气蒸休休，然人有识处，掘而取带之。溪边行，亦往往得此。若中毒，仍为屑与服。夏月在水中，则不可见。乃言此虫含沙射人影便病。欲度水，先以石投之，则口边角弩发矣。若中此毒，体觉不快，视有疮处便治之，治之亦不异于溪毒[14]。

[辑佚方]

治射工毒中人方

初见此疮，便以水磨犀角涂之，燥复涂。亦取细屑和麝香涂之。一方云：服一方寸匕[15]。

又方：取常思草，捣，绞汁，饮一二升，以滓薄之[16]。

又方：豚耳绞取汁服，滓傅疮止血。豚耳多种，未知何者是松菜，白叶者，亦名豚耳[17]。

【文献及校勘】

[1]《外台》1129 页，《肘后方》138 页。此条引《外台》文。"状如角弩，即以气射人影"，《肘后方》作"角弩，即以射人形影"。《医心方》417 页上 13 行，引《抱朴子》云："短狐，一名蜮，一名射工，一名射影，其实水中，状似鸣蜩而大，如三合杯，有翼，能飞，无目而利耳云云。"

[2]《外台》1129、1130 页，《肘后方》138 页。此条引《外台》文，《肘后方》文有脱漏。"正如黑子，而皮绕四边突赤，以衣被犯之，如芒刺状"，《肘后方》作"正如墨子，而绕四边者，人或犯之，如刺状"。

[3]《外台》1129 页，《肘后方》138 页，《纲目》2564 页。此条引《外台》文，《肘后方》作"当养鹅鸭，亦可以食，人行将纯白鹅以辟之，白鸭亦善"。

[4]《外台》1129 页，《肘后方》138 页。此条引《外台》文，《肘后方》作"带好生犀角，佳也"。

[5]《外台》1129 页，《肘后方》138 页，《医心方》418 页。此条引《外台》文。"大良"，《肘后方》作"则差"。

[6]《外台》1130 页，《肘后方》138 页。此条引《外台》文。"服一升，日再三服"，《肘后方》作"饮之"。

[7]《肘后方》138 页，《医心方》418 页。"切""十壮"，《肘后方》作"令傅""千壮"，据《医心方》改。

[8]《外台》1129 页，《肘后方》138 页，《医心方》419 页，《纲目》2604 页。此条引《外台》文，《肘后方》作"白鸡矢白者二枚，以小饧和调，以涂疮上"，《医心方》作"白鹅矢，取白者二枚，以少许汤和，令相淹，涂上"。

[9]《肘后方》138 页，《纲目》2323 页。此条，《纲目》作"鼠妇、豆豉、巴豆各三枚，脂和涂之"。

[10]《外台》1130 页，《肘后方》138 页，《纲目》2368 页，《证类》456 页。《外台》《证类》《纲目》之文皆不相同，但内容大概一致。

[11]《外台》1130 页，《肘后方》138 页，《纲目》2020 页。"傅之痛处，差"，《外台》作"敷毒上"。

[12]《外台》1130 页，《肘后方》138 页。

[13]《外台》1130 页，《肘后方》138 页，《纲目》798 页。此条，《纲目》作"升麻、乌翣煎水服，以滓涂之"。

[14]《外台》1130 页，《肘后方》138 页。此条引《外台》文，《肘后方》文简略。

[15]《外台》1129 页，《医心方》418 页。"初见此疮，便"，《外台》无此文。

[16]《医心方》418 页。

[17]《证类》259 页。

治卒中沙虱毒方第六十三

山水间多有沙虱，其虫甚细不可见。人入水浴及汲水澡浴，此虫在水中著人。

及阴雨日行草中，即著人，便钻入皮里[1]。

其诊法：初得之，皮上正赤如小豆黍米粟粒，以手摩赤上，痛如刺，过三日之后，令人百节强，凑痛寒热，赤上发疮，此虫渐入至骨，则杀人[2]。

凡在由涧水澡浴毕，熟以巾拭身中数过，又以故帛拭之一过乃敷粉也[3]。

治沙虱毒方

以大蒜十片，著热灰中，温之令热，断蒜及热以拄创上，尽十片，复以艾丸灸创上，七壮，则良[4]。

又方：班猫二枚，熬一枚，研末服之，烧一枚令烟绝，末，着创中，立愈[5]。

又方：以射罔傅之佳[6]。

又方：生麝香、大蒜合捣，以羊脂和，著小筒中，带之行，大良[7]。

又法：今东间水无不有此，洗浴毕，以巾拭，镆镆如芒毛针刺，熟看见处，仍以竹叶抄拂去之[8]。

又法：比见岭南人初有此者，即以茅叶刮去，乃小伤皮肤为佳。乃数涂苦苣菜汁差[9]。

已深者，针挑取虫子，正如疥虫，著爪上映光，方见行动也，挑不得，便就上灸三四炷，则虫死病除。若止两三处，不能为害，多处不可尽挑灸[10]。若犹觉昏昏，是其已太深，便应依土俗作方术出之。并作诸药汤以浴，皆得一二升沙出，沙出都尽乃止[11]。如其无，则依此方为治，并杂用前中溪毒射工法急救，七日中宜差。不尔，则仍变成溪毒，如薤叶大，长四五寸，初著腹胁，肿如刺，则破鸡拓之，虫出食鸡。或三四数遍，取尽乃止。兼须服麝香、犀角护其内，作此治之。不尔则仍有飞虫在身中，啄人心脏，便死，慎不可轻[12]。

[辑佚方]

彼土有中之者不少，呼此病为坼沙虫。吴音名沙作盗护，如鸟长尾，盗者言此虫能招呼溪气。东间山行，无处不有[13]。

其虫著人肉不痛，不即觉者，久久便生子在人皮中。稍攻入则为瘘[14]。

除沙虱虫法

山行宜竹管盛盐，数视体足，见者以盐涂之便脱。杂少石灰尤良。亦断血而辟水温[15]。若无方术，痛饮番酒取醉亦佳[16]。

治沙虱毒方

以少许麝香傅疮上，过五日不差，当用巴豆汤服之。一日辄以巴豆一枚，二日二枚，计为数，并去皮心，以水三升煮，取一升尽服之，未差，即更可作服之[17]。

【文献及校勘】

[1]《外台》1133 页，《肘后方》139 页，《纲目》1660 页、2367 页。此条引《外台》文，《肘后方》《纲目》引文略异。

[2]《外台》1133 页，《肘后方》139 页，《纲目》1660 页、2367 页。此条，《纲目》引文略异。

[3]《外台》1133 页，《肘后方》139 页。此条引《外台》文。"凡在""熟以""一过"，《肘后方》作"自有""当以""一度"。

[4]《肘后方》139 页，《医心方》419 页。"艾丸"，《肘后方》原脱"丸"字，据《医心方》补。

[5]《外台》1134 页，《肘后方》139 页，《医心方》419 页，《纲目》2271 页，《证类》448 页。"着创中，立愈"，《肘后方》作"以傅疮上即差"，《证类》作"以傅疮中立差"，《外台》作"立愈"，《医心方》作"着创中立愈"。从《医心方》为正。

[6]《肘后方》139 页。

[7]《外台》1134 页，《肘后方》139 页，《太平御览》8 页。此条，《太平御览》作"葛洪方曰：辟沙虱，用麝香大蒜合羊脂捣，着小筒中，带之良"。

[8]《外台》1133 页，《肘后方》139 页。此条引《外台》文。"拂去之"，《肘后方》作"挑去之"。

[9]《外台》1133 页，《肘后方》139 页，《证类》521 页，《纲目》1660 页、1661 页、2367 页。"苦苣菜"，《纲目》作"苦菜、白苣"，《证类》作"莴苣菜"。

[10]《外台》1133 页，139 页。"若止两三处，不能为害，多处不可尽挑灸"，《肘后方》无此文。

[11][12]《外台》1133 页，《肘后方》139 页。

[13][14]《外台》1133 页。

[15]《外台》1133 页，《医心方》419 页。

[16]《外台》1133 页。

[17]《外台》1134 页。

治卒服药过剂烦闷方第六十四

服药过剂烦闷，及中毒多烦闷欲死方

刮东壁土少少，以水一二升和饮之，良[1]。

又方：屋溜下作坎，方二尺，深三尺，以水七升灌坎中，搅扬之，令沫出，取沫一升饮之。未解更作[2]。

又方：捣蓝青，绞汁数升饮之。无蓝，以青布水洗饮之[3]。

服药失度，心中苦烦方

饮生葛根汁，大良。无生者，捣干葛为末，水服五合，亦可煮服之[4]。

又方：吞鸡子黄数枚，即愈，不差，更作[5]。

服石药过剂者

白鸭矢，末，和水调服之，差[6]。

又方：大黄三两，芒消二两，生地黄汁五升。右三味，煮取三升，分三服。得下便愈[7]。

若卒服药吐不止者

饮新汲水一升，即止[8]。

若药中有巴豆，下痢不止方

末干姜、黄连，服方寸匕，差[9]。

又方：煮豆汁一升，服之，差[10]。

［辑佚方］

治服药过剂烦闷及中毒多烦闷欲死方

东流水饮一二升[11]。

又方：水和胡粉，稍稍饮之[12]。

又方：烧犀角，水服一方寸匕[13]。

又方：捣蘘荷取汁，饮一二升，冬月用根，夏月用茎叶[14]。

又方：青粱米，取其沉汁五升，饮之[15]。

治服药失度，心中苦烦方

釜月下黄土，服方寸匕[16]。

治卒服药吐不止者方

取猪膏大如指，长三寸者，煮令热，尽吞之[17]。

［附方］

《外台秘要》治服药过剂及中毒烦闷欲死

烧犀角末，水服方寸匕[18]。

【文献及校勘】

［1］《外台》864 页，《肘后方》139 页，《证类》127 页，《医心方》13 页，《纲目》429 页。此条，《证类》及《纲目》作"东壁土调水三升，顿饮之"。"一二升"，《医心方》作"三升"。

［2］《外台》864 页，《肘后方》237 页，《纲目》407 页。此条，《纲目》作"服药过剂闷乱者，地浆饮之"。"搅扬之"，《肘后方》作"以物搅扬之"。

［3］《外台》864 页，《肘后方》139 页，《证类》174 页，《医心方》13 页，《纲目》1088 页。此条引《外台》文，《肘后方》文略小异，《证类》作"捣蓝取汁服数升。无蓝，浣青绢取汁饮，亦佳"，《医心方》作"捣蓝青，绞取汁，服数升。无蓝者，立浣新青布，若（或）绀缥，取汁饮之"。

［4］《外台》864 页，《肘后方》139 页，《证类》196 页，《医心方》14 页，《纲目》1279 页。"饮生葛根汁"，《医心方》无"汁"字。

［5］《外台》864 页，《肘后方》139 页。此条，《外台》作"鸡子黄三枚吞之良。又鸡子清饮之。又服猪膏，良"。

［6］《外台》864 页，《肘后方》139 页，《证类》400 页，《纲目》2571 页。此条，《外台》《纲目》引文略异，《纲目》作"白鸭矢为末，水服二钱，效"。

［7］《外台》864 页，《肘后方》140 页。

［8］《肘后方》140 页，《医心方》14 页，《纲目》400 页。"饮新汲水"，《医心方》作"饮新汲冷水"。

［9］《肘后方》140 页，《医心方》14 页，《纲目》778 页。此条，《纲目》作"黄连、干姜等分为末，水服方寸匕"。

［10］《肘后方》140 页，《医心方》14 页。此条，《医心方》作"煮豉服一升"。

［11］《纲目》397 页。

［12］《外台》864 页。

［13］《外台》864 页，《医心方》13 页。"烧犀角"，《医心方》作"烧犀角末之"。

［14］《外台》864 页，《医心方》13 页。此条引《外台》文，《医心方》作"捣蘘荷根，取汁，饮一二升。夏用叶"。

［15］《外台》864 页。

［16］［17］《医心方》14 页。

［18］《肘后方》140 页。

治卒中诸药毒救解方第六十五

治食野葛已死方

以物开口，取鸡子三枚，和以灌之，须臾吐野葛出[1]。

又方：温猪脂一升，饮之[2]。

又方：取生鸭，就口断鸭头，以血沥口中，入咽则活，若口不开，取大竹筒，以一头注其胸胁，取冷水注筒中，数易注之，须臾口开，则可与药。若甚者两胁及脐各筒注之，甚佳[3]。

又方：饮甘草汁，但唯多更善[4]。

姚方中诸毒药及食野葛已死

新小便和人矢，绞取汁一升，顿服，入腹即活，解诸毒，无过此汁[5]。

中鸩毒已死者

粉三合，水三升，和饮之，口噤，以竹管强开，灌之[6]。

中射罔毒

蓝汁、大豆、猪犬血并解之[7]。

中狼毒毒

以蓝汁解之[8]。

中防葵毒

以葵根汁解之[9]。

中藜芦毒

以雄黄、葱汁，并可解之[10]。

中踯躅毒

以栀子汁解之[11]。

中巴豆毒

黄连、小豆藿汁、大豆汁，并可解之[12]。

中雄黄毒

以防己汁解之[13]。

中蜀椒毒及中蜈蚣毒

二毒，桑汁、煮桑根汁，并解之[14]。

中矾石毒

以大豆汁解之[15]。

中芫花毒

以防风、甘草、桂，并解之[16]。

中半夏毒

以生姜汁、干姜，并解之[17]。

中附子、乌头毒

大豆汁、远志汁，并可解之[18]。

中杏人毒

以蓝子汁，解之[19]。

食金已死者

取鸡矢半升，淋取一升饮之，可再三[20]。

又方：吞水银二两，即裹金出，少者一两亦足。

姚云：一服一两，三度服之，扶坐与之，令入腹，即活[21]。

又方：鸭血、鸡子，并解之[22]。

治诸药中毒，各各有相解者，然难常储，今取一种，而兼解众毒，求之易得者

取甘草咬咀，浓煮，多饮其汁，无不生也。又食少蜜佳[23]。

又方：煮桂，多饮其汁，并多食葱叶中涕也[24]。

又方：煮大豆令浓，多饮其汁。无大豆，豉亦佳[25]。

又方：蓝青蓝子亦通解诸毒，常预畜之[26]。

又方：煮荠苨浓汁饮之，秘方。卒不及煮，便嚼食之。亦可散服。此药在诸药中，并解众毒[27]。

又方：凡煮此诸药，饮汁解毒者，虽危急亦不可热饮之，诸毒得热更甚，宜使小冷为良[28]。

席辩刺史云，岭南俚人毒药，皆因食得之，多不即觉，渐不能食，或更心中渐胀，并背急闷，先寒似瘴[29]。

若中毒微觉，即急取一片白银含一宿，银变色，即是药也。银色青是蓝药，银色黄赤是菌药，久久毒入眼，眼或青或黄赤。若青是蓝药，若黄赤是菌药。俚人有解治者，畏人得法。在外预合，或言三百头牛药，或言三百两银药。余住久，与首领亲狎，知其药并是常用。俚人不识本草，乃妄言之。其方如后[30]。

初得俚人毒药，未中余药毒，且令定方

生姜四两；甘草三两，炙。右二味，切，以水六升，煮取二升，平旦分二服，服讫后别方治之[31]。

又治之方

常山四两，切；白盐四钱。右二味，以水一斗，渍之一宿。以月尽日渍之，月一日五更，以土釜煮，勿令奴婢鸡犬见之，煮取二升，平旦分再服，服讫，少时即吐，以铜盆盛之，看，若色青，以杖举得五尺不断者，即药未尽，一二日后，更进一剂[32]。

席辩刺史曾饮酒得中药毒，月余始觉，首领梁坟将土常山即呼为一百头牛药，与为服之，即差。差后二十日，慎毒食，唯有煮饭食之，前后得差，凡九人[33]。

又方：黄藤十两，切，以水一斗，煮取二升，分三服，服讫，毒药内消。此藤岭南皆有，状若防己，俚人常服此藤，纵得中饮食药毒，亦自然不发。席云，常服之，利小便，亦治数人[34]。

又方：都淋（《纲目》马兜铃条："肘后方作都淋，盖传误也"）藤十两，岭南皆有，土人悉知，俚人呼为三百两银药，其叶细长，有三尺微，藤生。切，以水一斗，和酒二升，煮取三升，分三服，服讫，药毒并逐小便出。十日慎毒食。不差，更服之，以差为度[35]。

又方：干蓝实四两，白花藤四两，出巂州者上，不得取野葛同生者。右二味，切，以水七升，酒一升，煮取半升，空腹顿服之，少闷勿怪[36]。

又方：干蓝捣末，顿服之，亦差[37]。

又治腹内诸毒方

都淋藤二两，长三寸，并细判，以酒三升合安罂中，密封，以糠火围四边烧，令三沸，待冷出之，温服。常令有酒色，亦无所忌，大效[38]。

若不获已，食俚人食者

先取甘草一寸，炙令熟，嚼咽汁，若食著毒药，即吐便是药也，依前法治之。若经含甘草而不吐，非也。宜常收甘草十数片，随身带之自防也。

岭南将熟食米及生食甘蔗、芭蕉之属，自更于火上炮炙烧食之，永无虑也。

若被席上散药卧著，因汁入肉，最难主治，可常自将净席随身，及匙箸甘草解毒药行甚妙[39]。

［辑佚方］

治礜石毒方

大豆汁解之[40]。

［附方］

《胜金方》治一切毒

以胆子矾为末，用糯米糊丸，如鸡头实大，以朱砂衣，常以朱砂养之，冷水化一丸，服立差[41]。

《经验方》解药毒上攻，如圣散

露蜂房、甘草，等分，用麸炒令黄色，去麸，为末，水二碗，煎至八分一碗，令温临卧顿服，明日取下恶物[42]。

《外台秘要》治诸药石后，或热噤多向冷地卧，又不得食诸热面、酒等方

五加皮二两，以水四升，煮取二升半，候石发之时便服，未定更服[43]。

孙思邈论云：有人中乌头、巴豆毒，甘草入腹即定。方秤大豆解百药毒，尝试之不效。乃加甘草为甘豆汤，其效更速[44]。

《梅师方》蜀椒闭口者有毒，误食之便气欲绝，或下白沫，身体冷

急煎桂枝汁服之，多饮冷水一二升，忽食饮吐浆，煎浓豉汁服之[45]。

《圣惠方》治硫黄忽发气闷

用羊血服一合，效[46]。

又方：治射罔在诸肉中有毒及漏脯毒，用贝子末水调半钱服，效。或食面臛毒，亦同用[47]。

《初虞世方》治药毒秘效

巴豆去皮，不出油，马牙消，等分，合研成膏，冷水化一弹子许服，差[48]。

【文献及校勘】

[1]《外台》865 页，《肘后方》140 页，《纲目》2608 页。此条，《纲目》作"抉开口后，灌鸡子三枚，须臾，吐出野葛，乃苏"。"和以灌之"，《肘后方》原作"和以吞之"，据《外台》改。

[2]《肘后方》140 页。

[3]《外台》865 页，《肘后方》140 页，《纲目》1229。此条引《外台》文，《肘后方》文略异。"若甚者"，《肘后方》作"若人多者"。

[4]《外台》865 页，《肘后方》140 页。此条引《外台》文，《肘后方》作"多饮甘草汁，佳"。

[5]《外台》865 页，《肘后方》140 页，《纲目》2941 页。此条，《纲目》作"饮粪汁一升，即活"。

[6]《肘后方》140 页。

[7]《外台》866 页，《肘后方》140 页，《纲目》2693 页。此条，《外台》作"蓝汁、大小豆汁、竹沥、大麻子汁、六畜血、贝齿屑、蚯蚓矢、藕茇汁，并解之"，《纲目》作"猪血，饮之，即解"。

[8]《肘后方》140 页。

[9]《肘后方》140 页，《证类》71 页。"防葵"，《肘后方》原作"狼葵"，据《证类》改。

[10]《外台》866 页，《肘后方》140 页。

[11]《外台》866 页，《肘后方》140 页。"踯躅"，《外台》作"踯躅花"。

[12]《外台》866 页，《肘后方》140 页，《纲目》1505 页。此条，《纲目》作"解巴豆毒，下痢不止，大豆煮汁一升，饮之"。

[13]《外台》867 页，《证类》223 页，《肘后方》140 页。

[14]《肘后方》140页，《纲目》2066页。此条，《纲目》作"解百毒气，桑白汁一合服之，须臾吐利自出"。

[15]《肘后方》140页，《证类》486页。此条，《证类》作"豆汁解之，良"。

[16][17]《外台》866页，《肘后方》140页。

[18]《外台》866页，《肘后方》140页。此条，《外台》作"中乌头、天雄、附子毒，用大豆汁、远志、防风、枣、饴糖解之"。

[19]《外台》866页，《肘后方》140页，《证类》174页。

[20]《外台》867页，《肘后方》141页，《纲目》2604页。此条引《外台》文，《肘后方》引文略异。

[21]《外台》867页，《肘后方》141页。此条，《外台》作"吞水银一两，即金出"。

[22]《外台》867页，《肘后方》141页。

[23]《外台》865页，《肘后方》141页，《医心方》14页。"无不生也。又食少蜜佳"，《医心方》作"无不主也。内食蜜少少佳也"，《肘后方》无此文，据《外台》补。

[24]《外台》865页，《肘后方》141页，《医心方》14页。

[25]《外台》865页，《肘后方》141页，《医心方》14页。此条，《外台》作"煮大豆汁服，豉亦解"。"无大豆，豉亦佳"，《医心方》作"无豆者，豉亦可用"。

[26]《外台》865页，《肘后方》141页。"常预畜之"，《外台》作"可预蓄之，急则便用之"。

[27]《外台》865页，《肘后方》141页，《纲目》713页。此条引《外台》文，《肘后方》文略小异。

[28]《外台》865页，《肘后方》141页，《医心方》14页。"诸毒得热更甚，宜使小冷为良"，《外台》作"待冷则解毒，热则不解毒也"，《医心方》作"诸毒得热皆更甚，宜扬令小冷也"。

[29]《外台》858页，《肘后方》141页，《纲目》1252页。"渐胀"，《外台》作"嘈胀"。

[30]《外台》858页，《肘后方》141页，《证类》148页（《本草图经》引），《纲目》1321页。"余住久，与首领亲狎"，《肘后方》作"余久任，以首领亲狎"。

[31]《外台》858页，《肘后方》141页，《纲目》693页。"平旦分二服"，《肘后方》作"且服三服"。

[32]《外台》858页，《肘后方》141页。"以铜盆盛之，看""一二日后，更进一剂"，《肘后方》作"以铜器贮取""二日后更一剂"。

[33]《肘后方》141页，《纲目》693页。

[34]《肘后方》141页，《纲目》1320页。

[35]《外台》859页，《肘后方》141页，《证类》148页，《纲目》693页、1252页。"以差为度"，《肘后方》作"即愈"。《纲目》云："三百两银药即马兜铃藤也"。

[36]《肘后方》141页，《纲目》1321页。"少闷勿怪"，《纲目》作"少闷勿怪，其毒即解"。

[37]《肘后方》142页。

[38]《外台》859页，《肘后方》142页。此条引《肘后方》文，《外台》方中多"黄藤二虎口长三寸"。

[39]《外台》859页，《肘后方》142页，《证类》148页。此条引《外台》文，《肘后方》文略异。"若经含甘草而不吐，非也。宜常收甘草十数片，随身带之自防也"，《肘后方》作"席辩云：常囊贮甘草十片以自防"。

[40]《外台》867 页,《纲目》1504 页。此条,《纲目》作"大豆煮汁饮之,良"。

[41] ～ [48]《肘后方》142 页。

治食中诸毒方第六十六

蜀椒闭口者有毒,食之戟人咽,使不得出气,便欲绝,又令人吐白沫,并吐下,身体冷痹,治之方

煮桂饮汁多益佳。又饮冷水一二升,及多食蒜。又上浆饮一升。又浓煮豉汁冷饮之一二升。又急饮醋。又食椒不可饮热,饮热杀人。比见在中椒毒,含蒜及荠苨,差[1]。

钩吻与食芹相似,而生处无他草,其茎有毛,误食之杀人。 治之方

荠苨八两。哎咀,以水六升,煮取三升,服五合,日五服[2]。

食诸菜中毒,发狂烦闷,吐下欲死方

取鸡矢烧末,研,水服方寸匕,不解更服[3]。

又方:煮葛根汁饮之,亦可生嚼咽之[4]。

莨菪毒

煮甘草汁,捣蓝汁饮,并良[5]。

苦瓠毒

煮黍穰令浓,饮汁数升,佳[6]。

食马肝中毒

取壮鼠矢二七枚,两头尖者是,水和饮之,未解者,更作[7]。

食六畜鸟兽肝中毒方

幞头垢一钱匕,《小品》云:"起死人"[8]。

又方:水浸豆豉,绞取汁,服数升,愈。

凡物肝脏自不可轻啖,自死者,弥勿食之[9]。

生食肝中毒

服附子末方寸匕,日三。须以生姜汤服之,不然,自生其毒[10]。

禽兽有中毒箭死者,其肉有毒

可以蓝汁、大豆汁,解射罔毒也[11]。

食郁肉及漏脯中毒

郁肉,谓在密器中经宿者。漏脯,茅屋汁沾脯,为漏脯,此前并有毒。烧人矢，末，酒服方寸匕[12]。

又方：捣薤汁服二三升，各连取，以少水和之[13]。

食黍米中藏干脯中毒方

浓煮大豆汁，饮数升即解，兼治诸肉及漏脯毒[14]。

食自死六畜诸肉中毒方

黄檗，捣末，以水和方寸匕服，未觉，再服，差[15]。

六畜自死，皆是遭疫则有毒，人有食疫死牛肉，令病洞下，亦致坚积者，并宜以利药下之良[16]。

食鱼中毒面肿烦乱方

浓煮橘皮去滓饮汁。《小品》云：冬瓜汁，最验[17]。

食猪肉遇冷不消，必成虫癥，下之方

大黄、朴消各一两，芒消亦佳。右二味，以水煮取一升，尽服之。

若不消并皮研杏子汤三升，和，三服，吐出，神验[18]。

食牛肉中毒

煮甘草，饮汁一二升[19]。

食马肉洞下欲死者

豉二百粒，杏人二十枚。右二味㕮咀蒸之，五升饭下，熟，合捣之，再朝服，令尽[20]。

此牛马皆谓病死者耳[21]。

食鲈鱼肝及鯸鮧鱼中毒

剉芦根煮汁，饮一二升，良[22]。

食蟹及诸肴膳中毒

浓煮香苏，去滓，饮其汁一升，解[23]。

饮食不知是何毒

诸馔食直尔，何容有毒，皆是假以毒投之耳。既不知是何处毒，便应煎甘草荠苨汤治之。汉质帝食饼，魏任城王啖枣，皆致死，即其事也[24]。

食菹菜误吞水蛭，蛭唼脏血，肠痛渐黄瘦者

饮牛羊热血一二升许，经一宿，便暖猪脂一升，饮之，便下蛭[25]。

葛氏治食山中朽树所生菌遇毒则烦乱欲死方

绞人矢汁，饮一升，即活。服诸吐痢丸，亦佳[26]。

又方：掘地作土浆，服二三升，则良。又浓煮大豆饮之[27]。

误食野芋毒欲死

疗同菌法[28]。

凡种芋三年不取，亦成野芋，即杀人也[29]。

[**辑佚方**]

治食诸菜中毒，发狂烦闷，吐下欲死方

煮豉汁饮一二升[30]。

中闭口椒毒、合口椒毒

人尿饮之[31]。

葛氏治食枫菌甚笑，并杀人，治之与毒菌同之[32]。

葛氏治食诸生肉中毒

以水五升，煮三升土，五六沸，下之，食顷，饮上清一升[33]。

食郁肉及漏脯中毒

煮猪肪一斤，尽服之[34]。

又方：多饮人乳汁[35]。

又方：饮生韭汁三升亦得[36]。

食六畜鸟兽肝中毒

取发剪之，长半寸，挼土作溏沾二升，合和所剉发饮之，须臾，发皆贯所食肝出也[37]。

食鱼鲙过多，冷不消，不治必成虫癥

马鞭草捣，绞取汁，饮一升即消去。亦宜服诸吐药吐之[38]。

食蟹及诸肴膳中毒

冬瓜捣汁，饮一二升[39]。

有人食蟹中毒，烦乱欲死，服五蛊黄丸，得吐下皆差。

夫蟹未被霜多毒，熟煮乃可食之。或云是水茛作为。彭蜞亦有毒，蔡谟食之几死[40]。又菜中有水茛，叶圆而光，生水傍有毒，蟹多食之，人误食之，狂乱如中风状，或吐血，以甘草汁解之[41]。

食诸饼臛百物毒

取贝齿一枚含之，须臾，吐所食物，差[42]。

又方：捣韭汁服一升。冬以水煮根服[43]。

又方：掘厕旁地作坎，深一尺，以水满坎中，取故而筹十四枚，烧令燃，以投坎中，乃取汁，饮四五升，即愈[44]。

治食野葛已死者方

以物开口，取鸡子三枚和以灌之，须臾吐野葛出。

又方：取生鸭，就尸断鸭头，以血沥口中，入咽则活。若口不开，取大竹筒，以一头注其胸胁，取冷水注筒中，数易注之，须臾口开，则可与药。若甚者两胁及脐各筒注之，甚佳。

又方：饮甘草汁，但唯多更善[45]。

[附方]

《梅师方》治饮食中毒，鱼、肉、菜等

苦参三两，以苦酒一升，煎三五沸，去滓，服之吐出即愈。或取煮犀角汁一升，亦佳[46]。

又方：治食狗肉不消，心下坚，或腹胀，口干，发热，妄语，煮芦根饮汁[47]。

又方：杏人一升，去皮，木三升，煎沸，去滓取汁，为三服，下肉为度[48]。

《金匮方》治食蟹中毒

紫苏煮汁饮之三升。以子汁饮之亦治。凡蟹未经霜多毒[49]。

又《圣惠方》以生藕汁，或煮干蒜汁，或冬瓜汁，并佳[50]。

又方：治雉肉作臛，食之吐下，用生犀角末方寸匕，新汲水调下，即差[51]。

唐崔魏公云：铉夜暴亡，有梁新闻之，乃诊之曰：食毒。仆曰：常好食竹鸡。竹鸡多食半夏苗，必是半夏毒，命生姜擂汁；折齿而灌之，活[52]。

《金匮方》春秋二时，龙带精入芹菜中，人遇食之为病，发时手青，肚满痛不可忍，作蛟龙病。服硬糖三二升，日二度，吐出如蜥蜴三二个，便差[53]。

《明皇杂录》云：有黄门奉使交广回，周顾谓曰：此人腹中有蛟龙。上惊问，黄门曰：卿有疾否？曰：臣驰马大庚岭时，当大热，困且渴，遂饮水，觉腹中坚痞如杯。周遂以消石及雄黄煮服之，立吐一物，长数寸，大如指，视之鳞甲具，投之水中，俄顷长数尺，复以苦酒沃之如故，以器复之，明日已生一龙矣。上甚讶之[54]。

【文献及校勘】

[1]《外台》861页，《肘后方》142页，《金匮》64页。此条引《外台》文，其他各本引文各异。

［2］《外台》865 页，《肘后方》142 页，《纲目》714 页，《证类》252 页，《金匮》65 页，《千金方》432 页。此条引《外台》文。"食芹"，《肘后方》作"芥"，《纲目》作"芹叶"。林亿校《千金方》注云："《肘后方》云，钩吻、茱萸、食芹相似，而所生之傍无他草，又茎有毛，误食之杀人。"

［3］《肘后方》142 页，《证类》399 页，《纲目》2601 页，《外台》861 页。"鸡矢"，《外台》作"鸡毛"。

［4］《肘后方》143 页，《证类》196 页，《医心方》678 页，《纲目》1279 页。此条引《肘后方》文，《纲目》作"葛根煮汁服"。"亦可生嚼咽之"，《肘后方》原脱，据《医心方》补。

［5］《肘后方》143 页，《外台》866 页，《金匮》65 页。此条引《肘后方》文，《外台》作"芣苢、甘草、升麻、犀角、蟹汁，并解之"。

［6］《肘后方》143 页，《外台》861 页，《证类》490 页，《金匮》65 页，《医心方》678 页。此条引《肘后方》文，《金匮》作"黎穰煮汁，数服之，解"，《证类》作"煮黍穰汁解之，饮数升止"。

［7］《外台》859 页，《肘后方》143 页，《金匮》61 页。此条，《金匮》作"雄鼠矢二七粒，末之，水和服，日再服"。

［8］《外台》859 页，《肘后方》143 页，《金匮》61 页，《医心方》681 页。此条，《外台》作"服头垢一钱匕，立差"，《金匮》作"人垢，取方寸匕，服之，佳"。

［9］《外台》859 页，《肘后方》143 页，《金匮》61 页，《医心方》681 页。此条引《外台》文，《肘后方》作"又饮豉汁数升，良"。

［10］《外台》859 页，《肘后方》143 页。此条引《外台》文，《肘后方》作"捣附子末，服一刀圭，日三服"。

［11］《外台》859 页，《肘后方》143 页，《医心方》681 页。"大豆汁"，《肘后方》原脱"汁"字，据《医心方》补。"解射罔毒也"，《医心方》作"解之"。

［12］《肘后方》143 页，《金匮》61 页，《纲目》2941 页。"烧人矢"，《金匮》作"烧犬矢"。

［13］《肘后方》143 页，《纲目》1592 页，《证类》512 页。此条，《纲目》作"杵蘸汁，服二三升，良"。

［14］《外台》860 页，《肘后方》143 页，《金匮》61 页。此条引《外台》文，《肘后方》作"此是郁脯，煮大豆一沸，饮汁数升，即解，兼解诸肉，漏毒"。

［15］《外台》860 页，《肘后方》143 页，《纲目》1981 页，《金匮》60 页，《证类》300 页。"未觉"，《证类》作"未解"。

［16］《外台》860 页，《肘后方》143 页。此条引《外台》文。"利药"，《肘后方》作"痢丸"。

［17］《肘后方》143 页，《证类》462 页，《金匮》63 页，《外台》861 页，《千金方》430 页，《医心方》679 页，《纲目》1789 页。此条，《千金方》作"治食鱼中毒面肿烦乱者，煮橘皮，停极冷，饮之，立验"，《金匮》作"橘皮浓煎汁，服之，即解"。

［18］《肘后方》143 页，《千金方》430 页。"虫瘕"，《千金方》无"虫"字。

［19］《肘后方》143 页，《金匮》61 页，《证类》148 页。此条引《肘后方》文，《金匮》作"甘草煮汁，饮之即解"，《证类》作"煮甘草汁服一二升当愈"。

［20］《外台》860 页，《肘后方》143 页，《金匮》61 页。

［21］《肘后方》143 页。

［22］《肘后方》143 页，《证类》271 页，《金匮》63 页。此条《金匮》作"芦根煮汁服之，即解"。

［23］《外台》860 页，《肘后方》143 页，《医心方》681 页，《纲目》925 页。《肘后方》仅讲此方"解毒"，未言明解什么毒。《纲目》谓此方治中诸鱼毒，《外台》谓此方疗食蟹及诸肴膳中毒。

［24］《外台》860 页，《肘后方》143 页，《医心方》676 页。此条引《外台》文，《肘后方》作"饮食不知是何毒，依前，甘草、荠苨，通疗此毒，皆可以救之"。

［25］《肘后方》143 页，《纲目》2754 页、2730 页。

［26］《肘后方》144 页，《金匮》64 页，《医心方》678 页。此条，《金匮》作"食诸菌中毒，闷乱欲死，治之方，人粪汁，饮一升"。

［27］《肘后方》144 页，《外台》861 页，《金匮》64 页，《医心方》678 页。此条引《肘后方》文，《医心方》作"掘地作坎，以水满中，搅之，服一二升"，《金匮》作"土浆，饮一二升"。

［28］《肘后方》144 页。

［29］《肘后方》144 页，《金匮》64 页，《医心方》678 页。此条引《肘后方》文，《医心方》作"食野芋毒，并杀人，治之与毒菌同之"，《金匮》作"误食野芋，烦毒欲死，治之以前方"。

［30］《医心方》678 页。

［31］《纲目》2945 页。

［32］《医心方》678 页。

［33］～［35］《医心方》680 页。

［36］《金匮》61 页。

［37］《外台》859 页，《纲目》427 页。此条，《纲目》作"取好土三升，水煮，清一升服，即愈。一方：入头发寸截和之，发皆贯肝而出也"。《外台》在方尾加按语云："谨按发误食之，令人成发瘕为病，不可疗，今和发土饮之，岂得有此理否？可详审之，别有方也。"

［38］《外台》861 页，《金匮》63 页，《千金方》430 页，《医心方》679 页。此条引《外台》文，其他各本引文，词异义同。此条，《金匮》作"食鲙多不消，结为癥病，治之方：马鞭草，右一味，捣汁饮之。或以姜叶汁，饮之一升，亦消。又可服吐药吐之"，《千金方》作"春马鞭草，饮汁一升，即消去也，生姜亦良"。宋代林亿校《千金方》注云："《肘后方》云，亦宜服诸吐药。"

［39］《医心方》681 页。

［40］《外台》860 页。

［41］《纲目》1224 页，《证类》286 页（陈藏器《本草拾遗》引）。

［42］～［44］《外台》860 页。

［45］《外台》865 页。

［46］～［54］《肘后方》144 页。

治防避饮食诸毒方第六十七

杂鸟兽他物诸忌法

白羊肉不可杂鸡肉食。

羊肝不可合乌梅、白梅及椒食。

山羊肉不可合鸡子食之[1]。

猪肉不可合乌梅食，一云不可合羊肝食[2]。

牛肠不可合犬血、肉等食[3]。

雄鸡肉不可合生葱、芥菜食[4]。

鸡鸭肉不可合蒜、桃、李子、鳖肉、山鸡肉食[5]。

雀肉不可杂牛肝食，肝落地尘不著不可食[6]。

暴脯不肯燥及火炙不动，见水而动者，不可食[7]。

鸟兽自死口不开翼不合，不可食[8]。

水中鱼物诸忌

凡鱼头有正白连珠至脊上不可食也，鱼头黑点不可食，鱼头似有角不可食[9]。

鱼无肠胆不可食，鱼无鳃不可食[10]。

鱼不可合乌鸡肉食，亦不可合鸬鹚肉食[11]。

生鱼目赤不可作鲙食[12]。

青鱼不可合小豆藿食，青鱼鲊不可合胡荽及生葵、麦酱食[13]。

鳖目凹不可食，鳖压下有如王字不可食之[14]。

鳖不可合鸡鸭子食之，鳖肉不可合赤苋菜食之，亦不可合龟共煮之[15]。

妊身不可食鳖及鱼鲙[16]。

杂果菜诸忌

李子不可合鸡子及临水食之。

五月五日不可食生菜。

病人不可食生胡芥菜。

妊娠勿食桑椹并鸭子[17]。

商陆忌白犬肉。

巴豆忌猪肉、芦笋。

半夏、菖蒲忌食羊肉，鸡子不合鲤鱼。

细辛、桔梗忌菜[18]。

白术忌食桃、李。

甘草忌食菘菜。

牡丹忌胡荽。

常山忌葱。

茯苓忌大醋[19]。

藜芦忌食狸肉。

黄连、桔梗忌食猪肉[20]。

桂、天门冬忌食鲤鱼[21]。

[辑佚方]

凡饮食杂味，有相害相得，得则益体，害则成病，以此致疾，例皆难治，所以病有不受药治，必至于死也。今略疏其不可啖物，不须各题病名，想知者善加慎之[22]。

诸鸟兽陆地肉物忌法

白犬血、肾不可杂白鸡肝、白鹅肝食。

犬肝不可杂乌鸡、狗、兔肉食[23]。

兔肉不可杂獭肉及白鸡心食[24]。

白猪白蹄青爪班班不可食[25]。

食猪肉不可卧稻穰草中[26]。

白马黑头者不可食，白马青蹄肉不可食[27]。

病人不可食熊肉及猴肉[28]。

鹿白胆不可误食[29]。

麋脂不可合梅、李食。

麋肉不可杂鹄肉食[30]。

麋肉不可合虾蟆及獭、生菜食[31]。

祭肉自动及酒自竭，并不可饮食也[32]。

鸡有六翮不要食，乌鸡白头不可食，食之杀人[33]。

鸟兽被烧死不可食[34]。

凡蝇蜂及蝼蚁集食上而食之致瘘病也[35]。

凡饮水浆及酒不见影者，不可饮之[36]。

丙午日勿食雉肉，壬子日勿食猪五脏及黑兽肉等，甲子日勿食龟鳖鳞物水族之类[37]。

辨鱼鳖蟹毒不可食及不得共食

鳀鱼赤目须不可食，鳀鱼不可合鹿肉食之[38]。

鲫鱼不可合猪肝及猴肉食[39]。

鲤鱼鲊不可合小豆藿食，鲤鱼不可合白犬肉食，亦不可合繁蒌菜作蒸食[40]。

鱼汁不可合自死六畜肉食[41]。

虾不可合鸡肉食，虾无须及腹下通黑及煮之反白皆不可食[42]。

蟹目相向及足斑目赤者不可食之[43]。

龟肉不可合瓜及饮酒[44]。

病人不可食鳀鱼、鲔鱼等[45]。

［附方］

《食医心镜》黄帝云

食甜瓜竟食盐，成霍乱[46]。

《孙真人食忌》苍耳合猪肉食，害人。又云

九月勿食被霜瓜，食之令人成反胃病[47]。

【文献及校勘】

［1］《外台》857 页，《肘后方》144 页。

［2］《外台》857 页，《肘后方》144 页，《金匮》62 页。

［3］［4］《外台》857 页，《肘后方》144 页。

［5］《外台》857 页，《肘后方》144 页，《金匮》62 页。"鸡鸭肉"，《外台》作"鸡鸭子"。

［6］《外台》857 页，《肘后方》144 页，《金匮》60 页。此条引《外台》文，《肘后方》作"生肝投地，尘芥不著者，不可食"。

［7］《外台》857 页，《肘后方》144 页，《金匮》60 页。

［8］《外台》857 页，《肘后方》144 页，《金匮》60 页、62 页。

［9］ ～ ［16］《外台》860 页，《肘后方》145 页。

［17］《肘后方》145 页。

［18］《外台》857 页，《肘后方》145 页。此条引《外台》文，《肘后方》文略异。

［19］［20］《外台》857 页，《肘后方》145 页。

［21］《外台》860 页，《肘后方》145 页。

［22］ ～ ［37］《外台》857 页。

［38］ ～ ［45］《外台》860 页。

［46］［47］《肘后方》145 页。

治卒饮酒大醉诸病方第六十八

大醉恐腹肠烂

作汤著大器中渍之，冷复易之，酒自消。夏月亦用之，佳[1]。

大醉不可安卧，常令摇动转侧，又当风席地，及水洗，饮水。最忌于交接也[2]。

饮醉头痛方

刮生竹皮五两，水八升，煮取五升，去滓，然后合内鸡子五枚，搅调，更煮再沸，二三升，服尽[3]。

饮后下痢不止

煮龙骨饮之，亦可末服[4]。

连月饮酒，喉咽烂，舌上生疮

捣大麻子一升，末黄檗二两，以蜜为丸，服之[5]。

饮酒积热，遂发黄方

鸡子七枚，苦酒渍之器中，密封，内井底一宿，出当软，取吞之二三枚，渐至尽验[6]。

大醉酒，连日烦毒不堪方

蔓菁菜并少米熟煮，去滓，冷之便饮，则良[7]。

又方：捣生葛根汁，及葛藤饼和绞汁饮之。无湿者，干葛煎服，佳。干蒲煎服之，亦佳[8]。

欲使难醉，醉则不损人方

捣柏子人、麻子人各二合，一服之，乃以饮酒多二倍[9]。

又方：葛花，并小豆花子，末为散，服三二匕。又时进葛根饮、枇杷叶饮，并以杂者干蒲、麻子等，皆使饮，而不病人[10]。

又方：胡麻亦杀酒[11]。

又方：先食盐一匕，后则饮酒，亦倍[12]。

［辑佚方］

葛氏治饮酒后大渴方

栝楼三两；麦门冬三两，去心；桑根白皮三两，切，熬。水六升，煮取三升，分再服，不止更作之[13]。

饮酒后下痢不止

陟厘纸二十枚，水柔之，无者用黄连三两，牡蛎四两，末之，麋脯一斤，无者用鹿，若无者用当归、龙骨各四两，合水一斗五升，煮取八升，分三四服，不止更作之[14]。

大醉取醒及忌法

葛氏云：张华饮九酝，辄令人摇动取醒，不尔肠即烂，背穿达席[15]。

大醉酒，连日烦毒不堪方

粳米一升，水五升煮使极烂，滗去滓，饮之尤良[16]。

又方：取水中螺蚬若螺蚌辈，以著葱豉、椒、姜，煮如常食法，饮汁数升即解[17]。

欲使难醉，醉则不损人方

进葛根饮，芹根饮之[18]。

[附方]

《外台秘要》治酒醉不醒

九月九日真菊花，末，饮服方寸匕[19]。

又方：断酒用驴驹衣烧灰，酒服之[20]。

又方：鸬鹚粪灰，水服方寸匕[21]。

《圣惠方》治酒毒或醉昏闷烦渴要易醒方

取柑皮二两，焙干，为末，以三钱匕，水一中盏，煎三五沸，入盐，如茶法服，妙[22]。

又方：治酒醉不醒，用菘菜子二合，细研，井花水一盏，调为二服[23]。

《千金方》断酒法

以酒七升，著瓶中，朱砂半两，细研，著酒中，紧闭塞瓶口，安猪圈中，任猪摇动，经七日，顿饮之[24]。

又方：正月一日酒五升，淋碓头杵下取饮[25]。

又方：治酒病，豉、葱白各半升，水二升，煮取一升，顿服[26]。

【文献及校勘】

[1]《外台》862页，《肘后方》145页。此条引《外台》文，《肘后方》作"作汤于大器中，以渍之，冷复易"。

[2]《肘后方》145页，《医心方》674页。"又当风席地"，《医心方》作"又勿鼓扇当风席地"。

[3]《肘后方》145页。

[4]《肘后方》145页，《医心方》675页。

[5]《外台》862页，《肘后方》145页，《千金方》448页，《医心方》675页。"黄檗""服之"，《外台》作"黄芩""含之"。"连月"，《医心方》作"连日"。

[6]《外台》863页，《肘后方》145页。此条引《外台》文，《肘后方》文略异。"一宿"，《肘后方》作"二宿"。

［7］《外台》862 页，《肘后方》145 页，《纲目》1613 页。此条，《外台》作"治饮酒连日醉不醒方，芜菁菜并少米熟煮，去滓，冷之，内鸡子三枚或七枚，调匀，饮之一二升，无鸡子，亦可单饮之"。

［8］《外台》862 页，《肘后方》249 页，《千金方》448 页。林亿校《千金方》注云："《肘后方》云，治大醉连日烦毒不堪。"

［9］《肘后方》145 页。

［10］《肘后方》145 页，《医心方》676 页。"小豆花子"，《肘后方》作"小豆花干"。

［11］《肘后方》146 页，《医心方》676 页。"亦杀酒"，《医心方》作"能杀酒"。

［12］《肘后方》146 页，《医心方》676 页，《纲目》633 页。"盐一匕"，《医心方》作"盐一合"。

［13］［14］《医心方》675 页。

［15］《医心方》674 页。

［16］《外台》862 页。

［17］《外台》862 页，《纲目》2548 页。"螺蚬"，即小蛤。按，《隋书·刘臻传》载，臻好啖蚬，以父讳显，因呼累蚬为扁螺。

［18］《医心方》676 页。

［19］ ～ ［26］《肘后方》146 页。

补辑《肘后方》 卷之八

治百病备急丸散膏诸要方第六十九

裴氏五毒神膏，治中恶暴百病方

雄黄、朱砂、当归、椒各二两，乌头一升，苦酒、猪脂五斤。右七味，雄黄、朱砂别捣末，当归、椒、乌头以苦酒渍一宿，合猪脂，以东面陈芦煎五上、五下，绞去滓，内雄黄、朱砂末，搅令相得，毕。治诸卒百病，温酒服如枣核一枚，不差，更服，得下即除。四肢有病，可摩，痛肿诸病疮，皆摩傅之。夜行及病冒雾露，皆以涂人身中，佳。

隐居效验方云，并治时行瘟疫、诸毒气、毒恶核、金疮等[1]。

苍梧道士陈元膏治百病方

朱砂二两；雄黄二两半；天雄三两；乌头三两；附子二两半；桂心一两；干姜二两半；松脂八两；细辛二两；白芷一两；当归三两；芎䓖二两；生地黄二斤，捣，绞取汁；苦酒三升；猪脂八斤。右十五味，朱砂、雄黄别捣为末，余㕮咀，以苦酒合地黄汁渍药一宿，取猪脂，内诸药，微火煎十五沸，以白芷黄为度，绞去滓，内雄黄、朱砂末，熟搅令稠和，密器贮之。

腹内病，皆对火摩病上，日两三度，从十日乃至二十日，取病出差止。

四肢肥肉，风瘴，亦可温酒服如杏子大一枚。

又主心腹积聚，四肢痹蹙，举体风残，百病效方[2]。

华佗虎骨膏，治百病

虎骨三两；附子十五枚，重九两；椒三升；细辛一两；芎䓖一升，切；雄黄二两；巴豆去心、皮，一升；野葛三两；杏人一升；甘草一两。右十味，苦酒渍周时，猪脂六斤，微煎三上、三下，完附子一枚，视黄为度，绞去滓，乃内雄黄，搅使稠和，密器贮之。百病皆摩傅上，惟不得入眼。若服之，可如枣大，内一合热酒中，须臾后，拔白发，以傅处，即生乌。

诸疮毒风肿及马鞍疮等，洗即差，牛领亦然[3]。

莽草膏治诸贼风、肿痹、风入五脏恍惚方

莽草一斤，乌头、附子、踯躅各三两。右四物切，以水苦酒一升，渍一宿，猪脂四斤，煎三上、三下，绞去滓。向火以手摩病上，三百度，应手即差。耳、鼻病，可以绵裹塞之。治诸疥癣、杂疮。隐居效验方云：并治手脚挛不得举动，及头恶风、背胁卒痛等[4]。

蛇衔膏治痈肿、金疮、瘀血，产后血积，耳、目诸病，牛领、马鞍疮

蛇衔、莽草、大黄、附子各一两，细辛、独活、黄芩、椒各一两，当归、芍药各一两，薤白十四茎。右十一物，苦酒淹渍一宿，猪脂三斤，合煎于七星火上，各沸，绞去滓。温酒服如弹丸一枚；日再，病在外，摩傅之，耳以绵裹塞之。目病如黍米注眦中，其色缃黄，一名缃膏。有人又用龙衔藤一两，合煎，名为龙衔膏[5]。

神黄膏治诸恶疮、头疮、百杂疮方

水银一两，胡粉二两，雄黄一两，藜芦一两，附子一两，黄连一两，黄檗一两。右七物捣，细筛，以腊月猪脂一斤，和药调器中，急密塞口，蒸五斗米下，熟出，内水银，又研令调，密藏之。有诸疮，先以盐汤洗，乃傅上，无不差者。

隐居效验方云：此膏涂疮一度即差。时人称之为圣[6]。

青龙五生膏，治天下杂疮方

丹砂五分，雄黄五分，芎𦬟五分，椒五分，防己五分，龙胆四两，青竹茹四两，柏皮、桑白皮、梧桐皮、猬皮各四两，蛇蜕皮一具，蜂房四两。右十三物，切，以苦酒浸半月，微火煎少时，乃内腊月猪脂三斤，煎三上、三下，去滓。以傅疮上，并服如枣核大，神良。

隐居效验方云：主痈疽、痔、恶疮等[7]。

以前备急诸方，皆是要验。比来积用有效者，亦次于后云[8]。

扁鹊陷冰丸，治内胀病，并蛊注、中恶等，及蜂、百毒、溪毒、射工

雄黄、真丹砂（别研）、矾石（熬）各一两；生矾石三两半，烧之；蜈蚣一枚，赤足者，小炙；班猫（去足翅）、龙胆、附子（炮）各七枚；鬼臼一两半；藜芦七分，炙；杏人四十枚，去尖皮，熬。右十一味捣筛，蜜和，捣千杵。丸如小豆，腹内胀病，中恶邪气，飞尸游走；皆服二丸。若积聚坚结，服四丸，取痢，泄

下虫蛇五色。

若虫注病，中恶邪、飞尸、游走，皆服二三丸，以二丸摩痛上。

若蛇蜂百病，若中溪毒、射工，其服者，视强弱大小，及病轻重，加减服之[9]。

丹参膏，治伤寒、时行、贼风、恶气

在外，即肢节麻痛，喉咽痹寒。入腹，则心急胀满，胸胁痞塞。内则服之，外则摩之。并瘫缓不随，风湿痹不仁，偏枯拘屈，口㖞、耳聋、齿痛、头风、痹肿、脑中风动且痛，若痈结核漏、瘰疬坚肿未溃，傅之取消。及丹疹诸肿无头，欲状骨疽者，摩之令消。及恶结核走身中者，风水游肿亦摩之。其服者如枣核大，小儿以意减之，日五服。数用之，悉效。丹参、蒴藋各三两，莽草叶、踯躅花各一两，秦艽、独活、乌头、川椒各二两，连翘、桑白皮、牛膝各二两。右十一物，以苦酒五升，麻油七升，煎令苦酒尽，去滓。用如前法，亦用猪脂同煎之。

若是风寒冷毒，可用酒服，若毒热病，但单服，牙齿痛，单服之，仍用绵裹嚼之。比来常用猪脂煎药，有小儿耳后疬子，其坚如骨，已经数月不尽，以帛涂膏贴之，二十日消尽，神效无比。此方出小品[10]。

神明白膏治百病，中风恶气，头面诸病，青盲、风烂眦鼻、耳聋、寒齿痛、痈肿、疽痔、金疮、癣疥悉主之

附子三十枚，细辛三两，蜀椒一两，吴茱萸一两，当归三两，芎䓖一两，术一两，前胡一两，白芷一两。右九物，切，煎猪脂十斤，炭火煎一沸即下，三上、三下，白芷黄，膏成，去滓，密贮。

看病在内，酒服如弹丸一枚，日三；在外皆摩傅之。目病，如黍米，内两眦中，以目向天风可扇之。疮虫齿，亦得傅之。耳内底着亦治之。缓风冷者，宜用之[11]。

成膏

清麻油十三两，菜油亦得；黄丹七两。二物铁铛文火煎，粗湿柳批篦搅不停，至色黑，加武火，仍以扇扇之，搅不停，烟断绝尽，看渐稠，膏成。煎须净处，勿令鸡犬见。齿疮帖，痔疮服之[12]。

药子一物方

婆罗门胡名那疏树子，国人名药疗病，惟须细研，勿令粗，皆取其中仁，去皮用之。

其疗诸疾病用法：

卒得吐泻、霍乱、蛊毒、脐下绞痛、赤痢、心腹胀满、宿食不消、蛇蝥毒入腹、被毒箭入腹，并服二枚，取药子中仁，暖水二合，研碎，服之。

疽疮、附骨疽肿、疔疮、痈肿，此四病，量疮肿大小，用药子中仁，暖水碎，和猪胆封上。

疠、肿、冷游肿、癣、疮，此五病，用醋研，封上。

蛇蝥、恶毛、蝎、蜈蚣等蝥，沙虱，射工，此六病，用暖水研，赤苋和封之。

妇人难产后，腹中绞痛，及恶露不止，痛中瘀血下，此四病，以一枚，一杯酒，研，温服之。

带下，暴下，此二病，以栗汁研，温服之。䘌虫食齿，细削内孔中，立愈。

其捣末筛，着疮上，甚主肌肉，此法出支家太医本方[13]。

服盐方，治暴得热病，头痛目眩，并卒心腹痛，及欲霍乱，痰饮宿食，及气满喘息，久下赤白，及积聚吐逆，乏气少力，颜色萎黄，瘴疟，诸风

其服法：取上好盐，先以大豆许口中含勿咽，须臾水当满口，水近齿，更用方寸匕，抄盐内口中，与水一时咽，不尔，或令消尽。喉若久病，长服者至二三月，每旦先服，或吐，或安击卒病，可服三方寸匕，取即吐痢，不吐痢，更加服。

新患疟者，服即差。心腹痛及满，得吐下亦佳。

久病每服以心中热者为善，三五日一服，佳。加服取吐痢，痢不损人。

久服大补，补豚肾气五石之病，无不差。但恨人不服，不能久取。

此疗方不一，《小品》云：卒心痛鬼气，宿食不消，霍乱、气满、中毒，咸作汤，服一二升，刺便吐之。良[14]。

葛氏常备药

大黄、巴豆、乌头、附子、桂心、干姜、吴茱萸、椒、熟艾、人参、术、甘草、黄连、黄芩、犀角、麝香、菖蒲、麻黄、柴胡、葛根、杏人、半夏、芍药、雄黄、秦艽等，此等药并应各少许。

以前诸药，固以大要岭南使用，仍需者，今复疏之。众药并成剂药，自常和合，贮此当备，最先于衣食耳。

众药

常山十四两，蜀漆、石膏各一斤，阿胶七两，牡蛎、朱砂、大青各七两，鳖三枚，鲮鲤甲一斤，乌贼鱼骨、马蔺子各一大升，蜀升麻十四两，槟榔五十枚，龙骨、赤石脂、羚羊角各三枚，橘皮、独活，其不注两数者各四两。用芒消一升，良[15]。

成剂药

金牙散、玉壶黄丸、三物备急药、紫雪、丹参、莽草膏、玉黄丸、度瘴散、末散、理中散、痢药、疔肿药，其有侧注者，随得一种，为佳[16]。

老君神明散

白术、附子（炮）各二两；乌头（炮）；桔梗二两；细辛一两。捣筛，旦服五方寸匕。若一家有药，则一里无病。带行者，所遇病气皆削。若他人得病者，温酒服一方寸匕。若已四五日者，以散三匕，水三升，煮三沸，服一升，取汗即愈。

常用辟温病散

真珠、桂肉各一分；贝母三分；杏人二分，熬；鸡子白熬令黄黑三分。五物捣筛，岁旦服方寸匕。若岁中多病，可月月朔望服。

单行方

南向社中柏，东向枝，取暴干，末，服方寸。姚云：疾疫流行预备之，名为柏枝散，服，神良。《删繁方》云：旦，南行见社中柏，即便收取之[17]。

断温病令不相染方

熬豉，新米，酒渍，常服之[18]。

小品正朝屠苏酒法，令人不病温疫

大黄五分；川椒五分；术、桂各三分；桔梗四分；乌头一分；菝葜二分。七物细切，以绢囊贮之，十二月晦日正中时，悬置井中至泥，正晓拜庆前出之，正旦取药置酒中，屠苏饮之。于东向，药置井中，能迎岁，可世无此病。此华佗法，武帝有方验中，从小至大，少随所堪，一人饮，一家无患，饮药三朝。一方，有防风一两[19]。

姚大夫辟温病粉身方

芎䓖、白芷、藁本，三物等分，下筛内粉中，以涂于身，大良[20]。

［附方］

张仲景三物备急方，司空裴秀为散，用疗心腹诸疾卒暴百病。用大黄、干姜、巴豆各一两，须精新好者，捣筛，蜜和，更捣一千杵，丸如小豆，服三丸。老小斟量之，为散不及丸也。若中恶客忤，心腹胀满，卒痛，如锥刀刺痛，气急，口噤，停尸，卒死者，以暖水若酒服之。若不下，捧头起，灌令下喉，须臾差，未知，更与三丸，腹当鸣转即吐下，便愈。若口已噤，亦须折齿灌之，药入喉即差[21]。

崔氏《海上方》云：威灵仙，去众风，通十二经脉。此药朝服暮效。疏宣五脏冷脓宿水变病，微利，不泻人。服此四肢轻健，手足温暖，并得清凉。时商州有人患重足不履地，经十年不差。忽遇新罗僧，见云：此疾有药可理。遂入山求之，遣服数日，平复后，留此药名而去。此药治丈夫、妇人中风不语，手足不随，口眼㖞斜，筋骨节风，胎风，头风，暗风，心风，风狂人。伤寒，头痛，鼻清涕，服经二度，伤寒即止。头旋目眩，白癜风，极治大风，皮肤风痒，大毒，热毒，风疮。深治劳疾连腰，骨节风，绕腕风，言语涩滞，痰积。宣通五脏，腹内宿滞，心头痰水，膀胱宿脓，口中涎水，好吃茶，渍手足顽痹，冷热气壅，腰膝疼痛，久立不得，浮气瘴气，憎寒壮热，头痛尤甚，攻耳成脓而聋。又冲眼赤，大小肠秘，服此立通，饮食即住。黄疸、黑疸，面无颜色，瘰疬遍项，产生秘涩，暨腰痛，曾经损坠；心痛，注气，膈气，冷气攻冲肾脏，风壅，腹肚胀满，头面浮肿，住毒脾肺气，痰热咳嗽，气急，坐卧不安，疥癣等疮，妇人月水不来，动经多日，血气冲心，阴汗，盗汗，鸦臭移甚，气息不堪，勤服威灵仙，更用热汤尽日濒洗，朝涂。若唾、若治鸦臭，药自涂身上，内外涂之，当得平愈。孩子无辜，令母含药灌之，痔疾秘涩，气痢绞结，并皆治之。威灵仙一味，洗焙为末，以好酒和令微湿，入在竹筒内，牢塞口，九蒸九曝，如干添酒重洒之，以白蜜和为丸，如桐子大。每服二十至三十丸，汤酒下[22]。

《千金方》当以五月五日午时，附地，刈取葈耳叶，洗，曝燥，捣，下筛，酒若浆水服方寸匕，日三夜三。散若吐逆，可蜜和为丸，准计一万七数也，风轻易治者，日再服。若身体有风处皆作粟肌出，或如麻豆粒，此为风毒出也，可以针刺溃去之，皆黄汁出乃止。五月五日多取，阴干，著大瓮中，稍取用之。此草辟恶。若欲省病省疾者便服之，令人无所畏。若时气不和，举家服之。若病胃胀满，心闷发热，即服之。并杀三虫，肠痔。能进食一周年，服之佳。七月七，九月九，可采用[23]。

【文献及校勘】

[1]《肘后方》147页。

[2]《肘后方》147页，《外台》850页，《千金方》152页。"朱砂"，《千金方》作"丹砂"。

[3][4]《肘后方》147页。

[5]《肘后方》147页，《纲目》1075页。《纲目》方中多"大戟一两"。

[6]～[8]《肘后方》147页。

[9][10]《肘后方》148页。

[11]《肘后方》149页，《千金方》151页。

[12]《肘后方》149 页。

[13]《肘后方》149 页,《纲目》1305 页。"药子",《纲目》说:"即海药实根。"

[14] [15]《肘后方》149 页。

[16] ~ [19]《肘后方》150 页。

[20] ~ [22]《肘后方》151 页。

[23]《肘后方》152 页。

治牛马六畜水谷疫疠诸病方第七十

疗马热虫颡黑汗,鼻中有脓腔,水草不进方

黄瓜蒌根、贝母、桔梗、大青、栀子人、吴蓝、款冬花、大黄、白鲜皮、黄芩、郁金各二大两,黄檗、马牙消各四大两。右十三味,捣筛,患相当及常要啖,重者药三大两,地黄半斤,豉二合,蔓菁油四合,和合斋前啖至晚饲,大效[1]。

马远行到歇处,良久,与空草,熟刷,刷罢饮,饮竟,当饲。困时与料及水谷,必病[2]。

疗六畜脊疮焦痂方

以面糊封之,即落[3]。

疗马急黄黑汗方

割上断讫,取陈久靴爪头,水渍汁,灌口。如不定,用大黄、当归各一两,盐半升,以水三升,煎取半升,分两度灌口。如不定,破尾使骨镵血,即止[4]。

疗马起卧,胞转及肠结,并用此方

细辛、防风、芍药各一两,盐一升。右四味,切,以水五升,煮取二升半,去滓,分二度灌后。灌前用:芒消、郁金、寒水石、大青各一两。右四味,切,以水五升,煮取二升,去滓,以油、酒各半升和调,分二度灌口[5]。

马羯骨胀

取四十九只羊蹄烧之,熨骨上,冷即易之,如无羊蹄,杨柳枝指粗者,炙熨之,不论数,差[6]。

饮马以寅午二时,晚少饮之[7]。

啖盐法

盐须干,天须晴,七日大马啖一升,小马半升,用长柄勺子深内咽中,令下肥而强水草也[8]。

治马后冷

豉、葱、姜各一两，水五升，煮取半升，和酒灌之，即差[9]。

马虫颡十年以上，灌鼻一两度，无不差方

酱清和胆半合，搅令调，分两度灌鼻，每一灌，停一两日将息，不得伤多，多即伤马。故录之令知[10]。

马虫颡重者

葶苈子一合，熬令紫色，捣如泥；桑白皮一大握；大枣二十枚，擘。右三味，以水二升，煮取一升，去滓，入葶苈，合调匀，适寒温灌口，隔日又灌，重者不过再差[11]。

虫颡马鼻沫出，梁肿起者不可治也。

马虫颡方

硇砂二酸枣许，研；猪脂（腊月者）二鸡子许。右二味，先研硇砂，令极细为末，然后熬猪脂，及硇砂煎一沸停，如人肌，高仰马鼻以灌之。一炊久。若患一鼻，减药之半。两鼻患，两鼻中灌之，一鼻患，一鼻中灌之，灌鼻后一二日，更有熏法如后：莨菪子别捣，藜芦、谷精草、干漆、葶苈子别捣，各等分，为末相和，以麻捻如烛，烧一头内马鼻中，令烟入，效，仍仰马头令稍高[12]。

驴马胞转欲死

捣蒜内小便孔中，深五寸，立差。又用小儿矢和水灌口，立差[13]。

又方：骑马走上坂，用木，腹下来去捺，以手内大孔中探却粪，大效。

探法：剪却指甲，以油涂手，恐损破马肠[14]。

疗马脊疮

以黄丹傅之，避风，立差[15]。

疗马疥方

以大豆熬焦，和生油麻捣傅之，醋泔净洗[16]。

目晕

以霜后干楮叶，杵细为末，日两度管吹眼中，差[17]。

马蛆蹄

于马枥下，当马前脚阔一尺许，掘渠深一尺许，取石如鸡子许大，满中填实，令马立其上，两日即差[18]。

马嗽

取麻子一斗饲之，立定。若咳及毛焦，与吃即光泽[19]。

马疥

樗根末，和油麻涂之，先以皂荚水或泔净洗之，洗了涂，令中间空少许，放虫出，不得多涂，恐疮大[20]。

秘疗疥

巴豆（去心皮）、腻粉，右二味，研，以油麻油和涂，先洗之，涂数日看更验[21]。

[辑佚方]

疗牛疫病方

取獭矢三升，以沸汤淋，取汁二升，灌之，良[22]。

疗牛马六畜水谷疫病方

取酒和麝香少许和灌之[23]。

疗牛胀方

以猪脂和小儿矢灌口，差[24]。

疗牛吃苜蓿草，误吃地胆虫，肚胀欲死方

以研大麻子灌口，差。吹生葱，亦佳[25]。

疗马疥方

云花草亦治马疥[26]。

【文献及校勘】

[1]《外台》1138 页，《肘后方》152 页。"虫颡"，《肘后方》作"蚶颡"。"大青"，《肘后方》作"小青"。

[2]《肘后方》152 页。

[3]《外台》1141 页，《肘后方》152 页。此条引《外台》文，《肘后方》作"六畜疮焦痂，以面胶封之，即落"。

[4]《外台》1139 页，《肘后方》152 页。

[5]《外台》1140 页，《肘后方》152 页。

[6]《外台》1139 页，《肘后方》152 页。

[7][8]《肘后方》152 页。

[9]《外台》1139 页，《肘后方》153 页。"即差"，《外台》无此二字。

[10]《外台》1140 页，《肘后方》153 页。此条引《外台》文。"酱清和胆半合，搅令调"，《肘后方》作"酱清如胆者半合"。

[11]《外台》1138 页，《肘后方》153 页。

[12]《外台》1140页,《肘后方》153页。此条引《外台》文,《肘后方》有题无方。

[13]《外台》1140页,《肘后方》153页。"小儿矢",《外台》作"小儿尿"。

[14]《外台》1140页,《肘后方》153页。"骑马走上坂",《外台》作"骑马走上坡"。

[15]《外台》1139页,《肘后方》153页。"立差",《外台》作"即差"。

[16] [17]《外台》1139页,《肘后方》153页。

[18]《外台》1141页,《肘后方》153页。此条引《外台》文,《肘后方》作"槽下立处,掘一尺,埋鸡子许大圆石子,令常立上,一两日,永差。"

[19]《外台》1141页,《肘后方》153页。此条引《外台》文,《肘后方》作"啖大麻子,净择一升饲之,治喑及毛焦大效"。

[20]《外台》1139页,《肘后方》153页。"放虫出,不得多涂,恐疮大",《肘后方》作"放虫出下得,多涂恐疮大"。

[21]《外台》1139页,《肘后方》153页。"以油麻油涂,先洗之",《肘后方》作"油麻涂定,洗之"。

[22]《外台》1141页,《证类》392页。"三升,以沸汤淋",《证类》作"二升,汤淋"。

[23] ~ [25]《外台》1141页。

[26]《纲目》1011页。《纲目》云:"云花草,状如麻黄,而中坚实也"。